Quatre jours de pluie

Du même auteur

Romans

Adèle et Amélie, 1990
Les bouquets de noces, 1995
Un purgatoire, 1996 ; collection « 10/10 », 2010
Marie Mousseau, 1937-1957, 1997 ; collection « 10/10 », 2012
Et Mathilde chantait, 1999 ; collection « 10/10 », 2011
La maison des regrets, 2003
Par un si beau matin, 2005 ; collection « 10/10 », 2011
La paroissienne, 2007 ; collection « 10/10 », 2010
M. et Mme Jean-Baptiste Rouet, 2008
Quatre jours de pluie, 2010 ; collection « 10/10 », 2012
Le jardin du docteur Des Oeillets, 2011

La Trilogie

L'ermite, 1998
Pauline Pinchaud, servante, 2000
Le rejeton, 2001

Récits

Un journaliste à Hollywood, 1987 (épuisé)
Les parapluies du diable, 1993 ; collection « 10/10 », 2011

Recueils de billets

Au fil des sentiments, vol. 1, 1985
Pour un peu d'espoir, vol. 2, 1986
Les chemins de la vie, vol. 3, 1989
Le partage du cœur, vol. 4, 1992
Au gré des émotions, vol. 5, 1998
Les sentiers du bonheur, vol. 6, 2003

Roman traduit en anglais

The Bridal Bouquets (Les bouquets de noces), 1995

Denis Monette

Quatre jours de pluie

Roman

Catalogage avant publication de Bibliothèque et Archives nationales du Québec et Bibliothèque et Archives Canada

Monette, Denis
Quatre jours de pluie
(10/10)
Éd. originale: Montréal : Éditions Logiques, 2010.
ISBN 978-2-923662-69-5
I. Titre. II. Collection: Québec 10/10.

PS8576.O454Q37 2012 C843'.54 C2012-941425-5
PS9576.O454Q37 2012

Direction de la collection : Marie-Eve Gélinas
Mise en pages et couverture : Clémence Beaudoin

Cet ouvrage est une œuvre de fiction ; toute ressemblance avec des personnes ou des faits réels n'est que pure coïncidence.

Remerciements
Nous reconnaissons l'aide financière du gouvernement du Canada par l'entremise du Fonds du livre du Canada pour nos activités d'édition.
Nous remercions le Conseil des Arts du Canada et la Société de développement des entreprises culturelles du Québec (SODEC) du soutien accordé à notre programme de publication.
Gouvernement du Québec – Programme de crédit d'impôt pour l'édition de livres – gestion SODEC.

Les Éditions Logiques
Groupe Librex inc.
Une société de Québecor Média
La Tourelle
1055, boul. René-Lévesque Est
Bureau 800
Montréal (Québec) H2L 4S5
Tél. : 514 849-5259
Téléc. : 514 849-1388
www.10sur10.ca

Dépôt légal – Bibliothèque et Archives nationales du Québec et Bibliothèque et Archives Canada, 2012

ISBN : 978-2-923662-69-5

Distribution au Canada
Messageries ADP
2315, rue de la Province
Longueuil (Québec) J4G 1G4
Tél. : 450 640-1234
Sans frais : 1 800 771-3022
www.messageries-adp.com

Diffusion hors Canada
Interforum
Immeuble Paryseine
3, allée de la Seine
F-94854 Ivry-sur-Seine Cedex
Tél. : 33 (0)1 49 59 10 10
www.interforum.fr

À Carl et Christian,
deux de mes petits-fils,
devenus grands !

« Dans tout homme,
il y a un peu de tous les hommes. »
LICHTENBERG

Prologue

Il pleuvait à boire debout en ce 31 juillet 2008 et, accoudé à l'une des fenêtres du vieux chalet que son père lui avait légué naguère, David surveillait la route de terre qui, à la cadence de l'ondée, se transformait en chemin boueux. Scrutant l'horizon sombre, devenu presque noir avec la pluie, il s'inquiétait, il était même anxieux. Les retrouvailles allaient-elles avoir lieu ? Ronald et Victor étaient-ils en route tel que convenu ? Avaient-ils rebroussé chemin ? Son cellulaire, silencieux, le lui laissait présager jusqu'à ce que la vibration du petit appareil, accroché à la ceinture de son pantalon de lin beige, lui chatouille le flanc. C'était Ronald, Ron comme il le surnommait, qui lui disait d'une voix entrecoupée par la faible communication :

— C'est le dé… déluge, Dave ! Mais j'arrive ! Je suis dans les derniers kilomètres. Je viens de passer la halte routière La Porte du Nord sur l'autoroute des

Laurentides… J'aperçois… Non, c'est, c'est… Es-tu encore là ?

— Oui, oui, je t'écoute.

— Je croyais avoir vu un panneau indicateur sur le bord de la route, il pleut tellement, mais qu'importe, je pense que la sortie suivante est la bonne. Je me tiens à droite, il ne faut surtout pas que je la rate ! Damné temps de chien ! J'espère que Victor… Allô ? Je te perds… Tiens ! c'est coupé ! À tantôt si tu m'entends encore…

David avait raccroché non sans avoir saisi les dernières bribes du message. Rassuré de le savoir si près de Sainte-Anne-des-Lacs, il se versa un verre de vin rouge et, affaissé sur un divan mal rembourré, il eut vent d'un premier coup de tonnerre au fond des bois. « Ah ! non ! Pas un orage par-dessus ça ! » marmonna-t-il en baissant le store vénitien aux lattes brisées, pour ne pas être aveuglé par les éclairs. Redoutant la panne d'électricité, il inséra des piles dans un petit appareil de radio portatif et, tournant le bouton, il put saisir sur la bande FM une station de la région, mais poussant vers le 99 et quelques lignes, il capta assez distinctement Radio-Classique où un ténor chantait une aria de *Tosca*. Il s'allongea, les mains derrière la nuque, et, féru de grande musique et d'opéra, se remémora les soirées où il avait assisté à tant d'œuvres célèbres de Verdi, Mozart et Puccini. Au Metropolitan de New York comme à la Place des Arts de Montréal. Il se souvenait également de l'aube du printemps de l'an 2000 à Paris alors qu'il avait vu, sur scène, la réputée Montserrat Caballé donner le plus sublime récital de sa vie. La diva l'avait fait frémir par sa magnifique interprétation de *Un bel di vedremo*, l'inoubliable extrait de *Madama Butterfly*.

David avait eu quarante ans le 15 juin. Un chiffre qui l'avait quelque peu contrarié. Comme tous les narcissiques, quoi ! Le sursaut puis, peu à peu, un faux-fuyant d'acceptation. Louise l'avait invité au restaurant le soir même, mais il avait dû remettre à plus tard, il prenait l'avion pour Vancouver en après-midi, un engagement l'attendait. Une journée sans vœux d'anniversaire de la part de son père qui, remarié, vivait au Manitoba avec sa jeune épouse et les deux fils de cette dernière. Pas plus qu'il ne s'était attendu à un coup de fil de la part de sa sœur aînée, Geneviève, une infirmière diplômée qui partageait sa vie depuis quinze ans avec un médecin des États-Unis, divorcé, sans enfants. David et elle n'avaient plus de contacts. Geneviève avait coupé les ponts lorsqu'elle avait appris le mode de vie de son jeune frère. Son père s'était également éloigné de lui, ce qui n'avait en rien dérangé David qui avait toujours senti, étant enfant, que le paternel affichait une préférence pour « sa chère fille ». Au diable la famille, le vieux chalet délabré dont son père s'était débarrassé en le lui offrant lui suffisait. David n'avait au fond du cœur qu'un seul amour que le Ciel lui avait ravi : sa mère. Une splendide Écossaise prénommée Virginia, que son père avait épousée… pour apprendre l'anglais ! Virginia, si belle, si douce, fille d'un rouquin et d'une mère slave, que son mari trompait avec la première venue. Virginia qui avait jeté son dévolu sur ses enfants, son fils en particulier, parce qu'il avait ses yeux marron et envoûtants, son sourire, ses traits délicats, rien de son père, pas même un lobe d'oreille. Somme toute, Virginia se revoyait en ce fils qui allait, avec le temps, devenir beau, voire superbe. Ce qui n'allait pas être le cas de Geneviève, le « portrait tout craché » de son père avec ses yeux gris souris, ses lèvres minces et son nez large et plat. Geneviève qu'elle aimait autant, mais dont elle était « physiquement » moins fière. David n'avait que vingt-cinq ans lorsque Virginia, sa mère adorée, fut emportée par un cancer généralisé. Sa mère qui l'avait épaulé, qui avait fermé les yeux maintes fois, la seule à l'avoir soutenu dans son étrange... mode de vie. Il la revoyait lui passer la main dans les cheveux, lui laver une chemise ou lui préparer un souper à la chandelle. Il la revoyait et, malgré lui, le temps maussade aidant, il essuya une larme.

Dehors, en dépit de la forte pluie, il put entendre une voiture s'engager dans la route de terre. Sorti de sa rêverie, baissant le son de sa petite radio qui jouait maintenant du Brahms, il regarda par le coin de la fenêtre et, sortant d'une Toyota rouge, il reconnut Ronald. Altier, séduisant, *jeans* bleu, un col roulé, un veston noir, il courut jusqu'à la porte pour ne pas être trempé et, apercevant David qui lui ouvrait, il se jeta dans ses bras en lui disant :

— Je ne pensais jamais me rendre ! On ne voyait rien à deux pieds devant soi ! Mais, j'y suis ! Dis donc, t'es fichûment bien conservé ! Je n'ai pas osé te le dire l'autre jour devant Josée, mais on voit bien que les femmes ne t'ont pas trop fait suer ! Tiens ! du vin ! Tu m'en sers un verre ? Ça va me remonter, j'ai des frissons avec cette humidité.

— Bien sûr, prends le fauteuil au coussin à carreaux, détends-toi... Tu crois que Victor va venir ? Aucune nouvelle de lui durant le trajet ?

— Non, mais il est sûrement en route. Vic n'est pas du genre à rebrousser chemin sans prévenir. Ça va lui prendre un peu plus de temps, il est extrêmement prudent. Et sa Mazda commence à avoir du millage. On a de quoi l'attendre, Dave ! Moi, le vin rouge... C'est ça, ton chalet, le cadeau de ton père ?

— Encore chanceux d'en avoir hérité avec le peu d'attention qu'il me portait, mais c'est plutôt un camp d'été, celui de mon enfance. Il est resté tel qu'il était,

Ron, et ne cherche pas le luxe, il n'y en a pas. Je l'ai fait dépoussiérer cette semaine par un couple du village. Mais rien de moderne. Une douche qui fonctionne, un poêle à bois, et ne cherche pas le grille-pain, il n'y en a pas. J'espère que Vic et toi aimez les *toasts* écrasées sur un rond, c'est comme ça qu'on faisait les nôtres dans le temps. Mon père aimait vivre en bûcheron. Ma mère suivait, mais elle se plaignait sans cesse du peu de confort de ce qu'elle appelait « la cambuse », et ma sœur n'invitait pas d'amies, gênée par l'allure du chalet. Moi, ça ne me dérangeait pas, j'y trouvais même un certain charme. C'est pourquoi je l'ai gardé intact... Quand je viens m'y ressourcer, je me revois encore, petit, frêle, avec la hache trop grosse pour moi, en train d'essayer d'abattre un arbre. Mais regarde, il y a trois chambres, une grande, deux moyennes. J'ai une petite radio à piles, pas de téléviseur, mais des livres, des magazines, un jeu d'échecs, des dards, de la bouffe et de quoi boire !

— Allons, tu n'as pas à t'expliquer, ça ira, on est ici pour se retrouver, pour se raconter... Et puis, ça va nous dépayser de la ville, marmonna Ronald.

Au même moment, une autre voiture s'engageait dans le chemin du chalet, mais s'enlisa peu à peu dans la boue au point de ne plus pouvoir avancer. Sortant sur la galerie, Ronald fit de grands signes et, lorsque Victor descendit la vitre de sa portière, il lui cria :

— Laisse-la là, elle ne dérange personne, le chemin est privé. On te sortira du trou demain ! Arrive ! Sors de l'autre côté, c'est moins creux, et cours un peu ! Ça t'évitera d'être tout mouillé !

Le voyant se frayer un chemin hors de la boue, David remarqua que Victor n'avait rien perdu de son embonpoint du temps du cégep. Non seulement était-il corpulent, mais il était presque chauve maintenant. Quelques poils sur le dessus du crâne, une légère couronne, des bourrelets au cou, il n'avait guère changé pour le mieux, ce pauvre Vic. Mais, muni de son parapluie noir, un sac de provisions au bras, heureux d'avoir traversé la petite route sans trop caler dans la vase, il s'exclama en voyant les deux autres qui l'attendaient sur la galerie :

— Si vous m'appelez « le gros » une seule fois, je décampe !

Ils s'esclaffèrent et, après l'avoir confortablement installé près du poêle, David s'en approcha pour lui servir à boire.

— Non, non, pas de vin ! Je ne bois que du *ginger ale*, moi, le Canada Dry de préférence. Et comme tu n'en as pas, j'en suis sûr, ne t'en fais pas, Dave, j'ai apporté ma caisse de cannettes ! Là, dans mon gros sac ! J'avais pas envie de retourner la chercher avec ce temps de chien ! Dis donc, David, t'es devenu bel homme en maudit ! Bien sûr, fallait s'y attendre ! Pis toi, Ron, t'es pas piqué des vers, non plus. J'aurais dû y penser juste à entendre ta voix mielleuse au téléphone ! Y'a donc juste moi qui prends de l'âge, qui vieillis mal ?

On le consola, on prétendit le contraire, mais « le gros » n'était pas dupe. Parcourant des yeux le tour du chalet peu respectable, David s'en aperçut, lui répéta son monologue, mais Victor ajouta :

— Pourquoi le gardes-tu ? Tu pourrais le vendre, non ?

— C'est mon refuge, Vic. Quand j'ai besoin de faire le vide...

— Tu m'as dit que tu avais un condo superbe, Dave ! s'écria Ronald. Puis tu roules en Volvo ! La plus chère, la plus luxueuse...

— Oui, je sais, ce chalet est infect, mais il dégage une odeur particulière, Ron. Une odeur qu'on ne trouve pas dans un condo d'un demi-million...

— L'odeur des cèdres, je suppose ?
— Non, celle de ma mère.

C'était par pur hasard que quelques semaines plus tôt, David avait croisé Ronald dans un centre commercial alors qu'il terminait un croissant et un café au petit resto à toit ouvert de l'allée principale. Ils s'étaient regardés et, sans hésiter, Ronald avait crié : « Dave ! » tandis que l'autre lui répondait : « Ron ? C'est toi ? » Ils s'étaient jetés dans les bras l'un de l'autre sous l'œil amusé de Josée, la compagne de Ronald. Invité à se joindre à eux, David changea de table avec sa tasse de café encore pleine. Présentations faites, Josée les laissa se retrouver sans trop les interrompre. Leur camaraderie remontait à l'année 1988-89 alors qu'ils fréquentaient le même cégep du nord de Montréal. Deux ans à se côtoyer presque chaque jour et à former un trio avec Victor, devenu Vic, que Ronald taquinait en l'appelant « le gros », ce qui irritait le désigné et qui faillit provoquer un éloignement. Mais David avait sauvé la situation en avertissant Ronald que, s'il persistait avec ce sobriquet qui humiliait Victor, il allait faire bande à part et dissoudre le trio. Or, sur promesse, dès ce jour, ils devinrent inséparables malgré les quelques rechutes de Ron face aux rondeurs de plus en plus évidentes du… « gros » ! Le cinéma, les films en vogue, les groupes et vedettes de l'heure en musique, Peter Gabriel et son plus récent album *So*, pour Ron ; le groupe Wham !, pour Dave, même si George Michael s'en dissociait pour faire une carrière solo ; les Bee Gees encore actifs, pour Vic, quoique ce dernier avait un fort penchant pour les artistes français, Julien Clerc en particulier, dont il possédait tous les albums, *Les aventures à l'eau* inclus. Mais ils étaient jeunes, ils s'entendaient à merveille, ils étudiaient tous les trois en administration à défaut de savoir ce qu'ils voulaient faire, et s'invitaient les uns les autres chez leurs parents respectifs. Ronald aimait aller chez Dave parce que sa mère, Virginia, pas mal dans le vent, achetait les disques de Tina Turner. Chez Ronald, l'atmosphère était plus lourde, ses parents ne vivaient plus ensemble et le père avait emmené avec lui son plus jeune fils, Patrick, laissant Ronald avec sa mère dépressive à souhait, alcoolique, bourrée de sédatifs, dépendante de la pension de son mari, et ayant peine à joindre les fins de mois pour le loyer. Une femme de quarante-cinq ans qui en affichait dix de plus à cause des abus. Mais Ronald, du cœur au ventre, travaillait dans un magasin de musique les fins de semaine pour aider sa mère à payer l'épicerie, le porto bon marché aussi. C'était donc chez Ronald que le trio se rencontrait le moins souvent. À cause de sa mère qui, toujours écrasée sur le divan, cuvait ce qu'elle ingurgitait, sans compter les pilules roses qui suivaient pour « se remonter le moral », comme elle le prétendait. De temps à autre, un sursaut, un sursis, elle leur faisait un *grilled cheese* qu'elle leur servait avec une boisson gazeuse. Chez Victor, tout le contraire. Des parents unis, un père ventru, une mère bien portante d'où l'hérédité de leur fils, et une petite sœur gâtée pourrie de six ans sa cadette. Ronde, les joues rouges, la bouche... boudeuse ! Mais c'était convivial. Le paternel les accueillait avec gentillesse, la mère se dévouait pour qu'ils ne manquent de rien, et la petite se bouchait les oreilles dès que son grand frère déposait sur le tourne-disque le microsillon *The Power*, de Gloria Gaynor, qui venait tout juste d'être mis en marché. Pour faire plaisir à David qui, comme sa mère, aimait les chanteuses noires. Un trio indissoluble, des goûts passablement communs, des partages de bouffe ou de cigarettes, et des emprunts de l'un à l'autre que Ronald avait peine à rembourser. David, le plus séduisant des trois, attirait les filles comme le sucre, les fourmis. Mais il était timide, distant, et ne répondait guère aux avances des prétendantes, sauf de Maggie, une étudiante qu'il fréquenta durant trois mois lors de sa deuxième année de cégep. Que trois mois parce que la jeune fille tentait de l'éloigner de ses amis, de le garder pour elle seule. Mais David, en bon Gémeaux indépendant, ne mordit pas à l'hameçon et se départit sans plus attendre de son envahissante compagne. Ronald, de son côté, cumulait les conquêtes. Une blonde n'attendait pas l'autre et, parfois, il en fréquentait deux sans que ni l'une ni l'autre ne s'en rende compte. Le parfait coureur de jupons. Grand, cheveux bruns, yeux noirs, belle carrure, sportif quand il le fallait, il était fort attirant. Sensuel, voire sexuel, il avait la main habile et les filles succombaient aisément dans sa chambre lorsque sa mère, saoule ou presque, ronflait dans le salon. Mais il prenait ses précautions, le fripon, et « la fille de sa vie », comme il le disait à chacune, était vite chassée de sa vue dès qu'il en apercevait une autre. Au cégep comme au *Disco Pub*, au dépanneur comme au « centre d'achats », aucune ne lui échappait. Le jeune loup par excellence, qui ne trahissait pas pour autant ses amis et qui, au temps des Fêtes, avait acheté à bon prix au magasin de musique où il travaillait le dernier album de Duran Duran, tandis que David s'appropriait du plus récent Aretha Franklin, la reine du *soul* depuis vingt ans. Voyant que chacun y allait d'un achat, Victor, mal à l'aise, s'empara du microsillon de Noël d'Anne Murray, qu'il offrit à ses parents.

Or, vingt ans plus tard, attablés au petit resto aéré du centre commercial, on parla évidemment de ces années de cégep et de comment, diplôme en main – sauf David qui avait quelques cours à reprendre –, le trio se dispersa peu à peu. Les rencontres coutumières n'étaient plus à l'horaire, Ronald et Victor s'étaient inscrits à deux universités différentes et David, peu soucieux de terminer son cégep, avait d'autres projets en tête. Avec, évidemment, la générosité de Virginia, sa mère, qui lui emplissait les poches au fur et à mesure qu'elles se vidaient. Victor, qui habitait la banlieue nord, cherchait à rencontrer une fille de son quartier, Ron fréquentait une serveuse de bar plus âgée que lui, et Dave, peu enclin à insister, n'étant plus du même niveau d'études, avait été le premier à s'évader du groupe, à donner de moins en moins de nouvelles, puis plus rien. Ronald et Victor tinrent le coup encore un certain temps, mais « le gros », peu attiré par les clubs et encore moins par celui où travaillait la plantureuse serveuse de Ronald, s'éloigna de son côté après s'être clairement expliqué avec ce dernier. Il lui avait laissé savoir qu'il l'appellerait de temps à autre, le priant d'en faire autant, mais le temps fit son œuvre et le vide s'installa entre eux. Ce qui permit à Vic de reprendre sa musique française, d'écouter Julien Clerc à sa guise, d'éliminer tout ce qui venait des États-Unis et d'Angleterre de sa discothèque alors que Ronald se gavait déjà des nouveaux groupes *rock* qui émergeaient afin d'ensevelir ceux qu'il avait adulés jusqu'au cégep. Revenant sur Terre, portant sa tasse à ses lèvres, se souciant à peine de Josée, sa conjointe, Ron avait demandé à David à brûle-pourpoint :

— Que dirais-tu d'un souper de retrouvailles, Vic, toi et moi ?

Pris au piège, David le regarda pour lui répondre :

— Heu... oui, mais tu le revois encore, Vic ? Tu sais où il habite ?

— Je ne le fréquente pas, mais je sais où le joindre. Je suis certain qu'il serait enchanté de nous revoir, de parler de ces belles années.

— Oui, tant de souvenirs à se rappeler tous les trois. Le Capricorne, le Bélier et le Gémeaux comme disait ta mère qui nous lisait notre horoscope. Au fait, comment est-elle...

— Ne me parle pas d'elle, Dave. Gardons ça pour plus tard, lors de notre rencontre.

Cherchant à s'immiscer, Josée demanda à David :

— C'est vous le Capricorne ?

— Non, moi, je suis le Gémeaux, celui du 15 juin. Vic est le Capricorne, son anniversaire est le 13 janvier. Il y avait toujours une tempête quand on le fêtait... Et toi, Ronald, c'est bien le 3 avril si ma mémoire m'est fidèle...

— Non, le 4, Dave, en pleine force du Bélier comme disait ma mère... Ta mémoire vient de t'être infidèle. Est-ce l'âge ? Tu es le plus vieux des trois !

— Non, là, tu te trompes, c'est Vic qui ouvre le bal. Nous avons eu tous les deux quarante ans, il n'y a que toi, le jeune, qui nous suit d'un an. Parce que tu as sauté une année au primaire, disais-tu... On ne t'a jamais cru !

— Pourtant, c'est vrai ! Ma mère m'avait fait suivre des cours privés en quatrième année et j'en étais sorti si fort que, de retour à l'école, on m'a placé en sixième année. Elle avait juré sur la Bible que j'avais fait deux années dans une... Aidée par le porto et les pilules !

Ils s'esclaffèrent et Josée intervint :

— Voilà qui n'est pas drôle ! Rire de sa mère de la sorte... Ron, voyons !

— Bah ! t'en fais pas, elle riait avec nous, la mère, elle s'est parjurée plus d'une fois sous le coup de l'émotion, pour ne pas dire de la boisson... Dieu ait son âme...

— Donc, elle est décédée... marmonna David.

— Oui, mais on en reparlera, veux-tu ? On reparlera de tout, Dave ; Vic aussi doit en avoir long à dire de son côté.

— Bien sûr, mais on ne peut pas résumer vingt ans de vie le temps d'un souper. Que diriez-vous de venir passer un week-end à mon chalet de Sainte-Anne-des-Lacs ? Avec tout ce qu'on aura à se dire... Nos parcours...

Josée avait sourcillé. Elle venait de comprendre que les femmes seraient exclues des retrouvailles. Dardant David du regard, elle lui demanda :

— Votre femme n'y verra aucune objection ?

— Je ne suis pas marié et je n'ai pas de conjointe, je vis seul. J'ai certes une amie, mais c'est chacun sa vie.

— Ce qui n'est pas le cas des autres, je crois... Ton ami Vic a une femme, Ronald ?

— Oui, il est marié, il a même deux enfants, mais elle sera d'accord avec l'idée. Sa femme semble être un ange à la façon dont il en parlait la dernière fois que je l'ai eu au bout du fil.

— Bon, puisque c'est comme ça... ajouta-t-elle, fort déçue.

— Écoute, Josée, je te l'ai dit et je te le répète, un seul bâton dans mes roues et je...

Ne voulant entendre la suite, la jeune femme, haute comme trois pommes, se leva, s'empara de son sac à main et partit sans saluer David.

— Tu n'aurais pas dû, Ron, c'est moi qu'elle va haïr...

— Ne t'en fais pas avec elle, ça achève. Moi, les sangsues...

— Vous vivez ensemble, non ?

— Oui, si on veut... Quand je suis à Montréal, je voyage beaucoup. Je te raconterai tout plus tard.

— Tu t'occupes de Victor ? S'il refuse, viendras-tu seul ?

— Il ne refusera pas, c'est un nostalgique, Vic. Il écoute encore Julien Clerc. Il a acheté la compilation de tous ses grands succès. Bon, je te quitte, mais prends ma carte et remets-moi la tienne.

— Heu... je n'en ai pas, Ron, juste une adresse électronique et un numéro de téléphone. Tiens ! passe-moi ton stylo, je t'inscris les deux sur un bout du napperon.

— Il est beau, ton chalet ?

— Non, rudimentaire, minable, tel qu'il était autrefois. Rien de luxueux, tu vas voir. En plein bois, pas de lac pour se baigner, mais ce sera propre et j'aurai de quoi manger et boire. Tu aimes encore la bière ?

— Un peu, mais j'ai évolué, je préfère le vin rouge.

— J'en ai de tous les pays, tu n'auras que l'embarras du choix !

— Que fais-tu dans la vie, Dave ?

— Non, Ron. Pour employer ta phrase : « Gardons ça pour la rencontre. » On partira du moment où l'on s'est quittés tous les trois.

— Tu as raison. Fin juillet, début août, ça t'irait ?

— Heu… oui, n'importe quand, mais pas plus tard, je pars ensuite, j'ai des voyages d'affaires.

Ronald s'empara des coordonnées de David, promit de l'appeler dès qu'il aurait parlé à Vic, lui serra la main et, juste avant de le quitter, il le retint par le bras pour lui demander :

— Que devient Virginia, pardon, je veux dire…

— Ne t'excuse pas, c'est ainsi qu'on l'appelait tous les trois, tu t'en souviens ? Ma mère est morte, Ron. Depuis presque quinze ans. Pour ce qui est des autres, on s'en reparlera.

Et c'est ainsi que les arrangements furent pris pour que les trois complices du cégep se retrouvent le temps d'un long week-end au chalet délabré de celui qui, pourtant, roulait en Volvo C70 de l'année. Un cabriolet décapotable noir garé près du chalet et que Ronald avait aperçu à son arrivée. Plus impressionnant que sa Toyota Prius rouge, mais il fut rassuré lorsque Victor resta pris dans la boue avec sa Mazda Protegé beige des années 2000 ou 2001.

La pluie tombait tellement que David craignait que l'eau s'infiltre par le toit. Laissant jouer sa musique classique en sourdine, il concocta un gentil souper pour ses amis de fortune. Avec un Valpolicella pour Ronald et lui ; du *ginger ale* pour Victor. Puis, après la salade, les pâtes fraîches et les desserts, il leur proposa un Cointreau que Ron accepta, mais que Vic refusa. Il leur fit faire le tour des chambres, disant à chacun d'eux : « Voici la tienne, il y a une commode et un placard. » Il garda la plus grande pour lui et, de retour au *living room*, ajouta en les regardant :

— Je vous ai demandé d'arriver jeudi soir afin d'avoir une fin de semaine entière à nous, ce qui ne sera pas de trop. Je ne comprends pas qu'on se soit perdus de vue ainsi. Dis, ta femme n'a pas trop maugréé de te voir partir, Vic ?

— Marianne ? Mais non, c'est une perle ! Elle était si contente que je retrouve mes copains de cégep. Elle va en profiter pour passer la fin de semaine chez sa mère à Charny, en banlieue de Québec.

— Mais comment ? Tu as pris la voiture...

— En autobus, voyons ! Les enfants vont adorer ça !

— Et toi, Ronald, ta Josée ?

— Sans commentaires, Dave. Ce qui compte, c'est que je sois ici.

— En effet. Vous voulez écouter autre chose que du classique ?

— Bien, tu n'as pas de lecteur CD...

— C'est vrai, Vic, mais d'une station à l'autre sur les bandes AM et FM...

— Non, laisse ça, c'est reposant. Puis, comme j'ai une bonne journée dans le corps, je ne veux pas me coucher tard.

— À ta guise, Vic, ta chambre est là, fais comme chez toi !

Resté seul avec Ronald, il remarqua que ce dernier fixait l'autre bouteille de vin italien à peine entamée.

— On la vide ensemble, Dave ? Moi, je ne m'endors pas. On va pas parler, on va juste relaxer. C'est du Mozart qu'on entend ?

— Non, du Schubert, Ron, sa *Sonate d'adieu.*

Chapitre 1

Assez tôt le lendemain, s'étirant d'aise après avoir bien dormi, David perçut des bruits de voix venant de la chambre voisine, celle de Victor. Prêtant l'oreille, il put entendre ce que son ami disait au téléphone en s'efforçant de baisser le ton. Sans doute parlait-il à sa femme puisqu'il put saisir : « Oui, ça va, mon ange. Ma voiture est prise dans la boue sur la route de terre, mais on la sortira à trois dès que la pluie aura cessé. Ce qui ne sera pas aujourd'hui, il pleut encore, ça n'arrête pas. » Puis, après un long silence : « Je suis content que le voyage en autobus ait plu aux enfants. Tes parents vont bien ? Embrasse-les pour moi ! » Une autre pause et Victor, se faisant plus discret, ajouta : « Ce n'est pas le grand luxe ici, c'est humide, pas trop confortable, mais je suis content de revoir mes amis d'antan. Surtout David qui a tout mis en œuvre pour bien nous recevoir. Tu devrais le voir, Marianne, on dirait un acteur de cinéma ! Il est même plus beau que dans le temps, le sacripant ! Et il roule en Volvo C70 décapotable, la plus luxueuse que j'aie vue. Flambant neuve en plus ! Quoi ? Qu'est-ce que tu dis ? Je te perds avec le fichu cellulaire... S'il est marié ? Heu... non, je ne crois pas. On n'a pas encore commencé à rattraper le temps perdu, ça devrait être aujourd'hui. Tiens ! je te perds encore... là je te retrouve... Mieux vaut que je raccroche, mon amour. Embrasse les enfants pour moi. Je m'ennuie déjà d'eux et de toi, Marianne. Moi, les fins de semaine sans vous trois, c'est pas dans mes habitudes. J'ai hâte de rentrer, de te serrer dans mes bras... Quoi ? Tu veux que je profite de ces moments de liberté ? Mais... Je te perds, j'entends le signal que ma pile est à terre ou presque. À bientôt, ma perle, si tu me captes encore, moi je ne t'entends plus, ça "griche"... Surtout avec la pluie ! Je raccroche, Marianne. Je t'aime, j'ai hâte... » Un dernier bip et la communication était morte. Victor avait épuisé sa pile au point d'avoir à la recharger. Il toussa, se recoucha et songea à sa femme adorée alors que David qui avait tout saisi du monologue dont il devinait le dialogue se laissa retomber sur son oreiller, les yeux grands ouverts, les mains derrière la nuque. Il était heureux de constater que Victor avait réussi sa vie à deux, lui qui n'avait guère eu cette chance. Il lui enviait presque son bonheur, aussi simple semblait-il être, lui dont l'existence était loin d'être sans remous. Puis il songea à Ronald qui dormait encore et qui lui semblait plus hyperactif... que le gros Vic !

David attendit que Victor termine sa douche et que Ronald se lève, se lave et s'habille, avant de sortir de sa chambre, passer devant eux vêtu seulement d'un *brief bachelor* blanc, leur dire : « Bonjour ! Une douche et je vous rejoins ! », et laisser Vic et Ron se regarder devant le peu de pudeur qu'il affichait. Même entre hommes, après tant d'années, cela s'avérait quelque peu familier. Était-ce un exhibitionnisme bien calculé de la part de Dave ? Ronald le soupçonnait d'en être capable. Que pour exposer son corps bien conservé ; que pour démontrer que, des trois, il était le plus sensuel, le plus que parfait. Quoique Ron n'avait rien à lui envier avec son corps musclé, il fréquentait le *gym* deux fois par semaine. Victor, pour sa part, avait vite remarqué que Dave avait conservé son corps de vingt ans et qu'il semblait en être fier. Dès lors, face à ses deux comparses d'autrefois si bien gratifiés, Victor sentit les complexes l'envahir davantage. Bien sûr qu'au temps du cégep, ils étaient mieux que lui, mais les voir favorisés de la sorte vingt ans plus tard le diminuait terriblement. Ronald n'avait rien dit pour autant, il avait fait comme si de rien n'était, mais la compétition le tenaillait. Dave, imbu de lui-même autrefois, avait tout pour l'être encore plus avec ses quarante ans révolus. Non choqué, conscient qu'il était des deux le plus « baraqué », Ron ne put s'empêcher de murmurer intérieurement : « Beau *body* ! » Exactement ce qu'avait espéré susciter Dave en leur laissant le temps de voir qu'il était encore, des trois, le plus *sexy* aux yeux d'une femme. Pour Victor, avec ses gros yeux bruns pénétrants, ses quelques poils châtains parsemés sur le crâne, son double menton et son ventre rond, il ne fallait même pas y penser. Et Ron, malgré sa virilité, ses muscles, son sourire et ses épaules carrées, avait, hélas, les jambes légèrement arquées.

Victor avait enfilé un pantalon cargo gris sans descendre les fermetures à glissière des jambes. Il ne faisait pas chaud dans le chalet et avec l'humidité en plus... Un chandail blanc à col roulé, ce qui ne l'avantageait guère, complétait sa tenue. Ronald avait remis ses *jeans* de la veille, avec une chemise à carreaux à manches courtes et à demi déboutonnée afin qu'on puisse discerner ses pectoraux si durement travaillés. David, pour sa part, avait opté pour un pantalon de velours côtelé noir, une chemise blanche à manches longues, ouverte pour faire état de sa poitrine velue, et avait chaussé des mocassins noirs. Barbe longue de deux jours, il s'empressa de faire le café pendant que ses invités buvaient leur jus d'orange. Puis, il sortit le pain, les œufs, la confiture aux pêches, le jambon et le fromage à la crème. Bref, tout ce qu'il fallait pour un copieux déjeuner dont Victor allait se gaver. Habitué à manger très tôt avec Marianne les fins de semaine, il était affamé en cette matinée quelque peu avancée. Ronald, pour se rendre utile, s'était chargé de mettre les couverts tout en regardant par la fenêtre.

— *Shit!* Encore de la pluie ! Ta Mazda s'enfonce, Vic !

— T'es pas sérieux ! cria ce dernier en se levant d'un bond.

— Ben non, je plaisantais ! T'en fais pas, dès qu'il va faire beau, je vais te la sortir de là tout seul, moi !

— Tu penses avoir assez de force dans les biceps ? rétorqua Dave.

— Ça devrait ! Sinon, tu me donneras un coup de main, monsieur *Fitness* !

— Non, tu te trompes, Ron, je ne fais pas d'exercices de ce genre. Je ne suis abonné nulle part. Je fais un peu de *jogging* sur mon tapis roulant, quelques kilomètres sur ma bicyclette stationnaire et des pesées pour les bras et les jambes. J'ai tout ça chez moi. Juste pour garder la forme.

— Bien, tu la gardes en maudit si on en juge par ce qu'on a vu !

Conquis, David se contenta de sourire. Il venait d'entendre ce qu'il avait souhaité lorsqu'il s'était levé en petite tenue. Il avait provoqué pour être complimenté. Comme autrefois ! Et ça avait marché ! Vic, les yeux dans son assiette, n'ajouta rien, mais Dave savait qu'il n'en pensait pas moins. « Le gros » du temps du cégep l'avait toujours regardé avec envie.

Dave cassa alors la glace :

— Bonne journée pour les confidences, les gars ! On commence après le déjeuner, mais reste à savoir qui va se jeter à l'eau en premier, car il va falloir le faire à tour de rôle si on ne veut pas tout mêler.

— Bien, commence par toi, Dave, tu nous as invités.

— Non, Vic, l'hôte se doit d'être le dernier. Je sais vivre. Je pense que Ronald devrait ouvrir le bal.

— Moi ? Pourquoi ?

— Parce que tu sembles avoir bien du millage dans le corps, toi !

— Qu'en sais-tu ? Vic a peut-être plus à raconter que moi.

— J'en douterais, répondit « le gros », en croquant un coin de croûte de sa troisième rôtie.

— Bon, ça te va, Ron ? Tu commences, Vic enchaîne et je termine. Mais ça risque d'être long parce qu'on a le droit d'interrompre, de questionner... Même de forcer à préciser ! Vous êtes d'accord avec cette règle ?

— À cent pour cent ! répondit Vic. Moi, juste écouter sans mettre mon grain de sel...

— Bon, marché conclu. Une autre *toast*, Vic ? Le rond est encore chaud.

— Heu... deux si ça te fait rien. J'ai une de ces faims ce matin et les *toasts* sur le poêle à bois, ça s'avale comme rien...

Le vent s'élevait et faisait claquer l'une des persiennes du chalet. Si lourdement que Ronald, agacé par le bruit, se glissa sur la galerie pour la décrocher et la déposer à plat sous l'escalier. David n'avait pas bougé de sa chaise, il ne tenait pas à revenir cheveux et chemise trempés comme ce fut le cas pour Ronald qui dut se changer et se donner un bon coup de peigne pour replacer sa tignasse brune désordonnée. Victor, qui venait de terminer son troisième café, s'essuyait la bouche tout en s'emparant d'une banane qu'il éplucha en deux mouvements, et s'installait dans le fauteuil près du poêle dont le feu, presque mort, ne dissipait plus la buée de la plus proche fenêtre. David, confortablement allongé dans un vieux *lazy-boy* de cuir noir, avait croisé ses chevilles l'une sur l'autre, la droite sur la gauche. Ronald, dans le fauteuil vert rembourré, semblait mal à l'aise d'avoir à briser la glace. Se sentant comme un accusé devant le tribunal, il leur avoua :

— Pas facile, j'sais pas par où commencer. Moi, me raconter à froid comme ça...

— Parle d'abord de ta famille, Ron, lui suggéra Dave. Que sont-ils devenus ?

— Pour ma mère, j'ai fait le point, Dieu ait son âme !

— Elle est morte longtemps après qu'on s'est perdus de vue ?

— Ça va faire dix ans en décembre. Elle a continué à boire, à prendre des sédatifs, à dormir et à grossir, bien entendu. Elle ne mangeait pas, mais l'inactivité ajoutée à la bière et au vin... Elle s'est empâtée, si je peux dire, et elle avait de plus en plus de misère à marcher. J'ai tout fait pour la sortir de sa détresse. Même mes blondes ont essayé de leur côté, mais ma mère ne vivait plus, elle survivait. Ses sœurs lui ont tourné le dos, ça se comprenait, elle cuvait sa boisson à longueur de journée.

— Elle ne lisait pas, elle n'avait aucun passe-temps ?

— Non, pas même la télévision. Elle ouvrait la radio de temps en temps pour écouter les nouvelles, mais rien de plus. Pour ce qui était de lire, oubliez ça, elle se serait endormie sur la deuxième page d'un roman. La seule chose qui l'intéressait encore quand elle retrouvait quelques moments de sobriété, c'était l'astrologie. Elle se faisait livrer le journal juste pour y lire la colonne des horoscopes. J'avais droit au mien chaque matin. Elle me répétait sans cesse : « Tu vas voir, mon gars, tu vas finir par la rencontrer, la femme de ta vie ! » Il y a juste ça qui l'inquiétait. Parce que je changeais de blonde comme de chemise ! Et elle n'en aimait aucune ! Elle leur demandait leur signe et si elles étaient Poissons, Cancer ou Scorpion, elle leur disait que ça n'allait pas marcher avec moi. « L'eau pis le feu, penses-y pas, la p'tite ! » avait-elle lancé à l'une d'elles. Dans le fond, je le savais, elle détestait les signes d'eau ! Les Poissons en particulier, parce que c'était ce que mon père était. « Un Poissons égoïste ! » comme elle disait quand elle parlait de lui. « Un opportuniste ! Un profiteur ! Même en affaires ! » Dieu qu'elle haïssait les natifs du Poissons, les hommes surtout !

— Elle était de quel signe, ta mère, Ron ?

— Sagittaire ! Une vraie ! Née en décembre, morte en décembre ! Un signe de feu, comme le mien. Voilà pourquoi elle m'aimait bien. Mais pour revenir à elle, le temps a fait son œuvre. Un arrêt cardiaque en plein aprèsmidi. Dans son fauteuil ! Pas même le temps de la rentrer à l'hôpital, c'est la morgue qui est venue la chercher. Cinquante-six ans seulement, mais pas mal maganée... Ne me demandez pas si j'ai pleuré, je vous répondrais non. Je suis resté de marbre. J'étais même soulagé, car je la voyais peu à peu devenir une loque humaine. Je l'aurais eue sur les bras toute ma vie. J'ai même respiré d'aise, mais j'ai été pris avec tous les frais funéraires. Ma mère n'avait plus une maudite cenne ! Pas même sa petite police d'assurance... Elle avait pris les réserves pour s'enivrer !

— Et ton père, lui ? Aucune aide de sa part ? questionna Vic.

— Mon père ? Quand je l'ai rejoint au bout du fil en Gaspésie où il habitait pour le lui annoncer, il m'a répondu qu'elle était mieux entre les mains du bon Dieu. Puis il s'est empressé d'ajouter qu'avec les études de Patrick, il était serré jusqu'aux coudes. Il n'a pas omis de me remettre sur le nez qu'il avait versé une pension à ma mère jusqu'au mois précédant sa mort. J'ai compris, je n'ai pas insisté, et j'ai enterré ma mère dans la fosse de sa mère. Ses deux sœurs m'ont donné un coup de main pour les obsèques, mais rien de plus. On l'a exposée une seule soirée, personne n'est venu à part une de mes blondes, quelques camarades de travail et mes deux tantes. Elle a reçu trois gerbes de fleurs dont une de moi, rien de mon père. Le pire, c'est que mon frère, Patrick, que je n'ai jamais revu, m'a fait parvenir une carte de sympathie. Comme si elle n'était pas sa mère à lui aussi ! Comme s'il s'agissait de la mère d'un copain ! Me faire ça à moi, son propre frère ! Je l'ai haï, le p'tit maudit, puis j'ai décidé de tourner la page. Il a été élevé par mon père, celui-là... D'un côté comme de l'autre, il était mal pris dès leur séparation, lui. Moi, je pouvais mieux l'assumer, j'étais plus vieux, mais lui, passablement jeune... Pas facile au fond ! Une mère qui se laissait aller et un père qui n'avait pas la fibre dans les tripes... Un maudit Poissons heureux dans son bocal ! Seul ! Avec rien d'humain à dire, une gueule juste bonne à avaler de l'eau ! Tiens ! j'dérape ! Je viens de vous répéter ce que ma mère disait de lui ! Excusez-moi, les gars, mais quand le passé me remonte enpleine face...

Ronald, reprenant son souffle, regarda en direction du réfrigérateur.

— Tu veux boire quelque chose, Ron ? Faut pas te gêner...

— Oui, un grand verre de jus d'orange, Dave.

— Pis moi, je prendrais bien un peu de *ginger ale*, ajouta Vic.

Victor, se levant pour se délier un peu les jambes après avoir été servi, lui demanda :

— Il vit encore, ton père, Ron ?

— Sans doute, mais je n'en ai pas eu de nouvelles depuis ce temps. Pas plus que de mon frère, Patrick, qui étudiait en informatique, m'avait-on dit. Je ne sais pas ce qu'ils sont devenus et je n'entreprendrai pas de recherches, crois-moi. Des retrouvailles comme on en a entre amis, là tu parles ! Mais avec la famille, oublie ça ! Surtout quand on est issu d'une famille éclatée pour ne pas dire décomposée ! Je ne sais même pas si mes deux tantes sont encore vivantes. Pour le savoir, il me faudrait aller sur la tombe de ma mère, elles vont être enterrées là, elles aussi. L'une est vieille fille ; l'autre veuve. Mais plus *cheap* qu'elles, cherchez-les !

Victor éclata d'un rire franc, ce qui fit sursauter Dave.

— Excuse-moi, Ron, mais t'as une façon de dire les choses. Tu racontes et tu y mets ton grain de sel...

— T'as pas à t'excuser, Vic, y'a de quoi rire avec ces deux-là ! Tu sais combien elles m'ont donné pour m'aider à enterrer ma mère ?

— Ben, mille ou deux mille piastres chacune ?

— Tu veux rire ? Cinq cents à deux, tabar... ! J'me r'tiens ! Parce que, quand j'pense à ces deux « gratte la cenne », ma langue se r'trouve à messe !

Ce qui fit éclater « le gros » qui se tenait le ventre de ses mains potelées.

David avait souri, il adorait la façon dont Ronald se livrait. Sans retenue, avec franchise, avec une certaine tristesse teintée d'humour quand il le fallait. On pouvait sentir qu'il n'avait pas eu la vie facile, ce beau ténébreux. Un portable sonna, celui de Dave qui le retira de l'étui de cuir qu'il portait à la ceinture. Il répondit et, voyant qu'on l'observait, il se leva et se dirigea vers sa chambre pour repousser la porte derrière lui. Il parla assez longuement. On put compter pas loin de dix minutes. Puis, l'air soucieux, il revint à ses amis en s'excusant de cette interruption :

— Désolé, j'ai tenté de couper court, mais quand il s'agit d'affaires...

— Tu n'as pas à t'excuser, répondit Ron, ça peut tous nous arriver. Quelque chose d'intéressant, au moins ?

— Oui, si on veut, mais je n'ai pas encore accepté le contrat. Il me faudra y penser et Finnigan attendra.

— Qui ? Finni... qui ? C'est une compagnie, ce nom-là ?

— Non, Vic, un client, mais rien d'important pour l'instant. Alors, Ron, on fait un autre bout de chemin ? On poursuit encore un peu ?

— Bien là, il faudrait que je remonte au jour où l'on s'est perdus de vue tous les trois.

— Alors, remonte ! lança Vic. On va tous avoir à le faire à tour de rôle.

Ronald regarda par la fenêtre, aucun oiseau, pas d'écureuils, pas le moindre petit « suisse » en vue. Tous à l'abri de la pluie. Jetant un regard à Dave qui avait de nouveau croisé les chevilles, il lui avoua :

— Tu sais, je n'ai pas été plus loin que le cégep. L'université, j'en ai fait un bout pis j'ai lâché, j'en avais pas les moyens. Avec ma mère quasiment à ma charge... J'ai tenté de décrocher un emploi dans un bureau, mais ça n'a pas marché. J'ai donc repris mon poste de vendeur au magasin de musique, mais à temps plein. Salaire minimum, des petits bonus par-ci par-là, j'avais pas grand-chose pour sortir avec les filles. J'en avais juste assez pour payer mes cigarettes, ma bière et quelques petites dépenses.

— Tiens ! Je viens de remarquer que personne ne fume, lança Victor. Pourtant, Dave...

— J'ai fumé jusqu'à trente ans, puis j'ai réussi à écraser. Et toi, Ron ?

— Ça fait à peine un an que j'ai arrêté, mais je tiens le coup ! J'en avais assez de tous ces interdits ! Moi, aller fumer dehors en plein hiver, non merci ! On a l'air de parias de la société avec une cigarette au bec de nos jours. Ça n'a pas été facile, mais j'ai réussi à ma troisième tentative. *Cold turkey* à part ça !

— Moi, je n'ai pas de mérite, je n'ai jamais fumé ! clama Victor.

— On sait bien, un ange, toi, le... Tu n'as jamais eu de défauts !

— T'allais dire « le gros », hein, Ron ? Tu t'es retenu...

— Écoute, c'est vrai ! Juste une mauvaise habitude, Vic. Excuse-moi, mais quand le passé refait surface, comme je disais tantôt... Je t'ai tellement appelé comme ça dans l'temps...

— Oui, je sais, pis Dave aussi de temps à autre ! Mais, t'en fais pas, ça me touche moins à mon âge. Je suis gros, presque chauve et j'ai encore les yeux brun sale de mon père. Alors, si tu t'échappes, je n'en ferai pas de cas, mais si je sens que tu le fais exprès...

— Non, Vic, plus maintenant, on n'est plus des enfants, ajouta David.

— Alors, on laisse Ron continuer ? Merci de ton soutien, Dave !

Ronald avait souri, sentant bien que son vieux copain plaisantait. Se replongeant dans la fin des années 1980, il reprit :

— J'ai végété au magasin de musique, j'ai rien fait de bon durant deux ans. On joignait les deux bouts, ma mère et moi, mais quand je sortais avec une fille, on n'allait pas plus loin qu'au cinéma. Et souvent, c'était chacun sa part. Côté vestimentaire, je n'avais rien de beau, pas même un complet deux pièces. Il n'aurait pas fallu qu'on m'invite à des noces, j'avais rien à me mettre sur le dos. J'étais le gars en *jeans*, en *t-shirt* l'été, en col roulé l'hiver, avec un veston de cuir acheté usagé. Des espadrilles l'été, des bottes de *cow-boy* l'automne et une seule paire de souliers propres pour aller travailler, parce qu'au magasin on tolérait les *jeans* mais pas les *running shoes*. Je les ai lavés souvent mes *jeans*, j'en avais deux paires, pas cinquante. L'une des deux s'est trouée par l'usure. Heureusement pour moi, c'était à la mode. Je gardais donc les plus neufs pour le travail, les délavés troués pour mes sorties.

— Tu n'as pas cherché un autre emploi ? demanda Victor.

— Attends, j'y arrive. Un coup de chance devait se produire.

— Il était temps ! J'espère qu'il t'a bien servi, marmonna Vic.

— La chance traîne souvent la malchance derrière elle cependant, mais je vous explique. J'étais au magasin lorsqu'un client régulier, un homme d'affaires, est venu me demander si j'avais la chanson *La nuit du chat* de Gérard Lenorman. J'ai fouillé dans nos données et je l'ai trouvée sur l'album *Fière & Nippone* du chanteur. Je le lui ai commandé et quand il est passé le prendre la semaine suivante, il m'a demandé s'il m'arrivait d'avoir envie d'un autre emploi. Piqué par la curiosité, je lui avais répondu... Tiens ! je vous narre la situation :

— Heu... oui, ça dépend. Un emploi stable... Mais où ?

— Écoutez, jeune homme, je suis le directeur d'une agence immobilière et j'aurais un poste pour vous à l'interne. Vous avez un diplôme ?

— Oui, du cégep mais pas plus loin. J'ai juste tâté l'université...

— Ce qui est suffisant pour nous. Je trouve que vous avez beaucoup d'entregent pour accueillir les clients ou leur répondre au téléphone, vous avez l'étoffe qu'il faut.

— Mais c'est un emploi de secrétaire que vous m'offrez ? Je suis un homme...

— Écoutez, Ronald, c'est bien votre prénom si j'en juge par l'inscription épinglée à votre chemise ? Nous avons une réceptionniste et une secrétaire pour le travail que requièrent ces postes. Votre mandat consisterait à fournir tous les renseignements requis aux personnes qui téléphonent ainsi qu'à celles qui se présentent en personne.

— Ça semble intéressant, mais je n'ai aucune expérience dans le domaine de l'immeuble, moi. Je suis dans la musique...

— On vous formera, Ronald, vous êtes jeune, vous avez le temps de tout apprendre. Ce qui veut dire que, si le milieu de la vente d'immeubles et de maisons vous intéresse, vous pourriez devenir, avec le temps, un agent accrédité. De plus, au départ, votre salaire dépassera du double ce que vous gagnez ici. Je connais le rendement du salaire minimum, il faut en mettre des heures pour que ce soit décent, non ? Je vous donne donc trois jours pour y penser.

Il allait partir lorsque je le retins par le bras :

— Non, ne partez pas, j'accepte. Les yeux fermés ! Pas seulement pour l'argent, mais pour l'avenir prometteur que vous me faites miroiter. Je suis prêt à commencer n'importe quand !

— Soyez tout de même élégant, donnez-leur une semaine d'avis et présentez-vous le lundi suivant. Je serai là pour vous accueillir. Le personnel sera avisé de votre arrivée dans nos rangs.

Il me serra la main, me remit sa carte – l'endroit n'était pas trop loin de chez moi, quelques stations de métro – et je suis rentré à la maison, fou de joie, annoncer la nouvelle à ma mère. Pas trop saoule ce jour-là, elle s'était écriée : « Tant mieux pour toi, mon gars ! On va manger mieux et on n'aura plus à s'en faire avec les fins de mois ! » Le soir, dans ma chambre, étendu sur mon lit, je m'imaginais en train de vendre des immeubles commerciaux et d'empocher de bonnes commissions. Je me voyais aussi acheter une superbe voiture sport, jaune de préférence. Bref, je rêvais tellement que ça m'avait fait oublier que j'avais un rendez-vous avec une fille à l'entrée d'un cinéma. Inutile de vous préciser qu'elle n'a pas apprécié le fait de poireauter durant une heure et qu'elle m'a engueulé vertement avant de me dire qu'elle ne voulait plus me revoir. Ce qui m'a fait ni chaud ni froid, j'en étais tanné ! Je l'avais eue trois fois... vous me suivez ? Elle était jolie, mais il y en avait d'autres encore plus belles dont j'avais les numéros de téléphone. D'autant plus qu'à vingt ans je ne comptais pas m'engager sérieusement. Quand je pense qu'en leur temps nos parents se mariaient à cet âge-là ! Bande d'innocents !

Après ce bon bout de chemin dans ses souvenirs, Ronald regarda sa montre et demanda à ses amis retrouvés :

— Vous n'êtes pas fatigués de m'entendre ?

— Ben voyons, Ron, tu commences à peine. Tu t'en sortiras pas comme ça, lui répliqua Victor. Commences-tu à sentir un petit creux ?

— Non, mais j'ai l'impression que c'est le cas pour toi.

David, se levant de son fauteuil, dit à ses amis :

— J'ai des viandes froides pour l'instant, des œufs farcis, des crudités, des fromages, des biscottes. Tout pour un petit brunch vite servi ! Ça vous irait ? Après, Ron pourrait poursuivre et, vers quatorze heures, je vous cuisinerai quelque chose de plus consistant.

Ils acquiescèrent et Victor, voyant les plats s'étaler, plongeait avec ses doigts dans les brocolis crus et les olives noires. Le regardant faire, Ronald ne put s'empêcher de lui lancer :

— J'espère que tu viens pas d'aller pisser !

— Non, pis t'en fais pas, tu sauras que je me lave les mains après, moi ! J'ai été élevé, pas garroché, moi !

— Dis-tu ça pour moi, « le gros » ? rétorqua Ron, insulté.

— Aïe ! les gars ! Ça va faire ! Vous allez pas recommencer à vous sauter dessus comme dans l'temps ! lança David.

— Si y m'cherche, y va m'trouver ! répliqua Vic, sèchement.

— Pas moyen de faire la moindre farce ! Maudit que t'es susceptible, Vic ! T'aurais pu en rire ! Le moindre mot de travers et tu sautes au plafond !

— C'est pas ta remarque qui me choque, Ron, mais le surnom qui me blesse. Lâche « le gros », j'suis assez complexé comme ça ! C'est pas vrai que ça m'dérange plus ! J'me serre encore les poings... Arrête, Ron !

— Il a raison, ajouta David. On a deux fois l'âge qu'on avait, enterre les sobriquets, Ron. C'est sérieux des retrouvailles. Faudrait pas en arriver à ne plus se revoir après ce week-end.

— Ça, ça reste à voir... murmura Vic.

Ronald, mal à l'aise, fit mine de n'avoir pas saisi la dernière réplique, de peur d'intensifier les « chatouillements » du « gros ».

David offrit une bière à Ronald qui, cette fois, l'accepta, tout en versant à Victor sa boisson gazeuse préférée. Pour lui, un scotch de malt Glenfiddich sur glace. Ron, le voyant se préparer son verre, lui dit :

— Du scotch en matinée ? Avec des œufs et des hors-d'œuvre ?

— Chacun ses goûts, Ron. Moi, j'ai appris à aimer le scotch lors de mes voyages en Grande-Bretagne. Avec le brunch, comme ça se fait là-bas.

— À t'entendre, tu sembles avoir vu du pays, toi.

— Si on veut, mais je vous raconterai ça plus tard, Ron, quand ce sera mon tour. Pour l'instant, c'est toi qui es sur la sellette et ne perds surtout pas le fil ; Victor et moi avons hâte d'entendre la suite.

Ronald, se sentant soudainement intéressant, se cala dans son fauteuil vert et, regardant au loin, reprit le fil de son histoire :

— J'ai donc commencé à travailler pour l'agence immobilière le lundi, tel que prévu. J'avais à peine vingt ans alors que tous mes collègues, la réceptionniste incluse, étaient dans la quarantaine et plus. Inutile de vous dire que je me sentais comme un p'tit cul ! Imaginez ! Recevoir de futurs acheteurs, tenter de les convaincre de dépenser des milliers de dollars alors que j'avais à peine le nombril sec. J'ai reçu un bon *training*, heureusement, car je ne crois pas que j'aurais passé au travers autrement. Les jeunes couples en quête d'une première maison, c'était relativement facile et on me les confiait, car la plupart avaient de la misère à décrocher une hypothèque. Les taux étaient pas mal hauts dans ce temps-là. On n'était pas trop lousse avec eux dans les banques. Puis, les veuves, les couples âgés qui voulaient vendre, c'était aussi dans mes tâches de les convaincre de signer avec nous et de les refiler à l'un de nos agents. Mon *boss* immédiat était fier de moi, la paye était bonne, j'avais plus d'argent, j'étais plus généreux avec les filles, et ma mère était contente des petites augmentations de salaire que j'obtenais au fil des mois. Un jour, en plein après-midi, le grand *boss*, celui qui m'avait engagé, entra dans mon bureau, suivi d'une jeune femme. Croyant que c'était une nouvelle employée, je m'apprêtais à l'accueillir poliment quand le patron me dit : « Ronald, je te présente ma fille, Catherine. » Je m'empressai de lui tendre la main et elle m'offrit son plus beau sourire. Une fille de mon âge pas belle pour deux cennes ! Ni grosse ni maigre, entre les deux, mais pas maquillée et peu attirante avec ses lunettes à grosse monture noire. Le nez trop long, la bouche petite, les yeux bruns ternes, les cheveux courts pas coiffés et une robe que ma mère, même saoule, n'aurait jamais portée. Je fus quand même courtois, elle semblait brillante, elle avait des études dans le crâne, ça paraissait. Deux jours plus tard, le patron vint me voir pour me demander ce que je faisais en fin de semaine, le samedi soir plus précisément. J'avais une *date* avec une barmaid, mais poliment je lui répondis : « Rien de spécial. » Il m'invita donc à souper chez lui, ce que je tentai de refuser maladroitement, mais il me regarda dans les yeux et ajouta avec plus d'insistance et d'autorité : « Vous ne pouvez refuser cela, Ronald, c'est une invitation de Catherine. » Le samedi, pour plaire au *boss*, je me suis rendu chez lui où j'ai été reçu comme un roi. Sa femme était aimable mais pas plus jolie que la fille. Toujours est-il que, tout au long du repas, je sentais le regard de Catherine rivé sur moi. Elle me dévorait des yeux !

— Viens pas nous dire que tu n'savais pas qu'tu lui avais fait effet, Ron ! lança Vic.

— Ça, j'm'en doutais, mais ce que j'savais pas, c'était qu'j'étais pour la marier !

Chapitre 2

Dave et Victor avaient laissé Ronald reprendre son souffle après l'aveu de son mariage antérieur dont ils étaient restés bouche bée. Il venait à peine d'affirmer que les couples d'avant avaient été des « innocents » de s'être mariés à vingt ans, et voilà qu'il en avait fait autant. Tout ce qu'avait réussi à laisser échapper Vic, c'était :

— T'es pas sérieux ! Tu l'as épousée ? Quand ça ?

Ronald, voyant qu'il aurait à plonger dans le cœur de son histoire, avait répondu :

— Donnez-moi un *break*, les gars, j'ai toute une pente à remonter pour me rendre jusque là. Ça vous dirait qu'on parle de n'importe quoi avant le dîner prévu à deux heures ? Ou, du moins, un arrêt temporaire ? Après, je reprendrai. Vous allez voir qu'il est possible d'en voir de toutes les couleurs. Surtout avec une mère qui détestait les signes d'eau et une femme née en novembre, deuxième décan du Scorpion, comme elle me l'avait précisé.

Les deux acolytes acceptèrent la trêve de quelques heures, même si Victor, plus fouineur que David, avait hâte d'entendre la suite. Ne pouvant se retenir, il regarda Ronald :

— Une seule question, Ron, la dernière avant la reprise de l'audience. As-tu eu des enfants de cette union ?

— Oui, une fille que j'ai perdue de vue à l'âge de deux ans, et que je n'ai jamais revue à cause de ma femme et de sa famille.

Victor, sidéré, n'avait rien ajouté. Comment Ron avait-il pu ne jamais tenter de revoir sa fille ? Il n'osa le lui demander, mais sa fibre paternelle venait d'être écorchée, lui qui adorait ses chérubins, son fils aîné autant que sa fille qu'il choyait énormément. David, moins intéressé par les enfants, n'avait pas bronché. Il commençait à trouver que Ron n'avait pas eu la vie facile, mais comme ce dernier avouait ces choses sans la moindre émotion, il était à se demander s'il avait souffert de l'absence de la petite. Il avait, tout comme Victor, hâte d'entendre la suite, mais pour l'instant, sa priorité était de le mettre à l'aise. Il lui offrit donc une autre bière que Ron ne refusa pas, il se versa un autre scotch et fit couler un café pour Victor qui semblait avoir froid malgré son *pull* à col roulé. Durant ce court intermède, regardant Ron, Victor lui demanda :

— Intéressé par la politique ? Membre d'un parti ?

— Non, plus maintenant. Tu te souviens de mon engouement pour René Lévesque ? Je n'avais même pas le droit de vote que je militais pour lui. Le drapeau, les macarons, ça mettait ma mère hors d'elle ; elle n'aimait pas les souverainistes. Mais quand Lévesque est mort, j'ai délaissé le patriotisme. C'était lui mon idole, pas ceux qui ont suivi. Et là, aujourd'hui, penses-y plus, ça fait longtemps que j'ai déchiré ma carte. Moi, ce n'est pas le parti qui m'influence, mais celui qui le dirige. Je regarde aussi ceux et celles qui seraient appelés à former un cabinet et, actuellement, entre toi et moi...

— Marianne et moi, on penche plus du côté des libéraux.

— T'as pas tort pour une bonne raison, c'est qu'ils sont au pouvoir et qu'il est plus facile de les avoir à l'œil que les autres partis dont on ne connaît pas encore les intentions. Quelques collègues ont fait un clin d'œil à l'ADQ, mais là, on ne sait plus où ils s'en vont...

— Toi, Dave, tu as des convictions ?

— Je n'en ai jamais eu. Je votais, je ne vote plus. L'un ou l'autre, c'est du pareil au même. Alors, moi, la politique, pas mon fort. Mais un Canada uni, c'est dans mes cordes. Il n'y a qu'ici que ça rechigne, surtout au Québec. Dix provinces et la menace de rupture constante, alors que chez les Américains, cinquante États et ça se tient ! C'est à n'y rien comprendre puisque « l'union fait la force », comme disait mon père.

— Donc, tu es fédéraliste ?

— Si tu veux, je suis même royaliste ! Ça ne me gêne pas, moi, d'acheter des timbres avec la reine d'Angleterre dessus. T'es au courant que c'est le chanteur Bryan Adams qui l'a photographiée pour un timbre de Postes Canada émis en 2003 ? Il était ravi de la voir sourire ! Moi, je n'ai rien contre elle, Sa Majesté. C'est la seule reine de l'histoire qui n'a jamais fait de scandales. Elle est irréprochable. De toute façon, pour en revenir à nos gouvernements, tu payes encore de bons impôts, Ron ?

— Comme tout l'monde ! Aucun rabais, pas de ristourne !

— Alors, comme tu peux voir, un parti ou un autre... On pense autrement vingt ans plus tard, non ?

— Oui, Dave, et pas juste en politique, on n'a qu'à écouter ta musique classique. Avec Mozart et Chopin, on est loin du groupe Wham ! et de tes chanteuses noires de *soul*. Ça te vient d'où, ces goûts-là ? As-tu fréquenté une chanteuse d'opéra ?

Vic éclata de rire, alors que Dave, souriant, répondit calmement à son interlocuteur :

— Je pense avoir changé d'âme avec le temps. C'est comme si l'homme que je suis devenu avait donné un coup de pied au cul à l'adolescent que j'étais. Mais faut dire que j'ai été influencé. J'aime aussi la poésie, j'ai des cassettes à n'en plus finir de poèmes de Lamartine, Ronsard, Verlaine, Baudelaire, et plusieurs autres. Je vous parlerai de tout ça quand je prendrai place dans le fauteuil vert.

— Tu t'intéresses aux sports, Dave ? Jeune, c'était loin dans tes pensées.

— Je n'ai jamais été porté sur les sports d'équipe, que ce soit pour y participer ou les regarder. J'aime bien le tennis cependant. J'ai une préférence pour Roger Federer parce qu'il est unique sur un *court* et qu'il a de la classe, alors que l'Américain Andy Roddick, excellent quoique hyperactif, a plutôt l'air d'un bûcheron avec sa casquette et ses chemises amples à carreaux. Je m'en voudrais toutefois d'oublier Novak Djokovic qui s'impose de plus en plus. Tu vois, Ron ? Ça me plaît parce que le tennis, c'est du un contre un. Je regarde moins les tournois de femmes cependant parce qu'elles ont moins de force. Il n'y en a qu'une qui m'épate et c'est Serena Williams.

— On sait bien, c'est une Noire ! Tout comme tes chanteuses de l'époque. Ça me surprend que tu n'en aies pas marié une, Dave !

— Non, ce n'est pas pour ça, c'est par pur hasard, mais les sœurs Williams sont les meilleures. Serena beaucoup plus que Venus, par contre.

— Et toi, Vic, porté sur les sports ?

— Heu... oui, le hockey, mais dans les finales seulement. Et quand les Canadiens ne sont plus là, mon intérêt diminue. J'aime bien Maxim Lapierre, il a de l'étoffe. Pour ce qui est de Marianne, elle aime beaucoup le patinage artistique. Elle connaît tous les médaillés. Son préféré était Brian Boitano, mais ensuite, elle a jeté son dévolu sur Jeffrey Buttle parce qu'il est de l'Ontario et qu'il a remporté le bronze lors des derniers Jeux Olympiques. Alors, vous comprendrez que je regarde les compétitions avec elle. Mais toi, Ron, tu suis quoi ?

— Moi ? Rien ! Je regarde le golf de temps en temps dans les championnats, mais je ne joue pas. Je trouve que c'est un sport de p'tits vieux ! Pas surprenant que ce soit Arnold Palmer qui signe tous leurs vêtements ! Je regarde aussi le tennis, comme Dave, quand ça passe, mais je ne comprends pas le pointage, c'est compliqué. Mais quand Rafael Nadal joue, je le regarde, il m'impressionne. D'autant plus qu'on entend son cri primal quand il frappe la balle ! Josée me fait bien rire ; elle dit qu'on pourrait jurer qu'il est aux toilettes !

Les deux autres s'esclaffèrent, David un peu plus parce que « l'effort » répétitif du jeune Espagnol l'agaçait terriblement. Voilà où on en était dans les sports lorsque Victor s'infiltra de nouveau dans le parcours :

— Toi, Ron, t'as changé tes goûts en musique ?

— Forcément ! Avec l'âge, on tasse un peu ses idoles de jeunesse. Aujourd'hui, ce que j'écoute le plus, c'est du jazz. J'ai tous les disques de Diana Krall, d'Oliver Jones et le plus récent de Leonard Cohen. L'été, je vais au Festival de jazz et Josée m'accompagne, elle n'a pas le choix. Et toi, Victor, as-tu décroché de Julien Clerc ?

— Non, je suis fidèle à vie à ceux et celles qui ont meublé ma jeunesse. Julien Clerc a trouvé sa place dans ma collection de CD ; Véronique Sanson aussi. Comme tu peux voir, je suis plus porté sur la France que sur l'Amérique, moi. Avec le temps, j'ai découvert Yves Duteil, Patrick Bruel et, côté femmes, j'ai jeté mon dévolu sur Patricia Kaas parce qu'elle est spéciale, unique, même si son étoile pâlit actuellement. Mais comme Marianne...

Ronald l'interrompit brusquement :

— Dis donc, es-tu un « suiveux », Vic ? Tout ce que ta femme aime, tu embarques ? Est-ce elle qui porte les culottes chez vous ?

Sans se choquer cette fois, impassible, Victor signala à son attaquant :

— Ce n'est pas encore moi qui suis devant mes pairs, Ron. Lorsque mon tour viendra, je te répondrai. Pas avant.

Ronald, se tournant vers la fenêtre, ne put s'empêcher de noter :

— Ce n'est pas aujourd'hui qu'on va marcher jusqu'au village, Dave.

— Pour ce qu'il y a à voir, ça ne manquera pas à ta culture, répondit l'hôte de ce week-end. Au fait, avez-vous vu le film *No Country For Old Men* qui a remporté l'Oscar du meilleur film aux *Academy Awards* ?

— Oui, je l'ai vu, répondit Ron, et je me demande encore pourquoi c'est ce film qui a gagné. C'est lent, c'est long, les tueries se multiplient et la fin est abrupte. Josée aime bien Javier Bardem parce qu'elle le trouve unique en son genre, mais, quant à moi, il est *overrated* cet acteur-là, le film aussi. J'aurais préféré que ce soit *There Will Be Blood* qui remporte l'Oscar. Quelle performance de Daniel Day-Lewis ! Heureusement, on l'a choisi comme meilleur acteur.

— D'accord avec toi, Ron, je vois qu'on a les mêmes goûts côté cinéma. Et toi, Vic, tu as regardé les *Academy Awards* ?

— Heu… non. Pas tellement bilingues, Marianne et moi. Pour les films, on est plutôt portés à en louer de temps à autre quand ils sont traduits. On a vu *Marie-Antoinette*, de Sofia Coppola, et le dernier film de George Clooney que ma femme trouve très beau. Mais, comme pour la musique, je préfère les films français ou québécois. On a loué *Odette Toulemonde* qu'on a beaucoup aimé, puis *La vie en rose* qu'on a moins apprécié. Marion Cotillard, malgré son Oscar, nous tombait sur les nerfs dans son rôle d'Édith Piaf. On a aussi loué *Contre toute espérance* avec Guylaine Tremblay, une très bonne actrice d'ici, et *Bon Cop, Bad Cop* avec…

— Va pas plus loin, Vic, on a compris, on a saisi tes goûts, l'interrompit Ronald. On les respecte, Dave et moi, mais comme ça allait là, on allait avoir droit à tout ce que tu as loué depuis dix ans…

Offensé, Victor se leva de sa chaise et pointa Ron en lui disant :

— On sait bien ! Quand ça ne te touche pas, c'est pas intéressant !

— Non, non, Vic, ce n'est pas ce qu'il a voulu dire ! intervint Dave. C'est juste un point de vue général qu'on voulait pour mieux connaître nos styles d'aujourd'hui. Le problème, c'est que Ron n'a pas toujours le doigté requis…

— Tu le penses vraiment, Dave ? s'offusqua celui-ci à son tour.

David se retourna vers Ron, lui tapa un clin d'œil complice que Victor ne vit pas et continua :

— Bon, assez d'apartés pour le moment. Si tu reprenais un peu, Ron ? Tu en étais rendu à nous annoncer ton mariage.

— Oui, mais j'ai sauté des étapes. Il faut que je vous dise comment ça s'est tramé tout ça.

Chacun reprit son fauteuil et Ron, en verve, se remit à la tâche :

— Catherine, la fille du grand *boss*, venait de plus en plus souvent chercher son père au travail. Ce qui m'intriguait, c'est qu'elle arrivait toujours trente minutes trop tôt et se dirigeait vers mon bureau où elle frappait discrètement. Elle me demandait si elle dérangeait et comme je lui répondais : « Non, bien sûr que non », elle s'assoyait et me faisait perdre les derniers moments de ma journée alors que j'aimais classer, mettre un peu d'ordre dans mes affaires avant de quitter. Or, au lieu de me sauver du temps, elle me forçait à en rajouter, car je devais rester plus tard pour tout ranger. En un mot, elle me tapait sur les nerfs, mais que pouvais-je faire, c'était la fille unique du grand patron. On s'était rendu compte qu'elle me tournait autour, on me taquinait à son sujet, mais pas trop, de peur que son père s'en rende compte. Ce dernier, voyant sûrement que sa fille me dérangeait, n'a jamais rien fait pour la rappeler à l'ordre. Catherine venait donc régulièrement me jaser, me parler du bac qu'elle terminait en éducation spécialisée, de ce qu'elle désirait en faire... Puis de cinéma, de films plutôt classiques que je n'avais pas vus, genre *Camille Claudel*, avec Isabelle Adjani. Elle énumérait aussi les disques qu'elle venait d'acheter, entre autres ceux de Francis Cabrel dont je ne connaissais rien ou presque. Bref, aucun goût en commun et je ne ressentais aucune attirance physique. Je lui disais que j'avais une amie sérieuse, je lançais le prénom de celle que j'avais vue la veille, elle ne réagissait pas. Elle passait tout simplement à côté de mes remarques. Je n'étais pas marié, c'était tout ce qui comptait pour elle. Je ne savais plus comment m'en défaire... Une mouche à marde ! Excusez le terme, c'est pas poli, je ne trouve rien de moins fort pour la décrire. Mais je n'étais plus retourné manger chez elle.

Ronald avala une gorgée de bière et, bien parti, poursuivit :

— J'en parlais à ma mère, mais à quoi bon… Entre deux verres, au lieu de m'appuyer, elle me lançait : « Si elle est riche, mon gars, ça vaut bien le reste… La beauté n'apporte pas à manger ! » En un mot, elle me conseillait d'être opportuniste, voire profiteur, exactement ce qu'elle avait toujours reproché à mon père. Un jour, n'en pouvant plus d'attendre, Catherine m'a carrément invité à aller au cinéma le vendredi soir qui venait. Pas assez vite sur mes patins pour me trouver une excuse, j'ai bégayé un « oui, pourquoi pas », que j'ai regretté dès son départ. *Shit!* J'aurais dû lui dire non ; que j'avais une amie régulière, que je sortais avec elle ce vendredi-là précisément. J'aurais dû la remettre à sa place, au diable le *boss*, au diable la job ! Mais non, j'ai répondu « oui », j'ai été lâche, et ce fut le premier pas de mes deux pieds dans les plats ! Elle avait choisi un film français, je m'en souviens encore : *La vie et rien d'autre*, avec Philippe Noiret. Pas mal, mais pas mon genre, un film qui t'aurait plu, Victor.

Ce dernier, les sourcils froncés, marmonna :

— Je l'ai vu, c'était excellent !

Passant outre, Ronald reprit le cours de son monologue en leur avouant :

— Au cinéma, dans le noir, j'ai senti sa main dans la mienne. J'ai sursauté puis je l'ai retirée prétextant me gratter le cou. J'ai ensuite fait en sorte qu'elle ne puisse la reprendre : j'ai gardé mes bras croisés jusqu'à la fin du film. Dieu que j'avais hâte que le générique arrive ! Ça commençait à peine à dérouler que j'étais debout, enfilant la manche de mon imperméable, prêt à sortir. Dehors, il tombait une pluie fine et elle suggéra un restaurant à quelques pas. Je n'ai eu d'autre choix que de la suivre et, à l'intérieur, assis devant un café noir, je remarquai qu'elle semblait vouloir étirer le temps avec un énorme dessert et une tasse de thé. Elle me parla avec éloquence du film que nous venions de voir et, pour la première fois, elle me tutoya pour se familiariser davantage. Elle voulait qu'on se revoie le lendemain, mais je lui appris, cette fois, que j'avais une fille dans ma vie, que je n'étais pas libre. Elle est restée de marbre pour me demander : « Dans ce cas-là, que dirais-tu de venir souper chez moi dimanche ? » Je tentai de refuser, de me trouver une excuse lorsqu'elle ajouta : « Écoute, Ronald, c'est mon père qui m'a priée de t'inviter, il tient à te parler. » Étonné, je répondis : « De quoi donc ? » Mais, voyant qu'elle semblait contrariée, je n'ai rien ajouté. Une fois de plus, j'étais coincé ! Le dimanche venu, c'est d'humeur maussade que je me suis rendu chez le patron pour le souper « manigancé » par sa fille. Je pense même qu'ils se sont rendu compte de mon sourire quasi absent pendant le repas. La mère me parlait de ses recettes préférées, Catherine, excitée, faisait état de ses études sans omettre de louanger le roman *Délivrez-nous du mal*, de Claude Jasmin, qu'elle venait de terminer, alors que je ne lisais que du Stephen King. Au moment du dessert et des digestifs, le patron m'a dit d'un trait : « Ronald, il est temps que tu fasses de l'argent ! Les clients, tu auras bientôt fini de les confier aux agents ! Dès lundi, tu entreprends le cours, tu vas graduellement aller chercher les crédits qu'il te faut pour devenir un agent immobilier au même titre que tous les autres. Si cette carrière t'intéresse, bien entendu. » J'étais bouche bée. Je savais que je pourrais faire beaucoup d'argent, j'étais très convaincant, j'avais beaucoup d'entregent. Sauf que je me trouvais jeune, j'avais peur que ma crédibilité en soit affectée, mais j'acceptai quand même de relever le défi. Les cours se donnaient à l'extérieur, ce qui allait me sortir de ce satané bureau où Catherine venait trop souvent. Ayant retrouvé le sourire après cette nouvelle, je la voyais qui me regardait, espérant lire la joie sur mon visage. Je n'osais me tourner vers elle, j'avais peur qu'elle me saute au cou. Je la soupçonnais d'avoir mis son nez dans cette affaire pour que son père agisse sans tarder. Elle craignait sans doute que je quitte mon emploi, ce que je n'aurais jamais fait, je vivais quand même bien avec ma paye hebdomadaire. J'ai remercié le patron de me témoigner autant de confiance et d'intérêt, et je l'ai suivi au salon afin de prendre le cognac pour célébrer l'événement. Devant ses parents, sans gêne aucune, Catherine prit place sur le divan, juste à côté de moi. Mal à l'aise face à son père et sa mère qui observaient, je ne savais où regarder lorsque Catherine me prit la main pour la garder dans la sienne. Je sentais ma main figée, rivée, moite... J'étais extrêmement gêné de la situation lorsque sa mère afficha un sourire et que le père, mon *boss*, s'exclama en nous regardant avec tendresse : « Vous formez un très beau couple tous les deux ! » Ça y était ! J'étais pris dans la trappe à rat ! Rien à dire, surtout pas protester ! Malgré moi, pris au piège que m'avait tendu la fille aidée de son père, j'étais devenu son *chum*... de force ! Sans souci de leur part pour la supposée blonde que j'avais, avec la main du *boss* sur l'épaule et le tutoiement soudain et familier de sa femme à la fin du repas.

— Wow ! Tout un choc ! s'écria Victor. T'as dû t'endormir tard en rentrant chez toi ?

— C'est pas le mot, j'étais déboussolé ! Je n'ai pas fermé l'œil de la nuit ! Content de devenir agent immobilier, mais contrarié d'avoir à fréquenter une fille que je n'aimais pas. La rejeter, je n'osais pas, ç'aurait été signer mon arrêt de mort. Son père l'aimait au point de lui décrocher la lune. Imaginez ! J'étais bien peu à côté de l'astre, moi !

David éclata de rire, Victor en fit autant, et Ron, sourire en coin, leur dit :

— C'est pas drôle ! Mettez-vous à ma place ! J'étais pris entre l'enclume et le marteau ! Si seulement elle avait été jolie...

— Il n'y a pas que la beauté, Ronald, elle devait avoir des qualités, cette fille. Tu sais, épouser une femme parce qu'elle est belle, c'est se mettre un doigt dans l'œil ! « La beauté s'en va, la bête te reste ! » disait ma mère.

— Tu peux bien parler, Dave, je suis certain que tu as fréquenté les plus belles filles possibles, toi ! Esthète comme tu l'es...

— Tu serais surpris, Ron, une femme intelligente m'attire davantage. Mais ce n'est pas encore à moi de vider mon sac...

— Bon, j'ai compris, je continue, mais seulement quinze minutes, car il va être temps de nous cuisiner ton plat, mon ami. La bière, ça ouvre l'appétit.

— Le *ginger ale* aussi ! ajouta Victor.

— Bon, je reprends, les avisa Ron. Or, sans même me demander si l'idée me plaisait, Catherine se mit à me téléphoner et, la première chose que j'ai sue, c'est que je la fréquentais sans l'avoir voulu. Le cinéma, les restaurants, les pièces de théâtre que je détestais, les randonnées à la campagne avec la voiture de son père, les fins de semaine dans les auberges...

— Donc, si je comprends bien, les baisers avaient commencé et la couchette avec ! lui lança Victor.

— Évidemment ! Quoique, je l'avoue honteusement, le premier baiser m'a levé le cœur. Non pas qu'elle avait mauvaise haleine, mais elle embrassait mal et comme je ne l'aimais pas...

— Tu t'es quand même rendu beaucoup plus loin, insista Vic.

— Oui, jusqu'à « la couchette » comme tu disais, mais avec peine. Je ne parvenais pas à avoir une... une... vous comprenez ? Elle était en sueur à force de me vouloir et je me sentais froid comme un bloc de glace. Mais en m'imaginant avec ma barmaid, en faisant dans ma tête un transfert, j'ai fini par la satisfaire et, de là, le désir de sa part d'avoir un enfant. Je ne pouvais pas croire qu'une fille aussi brillante ne prenne pas la pilule.

— T'aurais pu être assez intelligent pour mettre un condom, toi !

— Arrête de m'interrompre, Vic, c'est dramatique ce qui s'en vient ! J'ai été sur les nerfs durant un mois, je n'osais plus la toucher. Après deux mois, voyant qu'elle avait eu ses règles, j'ai respiré. Elle m'avait dit de ne pas être inquiet, qu'elle était *safe*, qu'elle prenait ses précautions d'une autre façon. Soulagé de l'apprendre, je lui ai encore accordé mes faveurs, mais cette fois je me suis calé moi-même, Catherine est tombée enceinte. Je m'étais fait avoir ! C'est ce qu'elle avait cherché, l'enfant gâtée, elle voulait s'approprier de moi tout entier. Corps et âme ! Et destinée ! Son père, loin d'être choqué, en était ravi. Sa fille adorée allait enfin avoir un mari.

— C'est bien dommage pour toi, lui dit David, mais j'ai remarqué que tu as dit lui avoir « accordé tes faveurs ». Tu ne trouves pas que ça fait macho de parler comme ça ? N'est-ce pas plutôt elle qui t'accordait les siennes ?

— Non, Dave, ne te fais pas le défenseur de la femme en me rappelant à l'ordre. C'est moi qui lui accordais mes faveurs ! Que moi ! Si seulement tu l'avais vue !

David leur avait préparé des pâtes fraîches : des raviolis avec une sauce aux trois champignons, accompagnés d'une salade italienne passablement épicée. Il avait mis un pain à l'ail au four du poêle à bois et débouché un Valpolicella pour Ron et lui. Victor n'avait d'yeux que pour le plat fumant que Dave avait déposé devant lui. Il se bourra dans le pain chaud, la salade, vida une cannette de *ginger ale*, et ayant attaqué son repas plus vite que les deux autres, il ne se gêna pas pour en demander une autre portion.

— C'est essoufflant se raconter de la sorte, Ron ?

— Pas le mot ! C'est épuisant ! On cherche, on ne veut pas sauter d'étapes et on doit s'attendre aux interruptions. Mais, comme c'est le *deal* qu'on a fait entre nous, je ne vais pas reculer pour autant.

— D'autant plus que tu n'en es qu'à tes vingt ans, ajouta Dave.

— Oui... Et dire que c'est moi qui traitais nos parents de « bande d'innocents » ! C'est bien pour dire... J'aurais dû me la fermer tantôt, ne pas dire ça puisque j'ai fait la même bêtise qu'eux. Remarque que j'aurais pu m'en sauver, reconnaître l'enfant et foutre le camp...

— Arrête, Ron, garde ça pour après le dîner. Reposetoi les méninges un peu, t'es fatigué, t'es secoué par tout ça, lui conseilla David.

— Oui, secoué est le mot, ça remue en dedans de moi, car, veux, veux pas, on revit les moments... Il y a bien assez que ça nous suive toute notre vie, pas facile d'étaler ça sur la table. Tu vas voir quand ça va être ton tour, Vic !

— Bah ! pour ce que j'ai à dire, ça va pas me mettre à l'envers.

— Pas sûr de ça, moi ! Pis toi aussi, Dave, tu ne seras pas épargné !

— Non, je le sais, mais ça me donne du courage de vous voir le faire avant moi. Quand viendra mon tour, je n'aurai qu'à calquer vos performances. Et puis, vous allez être assez fatigués que vous ne chercherez pas à en savoir trop.

— C'est ce que tu crois ? Bien, tu te trompes, David, parce que tu es le plus mystérieux des trois. Tu sembles avoir eu un parcours assez particulier... C'est pas parce que tu restes calme qu'il n'y a pas des choses qui te chicotent en dedans ! lui lança Ronald.

David se contenta de sourire, sachant pourtant que son tour n'allait pas être facile. Mine de rien, il demanda à ses invités :

— J'ai des mokas avec de la crème Chantilly pour dessert, ça vous tente, les gars ?

— Merci, pas pour moi, répondit Ron, j'aime mieux terminer le vin et m'en tenir à ton eau minérale italienne pour digérer ce merveilleux repas. Tu cuisines comme un chef, Dave. Les femmes ont dû te le dire...

— Louise me trouve assez habile aux chaudrons, mais de là à être un chef... Je fouille dans les livres de recettes, rien de plus. C'est rien de compliqué ce que je viens de vous préparer.

— Bien, moi, je vais le prendre le dessert, s'écria Vic en salivant. Avec une tasse de thé, cette fois. Pis, si Ron ne veut pas du sien...

— Tu peux l'avoir, Vic, lui répondit Dave. Tu peux même prendre le mien si tu as encore faim. Je vais me contenter de vider le vin avec Ron et ouvrir une autre bouteille si quelqu'un veut bien me suivre.

Ronald, sentant que l'invitation lui était destinée, acquiesça d'un large sourire.

Le verre de vin rouge à la main, David avait repris ses aises dans son *lazy-boy* de cuir alors que Ron en faisait tout autant dans le fauteuil vert rembourré. Victor, bien au chaud près du poêle dont la flamme était alimentée régulièrement, avalait le dernier moka de la boîte restée ouverte avant de rejoindre les autres. Ronald, les bras croisés, le souffle court, ne perdit pas de temps pour autant :

— J'ai donc fréquenté Catherine régulièrement et j'ai entrepris en même temps mes cours en vue du certificat d'agent reconnu. Je ne l'aimais pas, j'avais peine à la supporter à mes côtés. Je souhaitais de tout mon cœur qu'elle fasse une fausse couche, mais le bébé tenait bon. Son père, constatant que la grossesse avançait, décida de nous marier avant que ce soit trop évident, ce qui risquerait de déshonorer sa fille. Ma mère, avisée de la situation, était contente et mécontente à la fois. Contente parce que j'allais être le mari d'une fille unique passablement riche, et mécontente d'avoir à vivre seule désormais, sans moi, sa « béquille ». Il n'était pas question qu'elle vienne habiter avec nous, elle n'aimait pas Catherine qu'elle n'avait vue que deux fois, et c'était réciproque de la part de ma future, à cause de la froideur que ma mère lui manifestait. Un soir, alors que j'étais resté à la maison, ma mère m'avait mis en garde : « Ça ne marchera pas, ce mariage-là ! Elle n'est pas ton genre de fille ! Pas assez belle, trop intellectuelle... Non, je ne vois pas ça d'un bon œil ! Née sous un signe d'eau en plus ! » Je n'avais rien répondu, je voulais mettre toutes les chances de mon côté. Je ne l'aimais pas, elle ne m'attirait pas, mais elle n'était pas méchante. Du moins, pas encore !

— Lui étais-tu fidèle ? risqua Victor.

— Non ! Je sortais encore avec la barmaid de temps en temps et je fréquentais aussi une fille superbe qui se disait mannequin. Ce n'était pas le cas, c'était son rêve. Mais si vous l'aviez vue ! Un corps à faire damner un saint !

— D'après ce que je vois, le physique d'abord... Je dirais même les seins, les fesses, les jambes... qu'importe la tête ?

— J'étais charnel, c'est vrai, je le suis encore, mais elles n'étaient pas sottes pour autant, mes conquêtes.

— Sois franc, Ron, tu as toujours été profiteur ! Manipulateur même...

— Disons que j'étais arriviste, mais qui ne l'est pas à vingt ans ? Pas au point de me marier avec une fille de famille à l'aise, cependant. Je voulais progresser, j'étais ambitieux, je faisais tout pour être dans la manche de son père et je m'suis fait avoir, j'suis resté pris dans les jambes de sa fille !

David et Victor éclatèrent d'un rire franc qui fit sursauter Ronald :

— Quoi ? Qu'est-ce qu'il y a de drôle ?

— Tu ne t'entends pas ? lui répondit Dave. Tu devrais faire du *stand up* comique, toi ! Tu remplirais tes salles. Tu as un de ces humours noirs... Continue, on va reprendre notre sérieux, Vic et moi.

Flatté du compliment, Ronald sourit et reprit sur sa lancée :

— On s'est mariés alors qu'elle était enceinte de trois mois. Un mariage intime, une douzaine d'invités, une petite réception chez elle. Ses parents, quelques oncles et tantes, une cousine et son mari, et deux collègues de travail avec leur femme. De mon côté, ma mère, un point, c'est tout. Mais ça n'avait pas été facile de la convaincre de venir, d'être sobre la veille, de le rester le jour même, de ne pas plonger la main dans ses pilules... Elle ne voulait rien savoir d'être là. Je l'ai suppliée, je lui ai dit que je n'avais qu'elle ; je l'ai eue par les sentiments parce que je ne voulais pas me marier sans personne de mon côté. Ça ne se faisait pas ! Au moins ma mère avec qui je vivais ! J'ai réussi à la traîner dans un magasin de robes où elle a trouvé quelque chose de convenable. Je lui ai fait acheter des souliers, des bas, un sac à main. Elle n'avait rien de neuf, la mère, juste du vieux ! Elle n'avait pas magasiné depuis au moins sept ans ! J'ai pris un rendez-vous pour elle chez le coiffeur où il y avait aussi une maquilleuse. Et quand elle est arrivée à la petite chapelle, elle était fort présentable, bien habillée, le rang de perles au cou, ses verres teintés bien en place pour atténuer ses cernes creusés. Ma belle-mère s'est montrée enchantée de la rencontrer et le beau-père l'a complimentée sur sa toilette, mais Catherine, quoique polie, est restée distante. On aurait dit qu'elle la craignait. Ma mère, sobre depuis la veille, avait tout de même quelques pilules dans le gosier. Son débit était lent et, après le brunch et la coupe du gâteau de noces, elle accepta volontiers le vin blanc qu'un serveur lui offrait. J'avais peur, mais elle buvait lentement. Elle en prit un second trente minutes plus tard, puis elle manifesta le désir de rentrer à la maison, prétextant des courbatures. Un collègue se chargea de la ramener et je soupirai de soulagement. Ouf ! Ça s'était bien passé, elle ne m'avait pas fait honte.

— Et ta femme, demanda Dave, elle était physiquement à la hauteur de tes attentes, ce jour-là ?

— Bah... correcte, mais pas d'efforts côté maquillage et coiffure. Une mariée bien ordinaire, mal fagotée, avec une robe trois-quarts blanche, une étole de tulle, ses lunettes à monture noire, deux fleurs dans les cheveux et un petit bouquet de boutons de roses. Rien pour jeter personne à terre ! Pas même le photographe qui, en arrivant, cherchait la mariée, croyant que Catherine était une invitée. Mais ce qui a rehaussé mon souvenir de ce jour au plus haut degré, c'est que j'ai vu Paris ! Oui, Paris ! Le voyage de noces payé par le beau-père !

— Tu as aimé ? lui demanda Vic. Moi, j'y suis jamais allé...

— J'ai trouvé ça somptueux, surtout Versailles ! Je ne connaissais rien de l'histoire de France, ça ne m'avait jamais intéressé, mais avec Catherine pour tout m'apprendre en peu de temps, je peux dire que j'ai aimé tout ce que j'ai vu, le Louvre aussi ! Tu y es déjà allé, Dave ? Tu as vu Paris ?

— Oui, plusieurs fois.

— Fallait s'y attendre ! Qu'est-ce que tu n'as pas vu, toi ?

— Cuba ! Parce que tous les Québécois se ramassent là !

— Dis donc, t'es donc bien snob ! lui lança Vic. Tu ne fais plus partie de nous autres ? On dirait que t'as monté de dix crans !

— Non, juste un ou deux, Vic. Il est permis d'évoluer, non ? Moi, la masse, je me tiens loin d'elle. J'ai appris à connaître autre chose que le bas de la ville avec le temps. Attendez que ce soit à mon tour...

— Mais Paris, c'est huppé, c'est assez haute société...

— Ne te fais pas d'illusions, Ron, il y a encore des sans-culottes et des tricoteuses...

— Tu sors ça d'où, ces noms-là ?

— Tu aurais dû demander à Catherine de te parler de la Révolution, du régime de la Terreur et de la guillotine... Mais comme elle n'est plus avec toi, il y a les livres, Ron. Fais ce que j'ai fait, lâche les *thrillers* de Stephen King et plonge dans Sacha Guitry. Tu peux aussi aller sur l'Internet, plusieurs sites vont répondre à tes questions.

Ronald, perplexe, préféra reprendre son récit là où il l'avait laissé :

— Après le voyage de noces, Catherine et moi sommes allés habiter dans une maison spacieuse de Laval payée par le beau-père. Puis les automobiles de luxe ont suivi : une Mercedes et une Volvo, mais ce qui m'embêtait, c'était que tout ce qu'il nous donnait était au nom de ma femme. J'étais son mari et j'avais l'impression d'être un étranger dans la maison. Elle l'avait d'ailleurs meublée et décorée au complet sans me consulter. Pas même pour un tableau ou un bibelot ! Elle avait acheté une perruche sans me demander si ça m'intéressait ou pas. Bref, je me sentais de plus en plus comme un pensionnaire. Il n'y avait que le marché qu'on faisait à deux parce qu'elle était enceinte. Je me suis donc abonné au *gym* pour avoir une vie à moi et j'y allais le plus souvent possible. J'y allais même quand je n'y allais pas ; j'en profitais pour rencontrer ma barmaid. Parce que, dans mon cas, il n'était pas facile de prétexter du temps supplémentaire, je travaillais pour son père ! Après deux mois, je sentais que mon mandat n'allait pas durer longtemps avec elle. J'attendais la naissance de l'enfant et, durant ce temps, j'étudiais comme un fou afin d'être admis quand viendrait le temps d'aller m'affilier à un autre réseau. Je voulais réussir, passer les examens avec brio, je souhaitais être hautement qualifié pour ensuite sacrer mon camp. Mais on n'en était pas encore là, j'avais du chemin à faire. Catherine me sentait acquis, elle n'était plus aussi empressée qu'avant. Même au lit, c'était plus distant. Comme si elle avait bien calculé son coup. Se trouver un mari, partir de chez elle, avoir un enfant, sa maison, ses voitures et, éventuellement, l'argent de ses parents. Elle en était là avec son gros ventre, dans un laisser-aller démoralisant, se souciant encore moins de son apparence. Un soir, j'osai lui demander si elle ne pouvait pas faire un effort, changer sa monture de lunettes, adopter une nouvelle coiffure, se maquiller légèrement, et elle m'avait répondu : « Qu'est-ce que tu veux ? Une poupée, ou une épouse et mère dans sa simplicité ? Je suis telle que je suis, Ron, pas une autre. Telle que tu m'as connue et je ne tiens pas à me métamorphoser pour satisfaire un caprice de ta part ! Est-ce que je te demande de changer quoi que ce soit, moi ? »

— Wow ! l'interrompit Vic, elle n'avait pas la langue dans sa poche, ta Catherine ! Faut dire que t'avais rien à changer, toi !

Ronald, flatté par la remarque du « gros », poursuivit de plus belle :

— Or, elle est restée telle qu'elle était, ma femme, ce qui me déculpabilisait d'aller fureter ailleurs. Je lui ai été infidèle comme ça ne se peut pas ! Faut dire qu'elle l'avait cherché !

— Ronald ! Tout de même ! Tu aurais été infidèle à n'importe quelle autre femme, tu l'as été avec toutes tes blondes ! rétorqua Dave.

— Bien, pas marié, c'était différent... Je pense qu'un coup marié...

— Voyons donc ! Prends-nous pas pour des valises, Ron ! T'as jamais été capable d'être à une seule fille à la fois ! Pensais-tu que le mariage allait te changer ?

— Je l'espérais, Vic ! Mais avec une femme qui ne fait rien pour te plaire... Toujours est-il que Catherine a accouché de notre fille en novembre. Une autre « Scorpionne », comme disait ma mère qui en était fort déçue. Encore là, j'ai rien eu à dire, elle l'a fait baptiser Émilie sans me demander mon avis. C'était le prénom de sa défunte grand-mère paternelle. Alors, tu comprends, pour faire plaisir à son père... Mais la petite était belle comme un cœur, elle avait mes yeux, ma bouche, mes traits... Mon portrait tout craché ! Elle n'avait rien de sa mère, ce qui avait déplu au beau-père. Je n'étais pas fou des enfants, mais je me suis pris d'affection pour Émilie. Elle était douce, souriante, peu dérangeante et, chaque fois qu'elle me voyait, elle me tendait les bras. Ma mère ne l'a vue que deux fois. Moins grand-mère qu'elle, cherchez-la ! De toute façon, elle s'était remise à boire et à s'écraser sur son divan, la mine défaite, la bouteille de pilules à côté d'elle. Une épave, quoi !

Ronald, légèrement épuisé, demanda à David :

— Tu pourrais me servir un vin blanc du réfrigérateur ? Ton repas était pas mal épicé et j'ai une de ces soifs...

David s'exécuta, Victor en profita pour faire sauter la capsule d'une autre cannette de *ginger ale*, et Ronald reprit le fil de la conversation :

— J'étais malheureux, je ne me sentais pas bien dans ma peau. Le confort, le luxe, tout ça m'indifférait. Je m'ennuyais même de ne plus être avec ma mère et de ne plus travailler au magasin de musique. En un mot, je déprimais. J'en avais assez d'aller chez mes beaux-parents chaque fin de semaine. Le beau-père, je le voyais chaque jour ! C'est pas des farces, après tout ce qu'il avait fait pour moi, je commençais à le haïr. Il me manipulait, le vieux maudit ! Il s'était carrément emparé de ma vie. En venant me chercher là où j'étais, je me demandais si ça avait été pour mon bien ou celui de sa fille. Elle voulait tellement un *chum*, celle-là ! J'ai enduré, j'ai évité le plus possible les discussions et j'ai regardé la petite faire ses premiers pas avec le sourire. Émilie était la consolation de mes peines. Sans elle, j'aurais sacré mon camp bien avant ! Je ne pouvais plus sentir ma femme et quand j'en parlais à ma barmaid dans un motel, elle me disait : « Sacre-la là, Ron ! Maudis ton camp ! Mets-toi pas à l'envers pour elle, tu l'aimes pas, c'te femme-là ! » Si j'avais eu du *guts*, je l'aurais fait, mais je voulais terminer mon cours, me sentir prêt à être indépendant avant de partir. Il avait profité de moi, le beau-père ? C'était à mon tour de profiter de lui pis de ses largesses.

— T'as même pas essayé de régler les choses avec Catherine, de lui dire ce qui n'allait pas ? T'aurais pu le faire pour la petite, Ron.

— Toi, Vic, c'est ton paternalisme qui te fait parler de la sorte. On n'a pas la même fibre, toi et moi. Bien sûr que j'aurais pu essayer, mais pourquoi ? Pour la petite, comme tu dis ? Non ! Un enfant, ça grandit, pis ça finit par t'envoyer au diable ! Ça ne se soucie pas des sacrifices que tu as faits pour ne pas déranger sa quiétude. J'ai vu trop d'hommes rester avec leur femme pour les enfants et s'en ronger les ongles jusqu'au coude plus tard. Des enfants, à un certain moment ça s'en va, et toi, tu restes pris jusqu'à la fin de tes jours dans une union où il n'y a jamais eu d'amour. Je ne voulais pas d'une telle agonie…

— Tu voyais loin en maudit ! clama Vic.

— Oui, et c'est pour ça que je dressais mon plan. J'étais navré pour la petite, mais fallait que je sauve ma peau. Plus je regardais ma femme, plus je détournais la tête. Que veux-tu que je te dise ? Je l'aimais pas ! Je l'ai jamais aimée !

Ronald reprit son souffle, avala une gorgée de vin et poursuivit en baissant la tête :

— Et tout a commencé à se gâcher. La petite a eu un an, on l'a fêtée chez les beaux-parents, évidemment, et ma mère n'est pas venue. D'ailleurs, elle ne venait jamais chez moi, Catherine ne l'invitait pas et vice versa. Ma mère aimait mieux sa bouteille et ses pilules que sa petite-fille. Elle me demandait d'aller la visiter seul ! Je l'avais, entre-temps, déménagée dans un sous-sol de trois pièces, ce qui était bien assez grand pour elle. C'est moi qui payais tout, son loyer, son manger, son vin et ses sédatifs. C'était la seule prescription qu'elle avait du médecin. Sans interruption ! C'est ça qui la gardait en vie. Donc, pour revenir à Laval, à Duvernay plus précisément, là où nous habitions, plus rien n'allait. Je rentrais tard, je découchais et, bien entendu, Catherine s'en plaignit à son père. Il tenta de me faire la morale, mais je lui répondis que ce n'était pas de ses affaires. C'était la première fois que je ripostais de la sorte. Il ne me restait qu'un examen à passer pour devenir agent immobilier et je savais que j'allais le réussir, j'avais traversé les pires. Je fus donc agréé, ce qui me donna un bouclier. Et une épée ! Je savais que, dès lors, je pourrais envoyer mon beau-père ch… Excusez-moi, j'veux pas être vulgaire, mais je pense que vous avez compris ! De plus, trois mois plus tôt, entre ma barmaid et d'autres, j'avais fait la connaissance de Manon, une fille *sexy*, pas trop de classe, mais *hot* au possible dans un lit. J'en suis tombé amoureux, ça n'a pas été long. Le fait que je sois marié ne la dérangeait pas. Elle avait à peine vingt-deux ans et me trouvait de son goût.

— Tu lui étais fidèle, à celle-là ? s'informa Vic.

— Oui, et le plus drôle, c'est elle qui ne l'était pas. J'avais trouvé chaussure à mon pied. Elle m'avouait en pleine face que lorsque j'étais chez moi avec ma femme et la petite, elle ne se tournait pas les pouces. Une soirée dans une disco, un beau gars rencontré au bar, et elle le ramenait chez elle. Elle vivait en appartement avec une coloc. Que pouvais-je dire ? J'étais marié, pas libre... Donc, je m'en accommodais. À bien y songer, je pense que Manon était nymphomane.

— Ce qui n'était sans doute pas pour te déplaire ! lança Dave en lui décrochant un clin d'œil.

— Bien, disons qu'avec un corps comme le sien... Pas tous les gars qui peuvent sauter dans le lit d'une fille le premier soir...

— Un peu comme tu as toujours fait, non ? ajouta Dave.

— Oui, des gars comme moi, sexuels au coton ! Mais le plus grave, c'est que Catherine a fini par le savoir. Elle m'a surpris avec Manon.

— Où ça ? demanda Vic, les yeux exorbités.

— Elle m'avait épié avec une amie, elles m'ont vu sortir de la discothèque avec Manon, elles nous ont suivis jusque chez elle. Et, trente minutes plus tard, après être entrées en même temps qu'un autre locataire, un homme âgé qui leur avait donné le numéro de l'appartement de Manon selon sa description, elles sont montées, et Catherine avait discrètement frappé à la porte. Manon, surprise, croyant que c'était sa coloc qui avait oublié sa clé, se leva et, enroulée dans une serviette, alla répondre. Grave erreur ! Catherine avait poussé la porte et, entendant des éclats de voix et craignant pour Manon, je me suis levé, j'ai ouvert la porte de la chambre et j'ai entrevu Catherine qui, m'apercevant la tête et le torse nu que je tentais de dissimuler derrière l'embrasure, repartit sans dire un mot, sans faire un geste. Elle venait d'avoir enfin la preuve, avec témoin, que je la trompais. Manon, abasourdie, revenant à la chambre, me demanda : « Dis-moi pas que c'était ta femme ? » Sur un signe affirmatif de ma part, elle me demanda de partir et de ne plus revenir, traitant Catherine d'effrontée d'être ainsi venue frapper chez elle à deux heures du matin. Je tentais de m'expliquer, mais Manon m'aidait à ramasser mes vêtements pour que je décampe au plus sacrant ! Elle ne voulait pas être mêlée à quoi que ce soit avec un homme marié. Surtout pas un divorce ! De son côté, le pied sur l'accélérateur, un rictus amer au coin de la lèvre comme je l'imaginais, Catherine retournait à la maison avec sa grande amie. Sans doute très humiliée d'avoir constaté devant elle qu'elle était… cocufiée !

Ronald, prenant une pause, regarda Vic et lui cria presque :

— Arrête de bâiller comme ça, tu vas finir par t'avaler !

— Oh ! excuse-moi, c'est pas poli et c'est pas ton récit qui m'endort, Ron. C'est le pain à l'ail que j'ai pas digéré.

— Veux-tu un *seltzer* ? lui demanda Dave. J'en ai !

— Non, non, juste un peu de *ginger ale*. Pis, regarde le temps qu'il fait dehors, ça n'aide pas, ça tombe encore, ça n'arrête pas ! Est-ce qu'on annonce du soleil pour demain ?

— C'est pas Dave qui va te le dire, Vic, pas avec sa station classique.

— Tu te trompes, il y a des nouvelles à toutes les heures et le bulletin de météo. C'est que je mets le son en sourdine, mais je serai attentif à la prochaine heure.

Au même moment, le cellulaire de Ronald sonna. Sans changer d'endroit comme ce fut le cas pour Dave, il répondit :

— Allô ? Josée ? Tu t'ennuies déjà de moi ?

Sans savoir ce que la jeune femme lui répondait, on l'entendit répliquer :

— Ben, vas-y au cinéma ! T'as pas besoin de me demander la permission... Tu cherchais pas plutôt à savoir ce que je faisais, moi ?

Un long silence durant lequel sa conjointe s'enquérait sans doute de ce qui se passait lorsqu'elle se fit répondre :

— Écoute, Josée, on est en pleine conversation. Tu déranges ! Et la ligne est mauvaise ! Quoi ? Quand est-ce que je reviens ? Depuis quand j'ai des comptes à te rendre ? Tu m'prendras quand je rentrerai ! D'ici là, rappelle-moi pas, j'suis en congé ici, moi !

Un long silence, puis :

— Quoi ? Si j'aime l'endroit ? Oui, oui, c'est bien, pis le vin coule à flots ! Bon, je te laisse, la réception m'écorche le tympan !

Sans même attendre un au revoir de Josée, il lui avait raccroché la ligne au nez. Vic, la bouche ouverte, n'en croyait pas ses oreilles. Ronald, comme si de rien n'était, reprit son monologue sans plus tarder :

— À partir de ce jour, ce fut l'enfer entre Catherine et moi. Lorsque je suis rentré le lendemain, elle m'attendait de pied ferme. Elle avait laissé Émilie chez son amie et elle me beugla dès que j'ouvris la porte :

— J'espère que tu sais où sont tes valises, Ronald ?

— Écoute, laisse-moi au moins t'expliquer...

— M'expliquer quoi ? Je t'ai vu de mes yeux dans la chambre de cette fille ! À moitié nu ! Tu me prends pour une gourde ou quoi ?

— Il n'y a rien eu entre elle et moi !

— Rien ? Sauf ton corps sur le sien ? Sauf les écœuranteries que j'imagine ? Plus pervers que toi... Ah ! moi qui croyais bien faire en te mariant... J'ai été dupée ! Trompée avec une pute !

— Ménage tes paroles, Manon n'est pas une pute.

— Ah non ? Et les autres qui sont entrés chez elle avant toi ? Je savais que tu me trompais avec cette garce, mais savais-tu qu'elle en avait d'autres à part toi ? Je la suivais depuis une semaine, Ronald ! J'attendais juste que ton tour vienne. Il n'y a pas de mots pour qualifier cette fille !

— Alors, tu vois bien que ce n'est pas sérieux... Une passade...

— Tu n'es qu'un dépravé, Ronald ! Une bête de sexe ! Tu n'as que ça dans la tête ! Marié, père de famille, ça ne te suffit pas ! Il te faut des chiennes pour tes fantasmes ! Des prostituées que tu paies sans doute pour faire avec elles ce que tu n'obtiens pas de moi !

Voyant qu'elle était en colère, qu'elle hurlait, je ne voulais pas la survolter davantage. D'autant plus qu'elle croyait que Manon était une commerciale et non une maîtresse. Une fille que je payais pour m'apaiser les sens, ça me rassurait quelque peu. Gardant mon calme devant ses insultes, je lui répondis posément pour qu'elle se sente coupable :

— Tu es distante, Catherine... Que la relation formelle...

— Parce que je me respecte, moi ! Je suis ta femme, pas une truie ! Si tu croyais obtenir de moi toutes les indécences que tu vois sur ton « ordi », bien, t'as menti !

Je suis la mère de ton enfant, moi ! De toute façon, c'est fini ! Je ne serais plus capable de te regarder en pleine face, je ne veux plus te voir franchir le seuil de ma chambre.

— Tu me fous à la porte ? Et la petite ?

— Si tu restes, tu prends le sous-sol, tu vivras ici comme un coloc. Pour la petite, Ronald ! Parce que pour moi, en ce qui me concerne, nous sommes séparés de corps dès maintenant ! Je ne veux plus que tu m'approches ni que tu me touches avec tes mains sales !

— Si tel est le cas, je ne resterai pas ici pour la petite, Catherine. Je vais partir dès que j'aurai trouvé un appartement. Je n'irai plus chez tes parents, tu pourras même dire à ton père...

— Mon père sait déjà ! Je n'ai rien à lui raconter !

— Oui, dis-lui que je vais quitter le bureau d'ici un mois, que je m'en vais avec le réseau le plus important à titre d'agent affilié. Tu pourras aussi demander à ton père de vendre la maison...

— Quelle maison ? La mienne ?

— Que fais-tu du patrimoine familial ?

— La maison a été achetée par mon père, un cadeau à sa fille, mais elle est à son nom et il en détient tous les droits. Tu ne possèdes rien ici, toi ! Même la Volvo ne t'appartient pas, elle ne t'est que prêtée. Tu n'as que ton linge et tes valises !

— Et la petite, tu y penses ? Je suis son père...

— C'est moi qui en aurai la garde ! Émilie n'a pas besoin d'un père qui ne s'en occupe pas et qui couraille avec des putes jusqu'aux petites heures du matin ! Donc, le divorce ! Mais je vais tout faire pour que tu sortes d'ici tout nu !

— Bah... ça changera rien, c'est comme ça que j'suis entré !

Ronald s'étira un peu, se massa le bras gauche et ajouta nonchalamment :

— Voilà, c'était mot pour mot, ou presque, la violente querelle que j'ai eue avec Catherine. Inutile d'ajouter que je n'ai pas rappelé Manon, elle craignait tellement les représailles. Ma barmaid allait suffire pour un bout de temps. Dès ce jour, ma femme ne me parla plus, ne me regarda plus, et faisait en sorte que la petite me voie le moins possible. C'était invivable ! La fin de semaine qui suivit, Catherine la passa chez ses parents avec Émilie et, resté seul, j'étais allé de mon côté me consoler ailleurs. D'un club à l'autre, avec la première venue ! Le lundi, dès dix heures, son père me convoqua dans son bureau pour me dire d'un ton ferme que je l'avais grandement déçu en humiliant sa fille de la sorte. Je tentai de lui expliquer la situation, notre relation de couple, mais la conversation s'envenima et je lui criai que je n'avais jamais aimé sa fille, qu'il me l'avait foutue dans les bras de force ! Il s'emporta et me demanda de sortir de son bureau jusqu'à ce qu'il prenne une décision à mon sujet. Je me suis levé, je lui ai annoncé que j'avais un autre emploi, ce qu'il savait sans doute déjà, et je suis sorti en claquant la porte non sans l'avoir entendu hurler : « Ingrat ! » Lui qui était la cause de tous mes malheurs.

— Avoue que tu lui dois quand même ta carrière, Ron.

— Oui, Dave, mais à quel prix ! Il m'a fait miroiter le paradis en me donnant sa fille et j'ai vécu l'enfer avec elle.

— Tu n'as pas couru un peu après ? lui lança Vic.

— Toi, t'as rien compris, « le gros » ! J'parle-tu dans le vide ? J'me suis égosillé à te dire que j'me suis fait avoir, qu'elle m'a coincé dans le détour en se faisant faire un enfant !

Le « gros », insulté par le sobriquet, lui répondit froidement :

— Tu t'es quand même glissé entre ses jambes, elle ne t'a pas forcé la main, maudit vicieux !

Ronald, voyant que Vic était quasi en colère, ne releva pas la remarque. Regardant David qui s'apprêtait à arbitrer, il poursuivit :

— J'ai passé les deux derniers mois dans cette maison comme dans une prison. Catherine m'adressait à peine la parole et lorsque je m'approchais d'Émilie, elle s'empressait de l'emmener dans une autre pièce. Elle le fit si bien et si souvent que la petite, qui s'en allait sur ses deux ans, me fuyait quand elle m'apercevait. Catherine avait assouvi sa vengeance en détachant l'enfant de moi. J'ai quitté le bureau et j'ai commencé comme agent affilié avec le réseau le plus réputé du milieu. Dès la première semaine, j'avais vendu un immeuble et deux maisons. Sûr de moi, je sentais que j'avais fait le bon choix. Mon beau-père m'avait vu partir sans m'offrir le moindre semblant d'un sourire. Deux collègues m'invitèrent à dîner, mais la réceptionniste qui travaillait avec moi depuis le début s'en était abstenue. Sans doute avertie par le patron de ne pas se joindre aux deux autres qui m'avaient convié malgré son interdiction. Ils étaient des agents établis et savaient bien que s'il rechignait trop, c'était lui-même, le *boss*, qui allait perdre au change. Je quittai donc la maison en octobre, un mois avant que la petite fête ses deux ans. Catherine m'avait promis de m'inviter pour son anniversaire, mais elle n'en fit rien. Je tentai, par téléphone, de lui faire comprendre que j'avais des droits et que j'allais les faire valoir puisque je devais payer une pension pour ma fille. Avant que je puisse faire un pas en direction d'un avocat, son père me convoqua dans un restaurant afin de conclure une entente. Là, avec le repas, le vin, il me fit miroiter un chèque de cent mille dollars si je cédais la garde complète de l'enfant à Catherine, alléguant que, de toute façon, la petite ne viendrait pas à moi, qu'elle me fuyait dès qu'elle me voyait. Il m'offrit cette énorme somme en me délivrant de la pension, à condition que je lui signe un papier comme quoi je renonçais à elle et à mon droit parental, en ajoutant toutefois que l'enfant allait continuer de porter mon nom ainsi que celui de sa mère. J'ai réfléchi le temps du repas et j'ai accepté. Je suis sorti du restaurant avec le chèque en poche et une copie du document signé. Je n'ai jamais revu ma fille depuis, ni sa mère. Le divorce prononcé, la maison a été vendue et Catherine est allée habiter je ne sais où. Émilie doit avoir tout près de dix-huit ans maintenant…

Il se tut, respira longuement, et Vic, dans son coin, murmura :

— T'as été capable de faire ça ? Je m'excuse, Ron, mais moi, même pour un million, j'aurais été incapable d'abandonner mon enfant.

David n'avait rien dit, du moins pas encore. Un peu exaspéré par les remarques désobligeantes du « gros », il maugréa :

— On est ici pour comprendre, Vic, pas pour juger !

Chapitre 3

Bénéficiant de la pause qui s'annonçait, Victor se retira dans un coin discret pour appeler Marianne chez sa mère à Québec. Cette dernière, heureuse de l'avoir au bout du fil, le plaignait de n'avoir pu profiter d'une belle journée ensoleillée. Il lui avait répondu avec tendresse : « Mais il ne fait pas plus beau pour toi, mon amour... » Ce qui avait fait sourire Ronald qui le trouvait trop « ardent » pour un homme marié depuis si longtemps, père de deux enfants de surcroît. Ce qui n'empêcha pas Vic de poursuivre sur le même ton : « Je m'ennuie de toi, j'ai hâte de te prendre dans mes bras, de te caresser la nuque, de sentir ta bouche contre la mienne... » Marianne devait certes lui donner une réplique aussi suave et amoureuse puisque « le gros » avait les yeux embués, ce qui avait forcé Ronald à sortir de la pièce avant de pouffer de rire. David, ayant plus de retenue, trouvait également que Vic « en mettait trop ». On aurait pu jurer qu'il causait avec une dulcinée à peine rencontrée. Mais respectueux des gens, il fit mine de rien, vaqua à ses occupations et lorsque Victor raccrocha, il lui demanda :

— Tu m'aides avec la vaisselle ? Sinon on va en manquer pour le souper.

— Bien sûr, Dave ! Laisse-moi me charger des chaudrons.

— Je peux aussi vous aider... proposa Ron.

— Non, détends-toi, on t'a assez fait travailler, tu parles depuis ce matin. Repose ta voix, tu en auras encore besoin ce soir.

— Oui, je sais, Dave, mais j'ai hâte que ton tour vienne. J'ai l'impression qu'on ne va pas s'ennuyer, Vic et moi.

— N'anticipe rien, ta vie là où tu en es rendu dans ton récit est beaucoup plus mouvementée que la mienne. Je n'ai pas d'enfants, moi !

— On verra bien, Dave ! T'as quand même pas dormi comme une marmotte toutes ces années-là ! Tiens ! Je viens de découvrir des poèmes de Rimbaud sur l'une de tes cassettes.

— Tu le connais, celui-là ?

— David ! J'suis quand même allé au cégep comme toi, j'ai pas arrêté l'école au primaire ! Qui ne connaît pas Rimbaud ? Peut-être que, de nos jours, avec le peu qu'on leur apprend, mais dans notre temps, on entrait encore chez les grands de la poésie française. *Les chercheuses de poux*, *Voyelles*, *Ma bohème...* j'ai appris ça ! Je ne connais pas le Sacha Pitoëff qui les récite, mais Arthur Rimbaud, oui ! Son ami Verlaine aussi... J'ai d'ailleurs vu le film *Les poètes maudits*, avec Leonardo Di Caprio. Pour qui me prends-tu, finalement ?

— Ça va, choque-toi pas, Ron, on ne parlait jamais de poésie dans le temps.

— J'suis pas choqué, Dave, mais faudrait pas me prendre pour un deux de pique !

Vic avait éclaté de rire, ce qui avait fait fulminer Ron davantage.

— J'imagine que tu les connais, les poètes, toi ? lui cria-t-il.

— Non, pas un seul de cette cuvée, mais Émile Nelligan, Félix Leclerc et Gilles Vigneault, oui, parce qu'ils sont d'ici. Je ne m'en cache pas, ça ne m'a jamais intéressé, la poésie et la littérature. Marianne et moi, on est plus portés sur la musique populaire et les chanteurs de l'heure. Il nous arrive d'aller voir des spectacles d'Isabelle Boulay ou de Daniel Lavoie. Aussi ceux de Patrick Bruel et de Serge Lama quand ils viennent...

— Et Julien Clerc, bien entendu !

— Évidemment ! Lui, c'est dans les premières rangées, peu importe le prix. Tu parles d'un incontournable, là, pas de n'importe qui !

— Écoutez, les gars, si vous alliez discuter de vos goûts et de vos couleurs dans le *living room*, ça me permettrait de préparer le souper. Vous aimez le poisson, j'espère ?

— Moi, n'importe lequel ! Surtout si t'as le pain croûté pour aller avec ! Je ne suis pas difficile pis Ron non plus, je pense.

— Moi, je mange à peu près de tout. Y'a juste les oignons que je n'aime pas. Dans rien ! Pas même dans une soupe !

— T'as bien fait de me le dire, Ron, je vais cuire ton flétan dans une autre poêle. Alors, vous me laissez le chemin libre, tous les deux ?

Et David put sortir ses poêlons à frire et s'installer sur le comptoir de la cuisine avec ses poissons, ses légumes frais et tout ce qu'il fallait, en percevant, venant du vivoir :

— Voyons donc, Ron ! Dis-moi pas que tu ne suis pas la carrière de Marie Michèle Desrosiers ? C'est une des plus belles voix du Québec !

Ronald, songeur, avait le nez collé à la fenêtre. La pluie tombait plus fine, mais incessante. Il n'en revenait pas ! Un beau week-end en perspective à la campagne sans avoir encore mis le nez dehors. Victor, s'approchant, lui demanda :

— Trouves-tu le temps long, Ron ?

— Heu... non, mais avec des pauses qui nous permettraient d'aller marcher dans le bois, ce serait plus agréable.

— Oui, mais d'un autre côté, je me demande si on aurait le temps de faire le tour de nos trois parcours. Avec un témoignage par jour, on va arriver pile avec ce que David avait prévu. Je profite du fait que nous soyons seuls pour m'excuser, Ron.

— De quoi ?

— De juger, comme me l'a reproché subtilement David. Je devrais juste t'écouter et fermer ma grande gueule quand j'ai rien d'intelligent à dire. Pour mes questions, ça va, elles sont pertinentes, mais je devrais éviter les commentaires. C'est grossier, impoli...

— Bah ! t'en fais pas, rien ne me gêne, j'ai la couenne dure !

— Je sais, mais ce n'est pas correct parce que, lorsque ce sera mon tour, tu vas pouvoir porter bien des jugements si tu es aussi direct que moi. Ma vie n'a pas toujours été ce qu'elle est maintenant.

— Ne t'en fais pas, je ne me prononcerai pas, je serais bien mal placé...

— Tu vois ? C'est ça qui m'agace parce que moi aussi je suis bien mal placé pour juger qui que ce soit, et je le fais !

— Si ça te dérange à ce point-là de l'avoir fait, Vic, dis-toi que t'es excusé. Je ne t'en veux pas pour deux cennes, pas même pour ta remarque concernant l'abandon de ma fille.

— Ça, je n'aurais pas dû... C'est sorti tout seul... Moi, les enfants, c'est ma faiblesse. Mais j'aurais dû me taire...

— Pas grave, Victor. De toute façon, ma fille va vieillir et, si elle veut me revoir, elle saura bien où me trouver. À ce moment-là, j'aurai peut-être un peu plus de fibre paternelle.

— Juste une question, Ron, un léger à-côté, si tu permets...

— Vas-y, Vic, on n'a rien d'autre à faire que causer.

— Dis-moi, ton ex-femme, Catherine, elle s'est remariée ?

— Oui, le beau-père lui a trouvé une autre poire au sein de l'équipe. Je l'ai appris d'un ex-collègue croisé par hasard. Tu vois ? Tu fais bien de pousser plus loin, ça m'a échappé tout à l'heure. Catherine s'est remariée, mais elle n'a pas eu d'autre enfant. Pis là, depuis le temps, je ne sais plus s'ils sont encore ensemble. Va falloir le répéter à David, il a perdu ce bout-là, lui aussi.

— Non, pas nécessaire, je viens de l'entendre, les prévint David qui s'était infiltré sur la pointe des pieds. C'est noté, Ronald. Dites donc, je veux bien faire le souper, mais est-ce que vous pourriez vous charger de mettre les couverts ?

— C'est à mon tour ! lança Ronald. Victor a fait la vaisselle, lui !

David retourna à ses chaudrons pendant que Ronald dressait la table et que Vic allumait les chandelles pour donner un peu d'ambiance au souper qui s'annonçait élégant. De la salle à manger, il cria à David :

— T'as pas de *toaster*, mais t'as des chandeliers de marbre ! Tout ou rien avec toi ! T'es vraiment imprévisible, Dave !

Riant de la remarque, David revenait avec une bouteille de vin à la main :

— Un vin blanc, ça vous plairait avec le poisson ? Je le laisse respirer...

— Wow ! Pas n'importe lequel ! lança Ronald. Un Saint-Véran, c'est ce qu'il y a de plus raffiné ou presque. Un vin sensuel selon Josée.

Le repas était succulent et le vin coulait à flots dans les verres, celui de Victor inclus. Puis, après le plat principal, le dessert ; David leur servit un renversé à la citronnelle, accompagné d'une crème de menthe blanche. Ce qui eut comme conséquence d'étourdir Victor qui combattit les effets de l'alcool avec un café noir suivi d'un verre de *ginger ale*. Ronald et David, plus coriaces malgré deux bouteilles et demie à deux, terminèrent avec un cognac assez fort pour assommer un bœuf. Et Ronald, pas ivre sans être tout à fait sobre, reprit de lui-même le « banc des accusés » pour témoigner de sa vie après son échec avec Catherine.

— Tu es certain d'en avoir encore la capacité ? s'inquiéta David. Avec ce qu'on a bu...

— Tu doutes de moi ? Je vais même avoir le verbe plus facile. Je parle beaucoup plus avec un peu d'« adrénaline » dans le gosier. Alors voilà, j'avais mon nouvel emploi, j'étais devenu agent immobilier en bonne et due forme et je gagnais bien ma vie. Avec l'argent du beau-père, je me suis acheté un condo en plein centre-ville. Je ne l'ai plus aujourd'hui, je l'ai revendu avec un bon profit et j'ai opté pour un appartement luxueux que j'ai loué, il y a quelques années. Je suis trop instable pour me caser à long terme. C'est ce que Josée me reproche, mais elle… Pour revenir à mon passé, disons que je suis resté seul un bon nombre d'années. J'avais des blondes, bien entendu, mais aucune d'entre elles n'a pu me mettre le grappin dessus. Pas même pour vivre à deux ! Pour moi, n'aimer qu'une femme, c'est faire injure à toutes les autres. Mais ne vous en faites pas, ce n'est pas de moi, cet adage-là, c'est d'un poète, mais je ne sais plus lequel. N'empêche que j'ai retenu sa citation et que j'en ai fait mon leitmotiv. Plusieurs femmes mais pas une ! J'en ai vu des prénoms défiler dans ma vie. J'ai même eu trois Chantal de suite ! Donc, bon vivant, beaucoup d'argent, des filles à la pelle et la liberté la plus totale. Quand j'allais voir ma mère, elle me disait que j'allais mal tourner, que je levais trop le coude ! Drôle en verrat, non ? C'était elle qui buvait comme une éponge et c'est à moi qu'elle reprochait le verre de trop ! C'est bien pour dire… Tout ça pour vous dévoiler que j'ai fini par tomber dans les filets de Carla, une superbe Italienne du genre Sophia Loren. Je l'avais croisée dans un bar, je l'avais remarquée dès mon entrée. Elle était sur un *stool* entre deux copines. Belle comme ça ne se pouvait pas ! Cheveux bruns et longs, yeux noisette, robe rouge rehaussée de bijoux en or… Une apparition ! J'ai tout fait pour qu'elle me regarde, mais elle me tournait le dos, car elle jasait avec l'autre fille. C'est l'une de ses copines que j'avais de profil qui me la cachait. J'ai fini par me faufiler sur le tabouret à côté de son amie et, quand elle a jeté un regard en ma direction, je lui ai offert mon plus beau sourire. Je me disais : « Ça passe ou ça casse ! » Bien, croyez-le ou non, elle me l'a rendu pour ensuite baisser les yeux et prendre son verre. Elle buvait, à petites gorgées, une Tia Maria avec du lait et des glaçons. Avec beaucoup de classe. Elle avait les mains délicates, les doigts effilés, les ongles rouges comme ses lèvres. Féminine jusqu'au bout des orteils ! J'ai fini par l'approcher, par lui parler, alors que les deux autres étaient allées danser. Je lui ai demandé son prénom, je lui ai révélé le mien, j'ai voulu lui offrir un autre verre, mais elle a refusé en me disant qu'elle buvait très peu. Les filles étaient revenues, mais elles ne nous ont pas dérangés. Voyant qu'elle parlait de partir, j'ai tenté ma chance et je lui ai demandé si je pouvais espérer la revoir. Elle me dévisagea, sourit, ouvrit son sac, prit un stylo et inscrivit sur le petit sous-verre en papier son numéro de téléphone. Puis elle disparut avec les deux autres sans me dire bonsoir. Resté seul avec le napperon rond plié dans la main, je me suis dit que ça devait être un faux numéro. Le lendemain soir, encore sous le choc du *kick* éprouvé la veille, j'ai composé le numéro et c'était elle ! Carla ! C'était parti ! J'allais la revoir, j'en frémissais déjà. Moi qui n'avais jamais aimé, voilà que j'étais épris ! En amour sans la connaître ! Au point de rayer de mes pensées la barmaid, mes autres blondes d'infortune et celle avec qui je devais sortir le soir même. Carla venait d'effacer d'un seul regard mon tableau de chasse. Elle en avait cassé la craie ! Pas facile à croire d'un gars comme moi, mais j'étais en amour par-dessus la tête ! Avec une fille superbe dont je ne connaissais que le prénom.

Ronald avait fait une pause. On sentait qu'il était fébrile en se remémorant un souvenir qui lui semblait impérissable. Du moins pour le coup de foudre. Regardant dans le miroir de son passé, il reprit :

— Je l'aimais ! Je l'aimais comme un fou ! Lors de notre seconde rencontre, notre sortie officielle si je peux dire, je l'ai emmenée dans les discothèques les plus huppées du centre-ville. Dieu qu'elle était belle, ce soir-là, dans une autre robe rouge feu qui la moulait comme une déesse. Nous avons dansé, elle sentait bon, un parfum rare dont j'ai oublié le nom. À deux heures du matin, après quelques *drinks* de trop, je l'ai invitée à mon appartement et, à ma grande surprise, elle a accepté. Elle avait choisi le divan pour s'y allonger les jambes et je n'ai pu résister, j'ai laissé ma main serpenter son mollet pour me rendre à la cuisse. Quinze minutes plus tard, après des baisers à me rendre fou, Carla était dans mon lit, flambant nue, alors que dans le même état je me glissais sur elle avec délicatesse. Pour ne pas lui faire mal, pour ne pas irriter sa peau soyeuse, pour qu'elle ne sente pas en moi l'animal. Jamais je n'avais vu un corps aussi beau que le sien. La perfection ! De la nuque jusqu'aux mollets ! Je ne pouvais croire que ce corps magnifique était à moi. Ses seins fermes aux mamelons rosés, sa taille de guêpe, ses fesses bombées... Lollobrigida dans son jeune temps ! Brigitte Bardot à l'aube de ses trente ans ! Vous vous souvenez de Brigitte sur sa Harley Davidson ? C'était Carla à une autre époque, sauf que mon Italienne avait les cheveux bruns et longs comme Sophia Loren. Je vous épargne les détails de nos ébats sexuels, c'est vraiment trop personnel, mais je crois que personne d'autre n'a connu ce que j'ai vécu cette nuit-là ! Le paradis sur terre ! L'enfer brûlant à deux ! Quelques heures que j'aurais voulues éternelles. Transi, le cœur battant plus fort qu'un tambour, inutile de vous dire que je l'aimais encore plus que la veille et moins que les lendemains qui allaient suivre. Je lui avouai mon amour, je lui jurai que jamais je n'allais la quitter. Je la caressais, je l'embrassais, et je sentis par un mouvement de sa part que c'était assez, qu'elle avait envie de se rhabiller et de rentrer. Je l'implorai de passer le reste de la nuit avec moi, de recommencer, mais elle avait agrafé sa robe et s'apprêtait à enfiler ses longs bas noirs. Avec un doux sourire, bien entendu. Je remis mon pantalon pour aller la reconduire lorsqu'elle me dit : « Non, Ronald, appelle-moi un taxi. » J'insistai, mais elle eut gain de cause. Elle ne voulait pas rentrer chez elle raccompagnée par un homme. À vingt-huit ans ! J'en avais trente ! « Par principe », me disait-elle. Elle habitait avec ses parents et ses deux frères. Une famille dont les membres se protégeaient les uns les autres, m'avait-elle expliqué. J'obtempérai pour le taxi, mais je la vis partir avec le cœur en miettes. J'aurais tant voulu la garder, ne plus jamais m'en séparer. Mais ce qui m'avait fait le plus mal au moment de son départ, c'est que je lui avais demandé si elle m'aimait autant que je l'aimais. Elle m'avait posé l'index sur la bouche pour me répondre : « Allons, on vient à peine de se connaître... »

À bout de souffle, Ronald réclama une bière que David s'empressa de lui verser. Regardant Vic qui n'avait encore rien dit, il ajouta :

— Ouf ! C'est épuisant ! Et je suis juste au début de notre histoire. Vous êtes prêts pour la suite ?

Ils acquiescèrent et Ronald, la mémoire fertile, replongea dans ce qui semblait être ses plus belles années :

— Je suis sorti deux autres fois avec Carla, mais sans qu'elle se donne à moi. J'ai eu peur de ne pas avoir été à la hauteur, mais elle me répétait : « Non, non, tout va bien, mais je ne tiens pas à m'attirer d'ennuis. S'il fallait que je tombe enceinte ? » Penaud, désemparé, je lui avais répondu : « Nous prendrons toutes les précautions voulues, toi la pilule, moi le condom... » Elle ne m'avait pas laissé finir pour me dire sèchement : « Non, je ne prends pas ce poison-là ! Et le préservatif, ce n'est pas infaillible ! Je préfère attendre ! » Ah ! ce verbe ! « Attendre ! » Mais attendre quoi ? J'étais mêlé, je ne savais comment réagir... « Attendre » qu'on se connaisse davantage ou « attendre » que je la demande en mariage ? Ce que j'aurais fait sur-le-champ ! Or, pour ne pas avoir l'air d'un « désespéré », j'ai préféré jouer son jeu, ne rien dire et faire semblant de refouler mes ardeurs. En même temps, je me demandais qui était Carla. Pourquoi s'était-elle donnée à moi à me rendre fou pour ensuite jouer les désintéressées ? Pour mieux me posséder ? Pourquoi ne pas avoir craint de tomber enceinte la première fois sans protection et, soudainement, craindre toute précaution ? Était-ce une stratégie de sa part pour mieux garder son « mâle » en appétit ? Dieu que je ne voulais pas douter d'elle, je l'aimais tellement, mais je me grattais la tête... Jusqu'à ce qu'elle me dise après un dernier baiser furtif : « Mardi soir, si ça te va, je te présente à ma famille. Je leur ai parlé de toi et mon père désire te connaître. » J'étais soulagé ! Elle voulait enfin me présenter aux siens ! Donc, intéressée, l'aguichante Carla... Mais à quel point ? Les Italiens sont si conservateurs ! Pour eux, c'est d'abord l'union, et ensuite la conception. Bien sûr que je l'aimais assez pour la marier, mais j'étais encore sous le choc d'un divorce qui avait été pénible à finaliser. J'avais juré que jamais plus... Et voilà que Carla, superbe, voluptueuse...

— Ce n'était que physique, ton amour pour elle ? risqua Vic.

— Heu... non. Pourquoi une telle question ?

— Parce que tu nous parles d'elle que physiquement, Ron. Son corps, ses jambes, ses cheveux, sa peau... Pas une seule fois tu n'as parlé de son cœur, de ses états d'âme, de ses qualités autres que son apparence exceptionnelle. Comme si elle n'était que ça : belle !

David, qui approuvait « le gros » Vic, avait souri sans toutefois intervenir.

— Bien, disons que je suis esthète au départ, tout le monde le sait, vous autres aussi. Mais elle avait un bon caractère, elle était intelligente, cultivée, elle avait étudié...

— Que faisait-elle dans la vie ?

— J'y arrivais ! lança Ron, contrarié d'être ainsi devancé ou rappelé à l'ordre.

Mais Vic savait qu'il n'y serait pas « arrivé », comme il le prétendait, sans son intervention. Car il voulait leur en mettre plein la vue avec la beauté de Carla. Il espérait qu'on l'envie, il souhaitait que Dave le jalouse, il comptait les impressionner. Mais Vic, plus terre à terre, l'avait descendu de son nuage.

— Elle était secrétaire privée quand je l'ai connue. Elle était au service d'un magnat de la construction, un ami de son père. Ami est un bien grand mot, disons plutôt une connaissance, car son père, tailleur de son métier, travaillait pour le magasin où l'homme en vue s'habillait. Et c'est lors d'un essayage que le constructeur lui avait dit qu'il cherchait une secrétaire particulière. Carla lui fut donc présentée et, belle et talentueuse comme elle l'était, elle obtint l'emploi haut la main. Un poste qu'elle occupe encore, d'ailleurs... Mais là, avec cette parenthèse, vous m'avez fait sauter des étapes. J'en étais au moment où j'allais rencontrer sa famille. Pourrais-je avoir une autre Coors Light, Dave, avant d'être interrompu encore une fois et que celle-ci soit vide ?

Vic prit la remarque pour lui, mais ne s'emporta pas pour si peu. Il avait été établi que les questions allaient avoir leur place. Il tira sur la capsule d'une cannette de *ginger ale*, regarda sa montre qui marquait 20 h 30, et se cala encore dans sa chaise longue. David, les chevilles croisées, buvait un scotch avec *soda water*, prêt pour la suite du récit. Ronald, confortable, heureux de parler d'elle, reprit de plus belle :

— Sublime Carla ! Divine Carla ! Quand elle était à mon bras, toutes les têtes se tournaient.

— Pour elle ou pour toi ? lui demanda David en riant.

— Pour elle, voyons ! Puis avec le temps, j'sais pas… Tu sais, j'étais pas mal beau à trente ans…

— Bon, tu continues le récit ? lui lança Vic, impatient.

— Le fameux soir de la rencontre arriva et je me retrouvai devant une petite maison d'un seul étage sur la rue Casgrain, près de Jean-Talon. Rien pour te faire tomber sur le dos, une maison modeste que son père avait achetée de peine et de misère jadis avec son maigre salaire. Il n'était que tailleur, ne l'oubliez pas. Il n'avait rien à lui à part sa job et sa paye au magasin de vêtements pour hommes. Il avait trimé dur, selon Carla. Il avait économisé toute sa vie pour faire instruire ses enfants. Un brave papa qui bûchait pour sa famille, mais dès que j'ai mis les pieds dans le salon et qu'il m'a regardé, j'ai senti qu'il ne m'aimait pas. D'un coup sec ! Ça paraissait ! Je pense qu'il me haïssait avant que j'arrive. Sa mère m'avait souri, mais faiblement et à l'insu de son mari. Carla ne s'en faisait pas pour autant, elle semblait habituée à la « face de beu » de son père, sauf que pour moi c'était gênant. J'avais pris place sur un divan en coin avec elle et elle m'avait présenté ses deux frères. Le plus vieux, vingt-neuf ans, avait l'air bête de son père. L'autre, le benjamin de la famille, vingt-cinq ans, m'avait serré la main en souriant. Carla était donc la seule fille entre deux gars. C'est le plus jeune qui eut la délicatesse de m'offrir un verre de vermouth italien que je ne refusai pas. Je me sentais petit dans mes souliers, même si Carla me rassurait en posant sa main sur mon avant-bras. Le paternel m'avait posé un tas de questions et quand je lui parlai de l'agent immobilier que j'étais, il avait marmonné : « Pas trop honnêtes, ces gens-là ! Trop forte, leur commission ! Il reste rien pour le propriétaire ! » Je n'avais rien répliqué, je sentais qu'il me « cherchait », qu'il voulait me mettre le dos au mur devant sa fille. Ce qui leur déplut par-dessus tout, c'est que j'étais un divorcé avec une petite fille que je ne voyais pas. J'eus beau m'expliquer, tenter de les faire compatir à mon sort, ils restaient de marbre, sauf le plus jeune qui avait balbutié : « Pas facile de vivre tout ça quand on est jeune... » Ce qui lui avait valu un regard sévère de la part de son père. La soirée finit par prendre fin et j'étais soulagé de sortir de là. Je savais que « mon chien était mort » avec le bonhomme, que jamais il ne me donnerait la main de sa fille. En sortant, il n'y a que le plus jeune qui avait été courtois envers moi. L'autre, le plus vieux, croyez-le ou non, n'avait rien dit de la soirée. Ni bonjour ni bonsoir. Rien ! Il avait assisté à la rencontre comme une statue de plâtre. La *mamma* n'avait pas eu droit de parole, sauf pour me demander si j'avais encore mes parents, heureuse d'apprendre que je m'occupais de ma mère. De retour à la voiture, j'avais regardé Carla comme pour l'interroger, mais elle me dit avant que je ne parle : « Ne t'en fais pas, mon père déteste les Canadiens français, les Québécois encore plus. Il aimerait me caser avec un Italien, mais il n'y parviendra pas. Je n'ai pas l'intention de vivre la vie de ma mère. Autres temps, autres mœurs, dit-on, sauf pour eux ! D'ailleurs, ce n'est pas la première fois... » Donc, elle en avait eu d'autres, ou du moins, un autre avant moi ! Comment avait-elle pu être abandonnée par qui que ce soit, elle, si belle, si merveilleuse... Je n'ai pas osé le lui demander ce soir-là, mais je me promettais bien de revenir à la charge. Je l'aimais au point d'être jaloux de ceux qui m'avaient précédé. Et dès lors, je la voulais à moi le plus tôt possible. Assuré que son père ne me la donnerait jamais en mariage, je me suis mis en tête de la sortir de cette maison, de la convaincre de s'installer avec moi, et de vivre en couple sans nous marier.

— Pourquoi ? lui demanda Vic.

— Parce que se marier sans leur bénédiction aurait signé mon arrêt de mort ! Son frère, le plus vieux, me faisait peur avec ses poings serrés. Il me semblait le défenseur de la famille. Et puis, j'avais eu assez de troubles avec un beau-père sans m'en coller un autre au derrière !

Un téléphone vibra puis sonna, celui de Ronald qui, s'excusant, répondit sans bouger de son fauteuil. C'était Josée, sa conjointe de l'heure, celle qu'il comptait éventuellement quitter. Il sourcilla, écouta ce qu'elle avait à dire, et répliqua : « Non, actuellement, tu me déranges ! Je suis en pleine conversation avec mes amis. Si tu te servais un peu plus de ta tête ! Appeler le soir sans savoir... » Il s'était arrêté, elle avait raccroché. David, mal à l'aise, lui demanda avec une certaine audace :

— Tu es certain que c'est la façon de lui parler, Ron ?

— Ben, quoi ! Une maudite fatigante ! Elle m'épie sans cesse ! Tu as vu comment elle était l'autre jour au centre commercial, Dave ? Viens pas me dire que tu ferais long feu avec une femme comme ça, toi !

— Peut-être, mais tu l'as choisie, tu vis avec elle, Ron, tu la côtoies chaque jour ! C'est ta compagne, pas une blonde que tu vois de temps à autre pour tes plaisirs charnels !

— Elle est possessive ! Elle est jalouse ! Elle a tous les défauts ! Moi, les petites femmes de cinq pieds juchées sur des talons hauts qui veulent jouer au p'tit *boss*, ça me fait... Je m'retiens !

— Si elle est comme tu dis, pourquoi avoir entrepris une relation avec elle ?

— Ça s'en vient, ce bout-là, Dave. Fais-moi pas sauter d'étapes, j'étais dans le meilleur de ma liaison avec Carla.

— Excuse-moi, je ne voulais pas t'en éloigner, c'est que tu as été si brusque au téléphone...

— Bon, oublie ça et laisse-moi continuer, Vic recommence déjà à bâiller.

Ronald déboucha son autre bière et, les yeux dans le vide, reprit :

— Carla était un ange et un démon à la fois. Un ange parce qu'elle était sublime, douce et gracieuse, et un démon parce qu'elle me faisait languir en me privant physiquement de ses charmes. Elle m'embrassait passionnément, elle jouait avec mon corps dans nos rares moments intimes, mais elle ne se donnait plus. Une agace... de la pire espèce ! Ensorcelante, troublante, devenue quasi vertueuse. Ça me rendait fou ! Elle me laissait tout faire ou presque, mais dès que je m'aventurais jusqu'au but, elle trouvait le moyen de s'esquiver. Un jour que cela s'est produit, je lui ai demandé :

— Est-ce que je te dégoûte ? Est-ce l'odeur de ma peau ?

— Non, Ron, tu sens bon et tu es le plus bel homme que j'ai rencontré à ce jour ! me répondit-elle.

Flatté, mais contrarié d'être comparé, je lui avais demandé :

— Combien d'autres avant moi ? Je fais partie d'une liste ?

— Non, grand fou ! répliqua-t-elle, je n'ai eu qu'un seul homme avant toi, il s'appelait Jean et mes parents ne l'aimaient pas.

— Mais tu parles au pluriel, tu me mentionnes comme « le plus bel homme à ce jour ». Ce qui porte à croire qu'il y en a eu plusieurs autres avant moi.

— J'ai quand même eu seize, dix-sept et dix-neuf ans... me dit-elle. J'ai rencontré des garçons au cégep, je me suis divertie avec eux... Ce que je veux dire, c'est que j'en ai connu d'autres, Ron, même des Italiens, pas que j'en ai aimé d'autres. À part Jean, évidemment...

— C'est toi qui l'as quitté, ce Jean ?

— Oui, parce qu'il aurait été malheureux dans ma famille. C'était au moment où mon père voulait que je sorte avec Nino, le fils d'un collègue de travail. J'ai refusé et c'est Jean qui en a souffert. Je l'ai quitté pour son bien. Il voulait m'épouser à l'insu de mes parents, ce que je ne pouvais accepter, mon père m'aurait tuée !

— Si je comprends bien, son sort sera le mien...

— Pas nécessairement, je m'en vais sur mes trente ans. Mon père ne va pas me tenir en laisse encore bien longtemps. Je déciderai moi-même de mon avenir, répondit-elle.

— Pourquoi ne pas venir vivre avec moi, alors ? ai-je insisté.

— Parce que je ne suis pas prête. Ça va bien comme c'est là, non ? Pourquoi risquer de tout gâcher en vivant sous le même toit ?

Comme vous voyez, les gars, je n'ai rien oublié de cette conversation, je vous la répète mot à mot comme si c'était arrivé hier. J'ai donc répliqué dans un dernier coup de grâce :

— Tu ne m'aimes pas, Carla. Pas comme je t'aime, moi !

Je m'attendais à un aveu de sa part, mais, quoique provoquée, Carla trouva le moyen de soupirer, de m'embrasser dans le cou et de me mettre l'index sur la bouche en murmurant :

— Chuuut...

Que cela.

Ronald avala une gorgée de bière, se massa le cou de sa main gauche et, regardant tour à tour David et Victor, continua :

— Je savais que ça allait se gâter. C'était trop beau pour durer. Nous nous sommes fréquentés durant un an sans qu'elle me réinvite chez elle. Somme toute, je n'avais pas revu sa famille depuis la seule et unique rencontre du début. Ma mère ne l'a jamais vue, je n'y tenais pas. Elle est décédée sans la connaître. Mais je parlais de moins en moins de mariage à Carla. Je savais qu'elle attendait ce jour pour se donner encore à moi. De mon côté, après un an d'abstinence, j'en avais de moins en moins envie. Je l'aimais encore, mais ma fierté reprenait le dessus. Je ne voulais pas être l'un de ces hommes qu'on manipule et qui, ensuite, le regrettent. Elle avait parlé de fiançailles, mais je lui avais dit que c'était ridicule, que j'étais un divorcé, père d'une enfant, pas un jeune *flo* de vingt ans. Je l'ai sentie déçue, mais je voulais avoir une certaine emprise sur elle. Pour être honnête, je voulais la casser, la mettre à ma main, être celui qui suggère, qui décide, et non la guenille qu'elle croyait avoir dans sa poche de tablier. Puis, un *drink* ou deux aidant, un soir, je l'ai trompée avec la première venue. Il était temps ! J'étais en privation depuis longtemps et certes plus en âge de me contenter... Vous comprenez ? Je l'ai trompée une fois, deux, trois et quatre, puis je l'ai trompée régulièrement. J'ai senti qu'elle s'en doutait et que l'heure des comptes à régler allait sonner. Je savais qu'elle allait me quitter comme elle l'avait fait avec l'autre. Or, ne voulant pas perdre la face, c'est moi qui l'ai quittée avant qu'elle le fasse. Brusquement ! Sans qu'elle s'y attende ! Sans merci ! Même si je voyais quelques larmes couler sur ses joues. Je restai de marbre et lorsqu'elle est partie de chez moi en taxi, refusant que je la ramène chez elle, je me suis jeté sur mon lit pour pleurer.

— Donc, tu l'aimais encore ? demanda Vic.

— Oui, beaucoup... j'y étais attaché... Elle était si belle...

— Tiens, encore l'apparence ! Que ça ! marmonna Vic.

Cette fois, Ronald ne s'en défendit pas et répliqua :

— Oui, tu as raison, Vic, c'était ça avant tout ! Sa beauté, son corps de nymphe, sa peau soyeuse… Elle était gentille, certes, mais les obstacles étaient nombreux et j'ai préféré quitter avant de l'être. Je l'aimais encore puisque j'en ai pleuré, mais moins que je l'avais aimée lors de mon coup de foudre. Quelque chose s'étiolait, mais je ne savais pas quoi. Ça diminuait, ça s'évaporait… J'avais beau me questionner… C'est elle que je ne voulais pas perdre, pas ce qu'elle était ou pensait, juste elle, inerte, magnifique sur un drap blanc, ce qui n'arrivait plus, hélas. Du jour au lendemain, par ma faute, je me suis retrouvé seul. Sans elle ! Sans celle que tant d'hommes désiraient. Je les voyais m'envier… J'en tressaillais…

— Si l'orgueil ne t'a pas tué, toi, on ne pourra pas dire qu'il n'a pas essayé ! lui lança Vic.

— Oui, je sais, c'est mon pire défaut, mais je suis fait ainsi. Encore aujourd'hui. Ce qui mène à l'égoïsme… On en vient à vivre pour soi, d'abord ; les autres après.

— Et le lendemain ? Les jours suivants ? questionna David.

— Tu parles de Carla ? Je ne l'ai pas revue… J'ai espéré qu'elle me rappelle, qu'elle me supplie, mais elle n'en a rien fait. Elle savait sans doute que je la trompais.

— Et toi, tu n'as pas tenté de la joindre ?

— Non. J'y ai pensé l'espace d'une seconde, mais ma fierté m'a fait déposer le combiné. Je me suis mis à sortir comme un fou, à gauche et à droite, afin d'en faire mon deuil. Et j'ai réussi ! Ce fut quand même, à mon grand étonnement, plus facile que je ne le pensais.

— Peut-être t'aimait-elle moins que tu ne le croyais, lui murmura Dave.

Sursautant, Ronald qui ne s'attendait pas à une telle remarque ne savait plus quoi ajouter. Balbutiant, il répondit maladroitement :

— Je m'attendais à tout sauf à ce commentaire, Dave. Mais je suis certain qu'elle m'aimait follement et qu'elle a dû pleurer durant des semaines. Carla n'avait que moi !

— Je veux bien le croire, ajouta Vic, mais pour une femme qui t'aimait follement, comme tu dis, ça ne l'a pas poussée à prendre le combiné pour t'implorer...

— Assez ! tonna Ronald. Si vous êtes pour présumer de ses sentiments et de ses gestes, aussi bien ne plus en parler ! C'est moi qui l'ai fréquentée cette fille, pas toi, Dave, ni toi, Vic !

— Bon, ça va, ne t'emporte pas et reprends ton calme, Ron, nous allons être plus discrets, lui signifia Dave.

Ronald, respirant bruyamment, puis plus faiblement, poursuivit :

— Six mois plus tard, dans l'immobilier par-dessus la tête, dans un nouveau condo du Plateau, rue Saint-Hubert, j'avais oublié ma belle Italienne. Dans les bras de plusieurs autres ! J'avais tourné la page ; je me sentais même délivré de ce qui aurait pu être un cauchemar. Carla voulait des enfants, moi pas. Or, dans dix ans, quinze ans, qu'aurait-il resté de sa beauté ? Sur le plan physique, elle aurait pu grossir, faner, flétrir, s'empâter...

— Toi aussi, Ron ! s'écria Vic, indigné.

— Moi ? Mais non, Vic, regarde-moi ! Dix ans ont passé depuis !

David sentait que Victor n'aimait pas beaucoup Ronald. Encore moins qu'il y a vingt ans alors qu'ils se cherchaient souvent noise tous les deux. Sans doute un peu d'envie de la part du « gros » devant son copain d'antan si bien conservé. Pourtant, Victor n'avait pas cette attitude envers Dave qui lui était supérieur. Parce que David n'était pas prétentieux, pas esthète avoué, plus digne, plus de classe, ce que Ron n'avait pas. Victor méprisait les hommes qui, face aux femmes, affichaient leur égocentrisme doublé de leur misogynie. Selon Vic, Ron était encore ce qu'il avait toujours été, un… « frais chié » ! Il regrettait presque d'être venu, il se demandait s'il allait s'ouvrir comme il avait prévu le faire devant son copain narquois qui ne comprendrait rien de certaines situations. Mais il s'y était engagé, il se devait de rester fidèle au pacte qu'ils avaient conclu. À tour de rôle ! Toutefois, rien du récit de Ron ne l'émouvait, pas même le coup bas de son ex-femme, Catherine, qui l'avait brutalement privé de sa fille. Parce que le « je, me, moi » qu'il était ne semblait pas en être affecté outre mesure. David, de son côté, tentait de comprendre Ron, de compatir, de le soutenir dans sa vie pas toujours facile. Sans moins l'interrompre que Vic le faisait. Juste en le regardant bien en face pour qu'il saisisse l'intérêt qu'il lui portait. Ronald qui, avec une mère alcoolique, avait toujours eu le cœur sur la main envers elle. Non, Ron n'était pas égoïste. Il avait pris soin d'elle au point de s'oublier. De plus, Ron avait cette franchise d'admettre ses défauts et ses torts, de parler ouvertement de ses failles, de son arrogance et de son orgueil démesuré. Ces aveux empreints d'humilité le rehaussaient dans l'estime de David. Pour ce qui était de Carla, loin de le réprimander comme le faisait Vic, il l'approuvait d'un hochement de la tête. Parce que Dave, loin d'avoir empaillé sa fierté, aurait sans doute été semblable face à elle. Cette race d'hommes qui ne se laisse pas dominer par la femme. Ce masculinisme de Ronald, qui semblait être aussi l'apanage de David, l'avait certes emporté sur le féminisme ancré des femmes de leur génération. Tandis que Victor…

Ronald regarda l'heure et, levant les yeux sur Dave, lui proposa :

— Préfères-tu que je termine demain ?

— Non, surtout pas ! Les jours passent vite ! Puis, il y a Vic et moi ensuite. Crois-tu être en mesure de terminer ce soir ?

— Sans aucun doute, car ma vie a été bien terne après Carla. Sur le plan affectif, je veux dire. Alors, voilà, je poursuis sans plus attendre si tu m'offres du vin rouge, cette fois, je le préfère à la bière.

David s'exécuta, et Vic se versa du *ginger ale* de sa cannette en toussotant nerveusement. Pour démontrer à Ron qu'il l'avait contrarié. Ce dernier, feignant de ne rien discerner, reprit le fil de son récit :

— J'étais seul au monde ! Plus de mère, un père et un frère dont je n'entendais plus parler, une fille légitime que je n'avais jamais revue, pas de blonde sérieuse, que mon appartement, mon emploi et mes rencontres furtives dans les bars. Une vie plate, quoi !

— Tu n'as fait que bambocher ? Aucune fille intéressante ? demanda Vic.

— J'en ai rencontré quelques-unes, mais je ne tenais pas à ce qu'elles viennent s'installer chez moi ou vice versa. Je m'y refusais. Je ne voulais plus de femmes dans ma vie, seulement dans mon lit. Donc, je n'étais pas à prendre au sérieux, mais toutes celles que j'ai croisées ont tenté de le faire. J'avais beau leur montrer mon vrai visage qu'elles pensaient toutes pouvoir me changer ! Dieu qu'elles sont sottes parfois ! C'est comme les femmes qui courent après les violents dans l'espoir d'en faire des tendres et qui finissent avec un œil au beurre noir. Ce n'était pas mon cas, loin de là, mais j'avais beau leur démontrer mes mauvais côtés qu'elles les envisageaient comme des qualités. J'en discutais récemment avec un homme âgé qui me disait : « Les femmes sont folles, Ron ! Elles sont prêtes à se jeter dans n'importe quels bras ! Et tu sais pourquoi ? C'est parce que de nos jours, il y a dix femmes pour un homme ! Et tant pis pour elles s'il en est ainsi, ce sont elles qui les ont fait fuir ! » Un homme pourtant sage qui vantait les mérites des femmes de sa génération et surtout de la sienne avec laquelle il était marié depuis plus de cinquante ans. « Des femmes comme il ne s'en fait plus ! » avait-il ajouté. De quoi décourager n'importe quel homme, moi le premier !

Victor avait sourcillé, soupiré, mais Ronald avait enchaîné :

— J'étais un bon parti, faut l'avouer. Divorcé, pas d'enfants dans les jambes, un condo meublé dernier cri sur le Plateau, une voiture de l'année, bien habillé, la trentaine... J'intéressais les filles dans la vingtaine autant que les femmes dans la quarantaine. Les plus jeunes se pâmaient devant ma voiture, elles aimaient les sorties. Pour le plaisir de se vanter à une amie qu'elles avaient un *chum* avec de l'argent... Tu sais, les filles de vingt ans des discos et des bars, quand j'en avais trente révolus, n'étaient pas toutes des universitaires. Des filles *sexy*, blondes pour la plupart. Le genre *beautiful but dumb* ! J'allais pas parler d'avenir avec des têtes sans cervelle !

Victor avait grogné, mais cette fois, Ron s'empressa de le contrer :

— Ne me regarde pas comme ça, Vic, et ne dis rien, surtout ! J'suis certain que t'es jamais allé dans une discothèque de ta vie !

— T'as raison, mais quand tu généralises... Il devait y en avoir parmi elles avec une tête sur les épaules. Tu étais peut-être frustré...

— Quoi ? Moi, frustré ? T'entends ça, Dave ? « Le gros » me traite de frustré, lui qui...

— Non, Ron, pas de quolibet et ne t'emporte pas, souligna Dave, sérieux cette fois. Vic a une opinion, défends-toi !

— Bien sûr que je vais me défendre ! J'ai jamais été frustré, j'ai plutôt été imbu de moi-même toute ma vie. Catherine, Carla, Josée et toutes les autres, j'aurais pu m'en passer ! Ça vient peut-être du fait d'avoir vu ma mère saoule depuis que j'suis petit, mais je n'ai pas une haute opinion des femmes.

— Bon, là tu parles avec ta tête ! s'écria Victor.

— Je suis passé par toute la gamme des émotions avec elles ! J'en ai marié une que j'aimais pas, par ambition ; j'en ai quitté une que j'aimais, par fierté ; et j'en ai fréquenté plusieurs qui n'ont été que des, des… disons des aventures ! Aucune qui m'a fait battre le cœur depuis l'Italienne ! Comme tu peux voir, je sais où je m'en vais. J'ai trente-neuf ans, pas vingt-cinq, j'ai mûri…

— Les expériences font réfléchir, répliqua Dave, mais qu'est-il arrivé par la suite ? Pas seulement côté femmes, Ron…

— Je suis devenu gérant de l'entreprise, puis directeur. D'où mon gros salaire actuel. Au même niveau que mon ex-beau-père ! Il doit rager s'il sait où j'en suis dans les affaires et il doit le savoir, le monde de l'immobilier est petit. Chacun sait ce que l'autre fait, même s'il est au Saguenay ! J'ai ensuite vendu mon condo. Une fois de plus, le prix était fort et ça m'a permis de quitter le Plateau où je n'étais pas à l'aise. Trop de faux parvenus dans ce coin-là, ou des intellectuels qui se prennent pour d'autres. Sans parler des écrivains qui écrivent… entre eux ! Un monde faux ! Les gens les plus aimables sont ceux qui sont là depuis trente ans et qui se comportent encore comme ça se passait dans le temps sur Papineau ou Mont-Royal. Pour faire changement, j'ai déniché une jolie petite maison à Saint-Lambert par l'entremise de l'un de nos agents. Je l'ai enjolivée, je me suis mis à cultiver des fleurs, j'ai fait un potager… Puis je me suis aperçu que j'avais l'air d'un vieux garçon dans un quartier rempli de jeunes familles. On me regardait même de travers avec mon chien et mes deux chats… J'ai donc encore vendu pour louer un appartement cette fois, et non acheter pour encore revendre. J'ai donné mon chien à un collègue, j'ai fait don de mes chats aux enfants du voisin…

— Comme on peut voir, tu ne t'attaches à rien, murmura Vic.

Ronald fit mine de n'avoir pas saisi la remarque et poursuivit :

— J'ai lâché les bars, j'ai tenté de me caser, j'ai rencontré Laurie, une jolie femme séparée et mère d'un petit garçon. Mais j'ai été incapable de m'adapter à cette vie de « nouveau papa », moi qui ne l'ai pas été avec ma fille. J'ai rompu avant de m'embarquer, car Laurie voulait qu'on habite ensemble et je redoutais que le petit s'attache à moi. Comme elle voulait un autre enfant, ce fut le cran d'arrêt ! Je l'ai quittée en gentleman, elle a compris, elle n'a pas insisté. Elle avait sans doute deviné que je ne serais pas un bon conjoint pour elle. Puis, après un an de répit, j'ai rencontré Josée, mon « p'tit bout d'femme » qui a réussi à me faire quitter mon appartement pour aller m'installer avec elle. Ça fait presque deux ans que je suis avec Josée et je sens que ça achève. Nous avons trop de différends, elle est jalouse, elle m'étouffe…

— As-tu essayé de mettre un peu d'eau dans ton vin ? demanda Dave.

— Oui, souvent, mais elle veut trop me tenir tête. Je suis chez elle, ce qui la rend prioritaire. Elle surveille mes allées et venues.

— A-t-elle raison de se méfier ? Lui es-tu fidèle ? questionna Vic.

— Heu… non, je n'ai jamais été fidèle à aucune d'entre elles.

— Pourquoi ? interrogea Dave.

— Je ne sais pas… C'est sans doute dans mes gènes car, pour moi, comme on dit : « Quand les bougies sont éteintes, toutes les femmes sont jolies ! »

— Tout de même ! lança Vic. Un autre adage d'un poète, je présume ? Quel drôle de type tu es !

— J'en suis là, j'ai fini, je vous ai étalé ma vie. Verse-moi à boire, s'il te plaît, Dave. Pas de vin, juste un bon cognac, il est presque minuit.

— Bien, moi, je m'en vais me coucher, j'suis épuisé !

— C'est ça, Vic, et prépare-toi, demain c'est à ton tour. Le samedi va t'appartenir. Et selon la météo locale, il va encore pleuvoir.

— *Shit!* Pas encore ! cria « le gros » de sa chambre. Marianne va trouver le temps long chez ses parents. Surtout sans moi…

Ronald se contenta de sourire et, portant son minuscule verre à ses lèvres, avoua à David :

— Content que ce soit fini pour moi. Pas facile de traverser vingt ans en une journée…

David, se versant un autre scotch, regarda son ami dans les yeux et lui demanda :

— Es-tu heureux, Ron ?

— Non. Et toi ?

— Moi ? Parfois… Tu verras.

Chapitre 4

Victor avait mal dormi cette nuit-là. L'anxiété mêlée à la forte pluie qui tombait sur le toit l'avait réveillé à maintes reprises. Allait-il être aussi ouvert que Ronald qui avait tout déballé devant eux ? Il n'en savait rien et ça l'angoissait d'avoir à sauter des chapitres, des événements. Il avait promis comme les deux autres d'être un livre ouvert, mais voilà qu'à la veille de prendre le fauteuil vert il reculait quelque peu face à certains aveux. Ce qu'il craignait surtout, c'étaient les moqueries ou les remarques désobligeantes de Ronald. Pour ce qui était de David, il se sentait plus rassuré, même s'il redoutait, parfois, ses regards énigmatiques. David n'allait jamais être malintentionné, il le savait, mais son sourire en coin l'énervait. On ne pouvait jamais savoir ce qu'il pensait. Ce qui pouvait s'avérer pire que les commentaires malveillants de Ron qui, au moins, donnaient l'heure juste. Trop juste, toutefois ! Victor regrettait d'être venu, il aurait dû se méfier davantage de cette rencontre et s'en abstenir. Il aurait passé de meilleurs moments avec Marianne et les enfants. Ainsi qu'avec les couples du voisinage qu'ils fréquentaient. Des gens bien ! De l'agréable compagnie ! Des couples avec des enfants comme eux. Sur la même longueur d'onde ! Tiens ! voilà qu'un fait lui revenait. Ronald, durant son long témoignage, n'avait pas parlé d'amis, de sorties entre gars, de voyages avec eux. Il n'avait vu que Paris finalement ! Pourtant, avec l'argent qu'il faisait... Et pour ce qui était des amis, Victor en conclut qu'il n'en avait aucun. Il était trop dominateur, trop « frais », trop « chiant », pour avoir des amis constants. Ronald était sans doute écarté par ses collègues, ce qui le forçait à s'en tenir aux femmes, plus faciles à contrôler que les gars qui ne s'en laissaient pas imposer. Victor ne voulait pas passer une nuit blanche pour autant. Il étira la main et prit un des petits cachets verts que Marianne lui avait donnés, sûre et certaine que « son homme » souffrirait d'anxiété. Rien de fort, rien pour s'accrocher, de légers somnifères en vente libre. Ce qui permit au « gros », comme le qualifiait encore Ronald, de fermer les yeux trente minutes plus tard, pour un sommeil réparateur. Ses dernières pensées avaient été pour sa douce moitié, bien entendu, mais quelques minutes avant, il s'était quand même promis de jouer franc jeu, d'être ouvert, de ne rien leur cacher, que ça lui soit favorable ou non.

On entendait au loin quelques corneilles malgré la pluie torrentielle qui tombait. Sans doute des mamans heureuses de rapporter quelques vers de terre à leurs petits à l'abri dans leur nid. Pour Victor, réveillé depuis le lever du jour, c'était la bataille avec une mouche qui insistait pour se poser sur sa tête ou ses épaules. Il se glissa sous la couverture qui le camoufla entièrement, mais la mouche persistait à le survoler malgré la porte de la chambre ouverte qui lui aurait permis de se rendre jusqu'à David qui, lui, couchait nu malgré la fraîcheur matinale. Victor, gras mais freluquet à la fois, tempêtait contre l'humidité de ce chalet qui lui traversait le corps. Il finit par se lever, s'étirer et, par magie, la mouche s'était enfuie. Sans doute à l'assaut d'une autre proie allongée. Victor souhaitait que ce soit Ronald pour qu'il soit emmerdé. Il déplorait même que la mouche ne soit pas une guêpe.

Quelqu'un « brettait » dans la cuisine. Victor jeta un coup d'œil furtif et aperçut David vêtu d'un pantalon de *jogging* gris, torse nu, qui mettait quelques bûches dans le poêle pour chasser l'humidité du chalet. Tout en faisant couler une cafetière afin que ses invités puissent se sentir à l'aise au lever. Un bon café corsé que Victor avait apprécié dès le premier matin. Apercevant son ami, David lui demanda :

— Bien dormi, Vic ?

— Bah... si on veut... Je me suis réveillé souvent ; la pluie tombait à flots et j'étais anxieux face à aujourd'hui.

— Allons, ne t'en fais pas, Victor, ça va bien aller dès que tu auras commencé. Ron aussi était mal à l'aise hier et il s'est bien tiré d'affaire.

— Au fait, il dort encore, celui-là ?

— Oui, faut dire que la grisaille n'a rien pour inciter quiconque au réveil. Il va pleuvoir encore toute la journée. Heureusement qu'on a tout ce qu'il faut, on n'a pas à se rendre à l'épicerie.

— On dirait que ma voiture s'enfonce de plus en plus dans la boue.

— T'en fais pas, le moment venu, on va te sortir de là. Dis donc, tu prends ta douche ou tu déjeunes avant ?

— Comme t'as pris la tienne, je vais y aller à mon tour, mais tu devrais réveiller Ron pour qu'on puisse déjeuner tous ensemble.

— Pas la peine, c'est déjà fait ! leur lança Ron en sortant de sa chambre, le bas de pyjama froissé, le torse nu, la tête ébouriffée...

— T'es-tu battu avec ton oreiller ? lui demanda Dave.

— Je fais dur, je le sais, c'est comme ça chaque matin. Je dors mal, je bouge tout le temps, je tourne de bord... Josée s'en plaint !

— Y'a d'quoi ! T'es pas des plus séduisants en te levant !

— On sait bien, Dave, toi, t'es une carte de mode même au lit.

— Carte de mode ? Voilà qui serait difficile, je dors tout nu ! rétorqua-t-il en riant.

— Bon, tu prends ta douche, Vic, ou je prends la mienne ?

— Non, j'y vais le premier, mais ce ne sera pas long.

— Ça va. Entre-temps, tu aurais un peu de jus d'orange, Dave ?

— Bien sûr ! Avec un peu de vodka dedans ? ajouta-t-il en riant.

— Surtout pas ! Le cognac d'hier soir n'a pas encore franchi mon estomac !

David avait enfilé un *t-shirt* blanc et gardé son pantalon de *jogging*. Peu frileux, il n'avait que des sandales de plage dans les pieds. Victor avait remis son pantalon cargo ainsi qu'un chandail gris à col roulé. Sans oublier ses bas et ses souliers lacés, comme pour une journée automnale. Ronald avait ressauté dans son *jeans* bleu et endossé une chemise rayée à manches longues dans les mêmes tons. Mais il était resté pieds nus, préférant les enfouir sous le coussin de la chaise longue. Le déjeuner avait été copieux. Des œufs au plat, du bacon, du jambon, des fruits frais et des *toasts* sur le rond du poêle. Au moins sept, car Victor en mangeait trois à lui seul. La troisième, couverte d'une bonne couche de beurre d'arachide Kraft. Deux cafetières avaient coulé et, après avoir tout rangé et déposé la vaisselle sale dans l'évier, David lui avait proposé :

— Maintenant qu'on est bien bourrés, il serait temps que tu prennes le fauteuil vert, Victor, on est déjà en retard comparativement à hier.

Le « gros », nonchalamment, se dirigea vers le fauteuil qu'il ne trouvait pas aussi confortable que la chaise longue et, les deux pieds sur le tabouret, regarda David et lui avoua :

— J'sais pas par quoi commencer... On dirait que j'ai le trac !

David n'eut pas à répondre, c'est Ronald qui s'en chargea :

— Je me sentais comme ça hier matin, Vic. C'est juste un moment de gêne à passer. Après, ça va défiler tout seul, tu vas voir. Commence par ta famille, ton père, ta mère, ta sœur...

— Bien, mes parents sont encore vivants et assez bien portants. Mon père a été opéré pour la vésicule biliaire il y a deux ans, mais ça s'est bien passé. Tout est si facile de nos jours, on la lui a retirée par le nombril ! Mon grand-père, lui, avait eu une cicatrice aussi grosse qu'une couleuvre quand on l'avait opéré pour la même chose à trente-quatre ans ! Il est mort depuis, mais il a vécu vieux... Ma mère est toujours grosse comme elle l'était dans le temps, mais elle n'a jamais vu un docteur de sa vie, sauf pour ses accouchements. Elle a son gynécologue qu'elle voit une fois par année, mais elle est forte comme une jument, la mère. Elle mange n'importe quoi et j'suis à peu près sûr qu'elle va enterrer mon père !

— La plupart des femmes enterrent leur mari, Vic !

— Bien... faut pas généraliser, Ron...

— Peut-être, mais t'en vois beaucoup des hommes centenaires, toi ? T'as juste à regarder quand on en fête un, c'est toujours « une » centenaire ! C'est pas tuable une femme ! C'est fait fort, ça résiste à tout, même à l'usure ! Moi, si ma mère n'avait pas bu... Mais j'arrête là, c'est ton histoire, Vic, j'ai eu mon tour hier.

— Bon, pour reprendre, je vous dirai que ma petite sœur, Johanne, qui était si détestable a fini par vieillir. Vous vous souvenez de la dodue qu'elle était avec sa bouche boudeuse ? Bien, entre seize et vingt ans, elle est devenue mince comme un mannequin, la bouche charnue, les yeux enjôleurs, le genre Sophie Marceau, quoi ! Belle à séduire n'importe quel homme ! Et elle a réussi, elle a marié un dentiste. Elle n'avait pas la bosse des études. Ni d'ambition ! Après le cégep, plus rien ne l'intéressait. Elle a travaillé ici et là jusqu'à ce qu'elle rencontre le dentiste, un gars plus gros que moi qui en est vite tombé amoureux. Aujourd'hui, avec deux enfants, elle a repris ses rondeurs, croyez-moi ! Ses bourrelets n'étaient qu'en veilleuse ! C'est tout le portrait de ma mère ! Elle était mince et au régime constant dans le seul but d'accrocher un poisson à son hameçon. Elle n'a pas cherché le plus beau, juste le plus prometteur. Le dentiste ! Qu'importe qu'il soit gros, elle savait qu'elle allait le redevenir elle aussi. Ils vivent dans une superbe maison ancestrale à Trois-Rivières où mon beau-frère a son cabinet. Ils marchent sur l'or ou presque, ils ont un luxueux condo en Floride. Elle voulait se placer les pieds, la p'tite sœur, et elle n'a pas manqué son coup !

— T'as au moins l'avantage de payer moins cher pour tes soins dentaires.

— Tu penses que je vois mon beau-frère, Dave ? Pantoute ! Il est chiche, j'avais droit à un dix pour cent, rien de plus ! Penses-tu qu'avec ça je serais allé jusqu'à Trois-Rivières avec ce que coûte l'essence ? Non, monsieur ! J'ai mon dentiste ici ! Mes parents s'y rendent, mais pas nécessairement pour la maigre réduction. Ce déplacement leur permet de voir leur fille et leurs petits-enfants. Johanne et son mari viennent faire leur tour chez mes parents de temps en temps, mais on ne les voit pas souvent, Marianne et moi. Ma sœur n'est pas plus agréable que dans l'temps ! En plus, elle a le nez en l'air parce qu'elle a marié « un professionnel », comme elle dit. Moi, ça m'fait ch... Bon, c'est à mon tour de mal parler, excusez-moi, mais même Marianne qui est douce comme une soie avec tout le monde a de la misère à supporter ma sœur. C'est tout dire ! Alors, on l'oublie, car les bons moments, c'est avec les amis qu'on les vit.

— Content de savoir tout ça, Vic, mais il faudrait que tu déboules les marches et que tu reviennes en arrière au moment où on s'est perdus de vue.

— Oui, t'as raison, laisse-moi juste retrouver le premier maillon. J'y suis ! Quand on a pris chacun notre bord après le cégep, j'ai fait un saut à l'université en administration. Les chiffres m'attiraient. J'aurais voulu devenir comptable agréé, mais ça rentrait pas à ce point-là. Les maths avancées, moi... J'ai pas obtenu mon bac, mais j'en suis sorti avec assez de crédits pour qu'un de mes oncles me fasse entrer à l'hôtel de ville au département des réclamations. Une bonne job : la sécurité d'emploi, du long terme en vue – j'suis encore là –, un salaire intéressant et, surtout, une pension pour mes vieux jours. Un poste confortable comme on dit. Un « pousseux de crayon » avant que Ron le dise ! Un « fonctionnaire », pour être plus précis. Je restais chez mes parents, je payais ma pension, je sortais peu. J'avais aucun ami et les filles ne s'intéressaient pas à moi. Je faisais du temps supplémentaire le plus possible, je grossissais mon compte en banque, je mangeais à la maison, j'allais seul au cinéma de temps en temps, mais je regardais surtout la télévision. Le hockey quand venait la saison, le baseball quand j'en trouvais, des quiz, des entrevues, bref, n'importe quoi, car la plupart du temps, même dans la vingtaine, j'tombais endormi dans mon fauteuil après le souper. Un soir que ma petite sœur m'avait surpris, ronflant dans le salon, elle m'avait réveillé en me secouant pour ensuite me crier : « Vic, voyons ! T'as vingt et un ans, pas soixante ! Réveille ! Grouille-toi l'derrière pis sors un peu ! » Ça m'avait choqué, je m'étais emporté, mais elle n'avait pas tort. Le soir, je m'étais regardé dans le miroir et j'ai eu honte de ce que j'ai vu. Un gars de vingt et un ans qui faisait deux fois son âge ! Ça m'a réveillé en verrat ! Fallait que je fasse quelque chose de moi, quitte à me trouver une copine par une agence matrimoniale. Mais j'ai pas eu à faire ça, elle m'est arrivée en pleine face sans que je la cherche.

— Pas déjà Marianne... ? murmura Dave.

— Non, j'ai fait un bon bout de chemin avant elle. J'avais du millage quand Marianne est arrivée. La première dont je vous parle, elle s'appelait Estelle. Elle était fine, assez jolie, mais...

— Ça n'a pas duré ! devina Ron.

— Six mois !

— Que ça ? Pourquoi ?

— Parce qu'elle était épileptique.

Un silence s'était fait sentir alors que David et Ronald se regardaient sans rien dire. Devinant leur trouble, Victor les rassura :

— Ne vous en faites pas, je vais reprendre et repartir avec cette relation avec Estelle, la première de ma vie. Si quelqu'un sait que je n'ai pas eu d'autres blondes avant elle, c'est bien vous deux. Aucune fille ne m'a approché tout au long du cégep. Je n'ai même pas eu de petite amie au secondaire. J'ai refusé d'assister à ma graduation parce que je n'avais personne pour m'accompagner. Alors, voici comment s'est amorcée mon histoire avec Estelle. Comme je vous le disais, je n'allais pas loin sauf à la banque où je déposais mes chèques de paye quand je les recevais. C'était avant le dépôt direct. Je me rendais toujours au même guichet où une fille ni belle ni laide m'accueillait avec gentillesse. C'était Estelle, une brunette aux cheveux courts avec un toupet carré sur le front. Je n'avais aucune intention, croyez-moi, je ne cherchais pas à meubler ma solitude malgré les invectives de ma sœur. C'est par hasard, un soir, que je l'ai rencontrée dans un restaurant où je m'étais arrêté pour boire un café. Elle était seule au bout du comptoir et elle m'a invité d'un signe de la main à la rejoindre. J'étais hésitant, je me demandais même si je n'allais pas commander un café pour emporter. Mais, voyant qu'elle désirait que je m'assoie à côté d'elle, je l'ai fait et j'ai aussi commandé un dessert, car elle s'apprêtait à entamer le sien dissimulé derrière le menu. Le même dessert ! Une coïncidence ! La *coconut cream pie* que nous aimions tous les deux. On en a ri, on a ensuite parlé de son travail, du mien, puis de nos familles respectives. Après avoir étalé la mienne, elle m'a raconté avoir son père et sa mère, être fille unique, et vivre avec eux sous le toit paternel. Caissière depuis un an à la banque, elle aurait préféré être enseignante, mais sa frêle santé l'en avait empêchée. Pas curieux pour deux sous, je n'ai pas songé à la questionner sur son état de santé, ce qu'elle a sans doute apprécié. On a parlé de goûts en commun, on n'en avait guère. J'aimais Julien Clerc, il ne l'intéressait pas, elle se passionnait pour la musique classique, et le clavecin était son instrument préféré. J'avais un faible pour le cinéma français, elle préférait les films américains. Elle lisait énormément ! Des romans d'amour, des biographies d'artistes ou de gens célèbres. Elle vénérait Napoléon, je le détestais ! Je lui ai même dit que c'était un fumiste qui avait coûté plus cher à la France que les Louis qui l'avaient précédé. Là, je l'ai sentie contrariée, mais j'ai poursuivi en lui disant que Napoléon s'était fait sacrer empereur pour qu'on s'incline devant lui, qu'il avait la folie des grandeurs, que toute sa famille, ses sœurs de mauvaise réputation incluses, avaient bénéficié de ses faveurs, de ses largesses avec l'argent du peuple, de titres, de territoires... Bref, je lui disais ce que je pensais et que je pense encore. Ses extravagances ont dépassé de beaucoup celles qu'on attribuait à Marie-Antoinette qui, au moins, était d'une authentique noblesse. Inutile de vous dire que je l'avais piquée en descendant de son piédestal son petit Bonaparte qui a fait mourir plus de Français à la guerre qu'il n'a mis de pain sur leur table ! Puis, je me suis arrêté, je sentais que je m'emportais. Vous le savez, vous deux, quand je sors mon mauvais caractère... On s'est quittés plus brusquement que prévu ce soir-là, ce qui ne l'avait pas empêchée de me demander d'aller à un concert avec elle le samedi qui venait. Elle avait deux billets et ne tenait pas à les perdre. Sa mère devait l'accompagner, mais elle était souffrante. Or, j'acceptai ! Comme pour m'excuser de m'être emporté sur son petit général et de l'avoir vexée. Elle sembla ravie de mon acquiescement, mais je lui avouai que je n'avais pas de voiture. Qu'à cela ne tienne, nous allions prendre le métro. Le concert avait lieu à la Place des Arts et était consacré à l'œuvre de Mozart. Tiens ! Voilà qui t'aurait plu, Dave ! Moi, ça m'a ennuyé au point d'en bâiller.

— Tu n'as même pas fait semblant d'apprécier ? demanda Dave.

— Bien sûr ! Attends que je te raconte ma soirée. Laisse-moi me servir un verre de *ginger ale* avant. Je fais juste commencer avec elle.

Victor avala trois grosses gorgées de son « champagne des pauvres » comme il l'appelait, puis après avoir roté et s'en être excusé, il reprit :

— Je m'étais rendu chez Estelle en taxi. J'avais mis une chemise blanche, cravate, veston, bref, j'étais habillé comme lorsque j'allais travailler. Ma mère, contente que je sorte avec une fille, m'avait même forcé à m'asperger d'un peu d'eau de toilette de mon père, son éternelle Royal Copenhagen. Heureusement, ça sentait bon. Donc, arrivé chez elle, j'ai fait la connaissance de ses parents et, de la façon dont ils me parlaient, c'était comme si je fréquentais déjà leur fille et non que j'allais juste l'accompagner à une soirée. Ils en mettaient trop ! Un peu comme les parents de Catherine, Ron ! Ça me les a rappelés quand tu décrivais la trop haute estime qu'ils avaient de toi. Moi, chez Estelle ce soir-là, c'était surtout sa mère qui la poussait dans mes bras, mais sans que sa fille la rappelle à l'ordre. Surpris, décontenancé, j'avais hâte que la soirée prenne fin pour dire à Estelle qu'une fois n'était pas coutume. Toujours est-il qu'on a pris le métro et que la soirée musicale s'est écoulée sans que j'y prenne goût. C'était certes de la belle musique, mais quand tu ne connais rien de Mozart et que tu n'aimes pas le classique, c'est long en verrat une soirée comme celle-là ! Au retour, elle me demanda si j'avais aimé et je lui ai répondu oui, je ne voulais pas lui déplaire une fois de plus. Je la sentais sous l'enchantement du concert, elle semblait rêver encore, mais ce qui m'avait étonné et déboussolé, c'est qu'à bord du wagon de métro, assis l'un à côté de l'autre, elle avait passé son bras sous le mien comme si elle était ma femme. De la station Sauvé, je l'ai ramenée chez elle en taxi tout en le gardant pour rentrer tout de suite chez moi. Elle m'avait dit : « Penses-tu qu'on peut se revoir, Victor ? » Et, rapide comme un lièvre cette fois, je lui répondis : « On peut pas faire autrement, je vais à ta banque pas mal souvent ! » J'ai senti sa déception...

— Elle te tutoyait déjà ? demanda Ron.

— Bien sûr ! C'est moi qui avais parti le bal au restaurant ! Moi, le « vous », j'traîne pas ça longtemps avec les gens de mon âge. Je vouvoie les personnes âgées et les femmes de cinquante ans et plus, celles qui sont dans le tournant. Les autres, c'est « tu », sauf si je reçois les gens à mon travail, bien entendu. J'sais vivre, tu sais !

— Je n'en doute pas ! Commence pas déjà à t'emporter ! lui rétorqua Ron.

Le « gros », comme le constatait Ronald, avait de la difficulté à reprendre son souffle. Le débit était trop rapide, ce qui lui occasionnait des rots et des hoquets quand la phrase était trop longue et qu'il s'emmêlait dans ses mots. David avait beau lui dire de prendre son temps, Victor se calmait un instant pour ensuite appuyer de nouveau sur l'accélérateur de ses cordes vocales. Et voilà qu'il transpirait celui qui, pourtant, se plaignait de la fraîcheur de l'humidité. Il fit une pause, se rendit à sa chambre et troqua son col roulé contre une chemise de coton. De retour, un autre *ginger ale* près de lui, il allait reprendre lorsque David lui demanda :

— T'avait-elle déjà avoué qu'elle était épileptique, Vic ?

— Non, pas encore, elle s'en cachait bien... D'ailleurs, comme elle vivait dans le déni de sa maladie, elle faisait en sorte que personne le sache, à moins qu'une crise ne la foudroie en public. Mais je vais y arriver, Dave, je ne suis pas encore rendu là.

— Excuse-moi, je ne veux rien précipiter, mais comme on peut interrompre…

— Tu as bien fait ! Il se peut qu'en cours de route on oublie des faits saillants. C'est arrivé à Ron, ça peut m'arriver aussi. Alors, vous êtes prêts ? Je reprends ?

Sur un signe de tête affirmatif de Ron, Victor s'écrasa dans son fauteuil et, les yeux au plafond, retrouva le fil de sa liaison :

— Je n'avais pas revu Estelle depuis dix jours, j'avais même demandé à mon père d'aller à la banque à ma place déposer mon chèque, sachant qu'il irait au guichet de la caissière âgée qui le servait depuis plusieurs années. Or, constatant mon absence prolongée, Estelle me téléphona un soir à la maison, ce que je trouvai impertinent pour ne pas dire effronté. Sur un ton câlin, elle me demanda si je la fuyais, si elle m'avait déplu… Jouant les naïfs, je lui ai demandé pourquoi elle me posait de telles questions puisque je ne l'avais accompagnée que par politesse à son concert. Insistante, sur un ton peiné, elle me demanda si elle m'était indifférente, si une petite lueur ne s'était pas allumée comme c'était le cas pour elle. Mal à l'aise, ne voulant la blesser, je lui répondis que je la trouvais charmante, affable, de bonne compagnie… Et ce fut ma perte ! Ravie de tous ces compliments, c'est elle qui m'invita au restaurant en ajoutant : « Je vais tout payer ! Il faut bien que je dépense mon argent ! » Pris au piège, ne sachant plus quoi dire, j'ai pas pu faire autrement que d'accepter.

— Ça ressemble à Catherine et moi, ton histoire. Tu ne l'aimais pas, Vic !

— Je n'en savais rien encore… Non pas que je ne l'aimais pas, mais je me sentais bien dans ma solitude. Je n'avais pas demandé à rencontrer qui que ce soit… Je ne savais pas ce qu'aimer signifiait, ça ne m'était jamais arrivé. J'ai tout de même accepté l'invitation et je suis allé au restaurant avec elle, mais en refusant qu'elle règle l'addition. J'ai fini par payer, mais elle insistait encore et, comme pour me punir, elle m'avait dit : « D'accord, mais la prochaine fois, c'est moi qui paie, Victor ! » C'est là que j'ai compris que je venais de me faire avoir. Je fréquentais Estelle ! *Steady*, comme on dit ! Au grand bonheur de ses parents et de ma petite sœur qui, soudainement, me trouvait moins niaiseux. Mes parents semblaient contents de me savoir au bras d'une fille, ils souhaitaient la rencontrer. Johanne, encore adolescente, trouvait ça *cool* que son frère fréquente une caissière de banque. Elle était même allée la voir de près pour ensuite revenir me dire : « C'est pas tout à fait Jaclyn Smith, ta blonde, mais faut dire que t'es loin d'être l'*Homme de six millions*, gros patapouf ! » J'aurais voulu la tuer !

Victor, ayant vaincu son trac, reprit de plus belle avant que Ron passe la moindre remarque :

— J'avais pas l'intention d'aller plus loin, moi. Mes parents ne m'encourageaient pas dans une relation sérieuse, stipulant que j'étais trop jeune, que je commençais à peine ma vie, que je n'avais pas de voiture, pas d'argent de côté. Et ils n'avaient pas tort. Mais Estelle insistait pour qu'on se revoie. J'avais beau lui répéter au bout du fil qu'elle ne me devait rien, qu'elle n'avait pas à me remettre le repas que je lui avais payé, elle s'accrochait à ce prétexte comme à une bouée. J'ai encore plié ! On est allés au Saint-Hubert le plus près et c'est elle qui a réglé l'addition. On était donc quittes ! Mais, pour elle, c'était dans l'sac, j'étais son *chum*. J'ai fini par me dire : « Pourquoi pas ? », entre autres pour que ma sœur arrête de me traiter de gros épais. J'ai donc invité Estelle à la maison et mes parents l'ont trouvée fine et très sérieuse pour une fille de son âge. Mais ma mère me mettait encore en garde contre le fait de sortir sérieusement avec elle. Ce qu'elle aimait, c'était de voir mon compte grossir à la banque et là, avec une blonde, j'en retirais un peu trop à son goût. Elle me répétait : « Fais attention, Victor ! Ménage un peu ! T'es pas assis sur une mine d'or ! » Mon père, quant à lui, se foutait de ce que je faisais de mon argent. J'étais majeur et vacciné, comme on dit, il n'avait plus de conseils à me donner. J'avais un emploi à vie, selon lui, et c'est tout ce qui comptait. Il s'en faisait plus pour Johanne, son « bébé gâté » qui ne savait pas où elle s'en allait dans la vie. Il ne se doutait pas encore qu'elle allait décrocher le gros lot en croisant son arracheur de dents !

Ron et Dave éclatèrent de rire et, gardant son calme, Vic précisa :

— Je l'appelle comme ça parce que je ne l'aime pas ! Bien content de ne pas les voir souvent, ces deux-là ! Bon, parenthèse fermée, j'ai fréquenté Estelle assidûment. Une fois par semaine, puis deux et trois. Chez elle, chez moi, au cinéma... On a même fait un petit voyage à Niagara Falls une fin de semaine.

— Avec tout ce que ça implique ? demanda Ron.

— Heu... non, quelques touchers primaires, rien de plus. Nous avions une chambre à deux lits. Estelle n'avait jamais couché avec un homme. Elle se réservait pour son mari. J'vous l'dis, une fille des années 50, celle-là ! Pourtant, dans les années 80, ça *swignait* pas mal en ville ! Les discothèques étaient bondées de filles plus émancipées. Pas vrai, Ron ? Mais Estelle n'était pas *in*, comme on disait. Elle se distinguait des autres et c'est peut-être ce qui m'a plu chez elle. J'avais au moins la certitude que je n'allais pas être trompé, elle ne voulait même pas « briser ses chaînes » avec moi, si vous me suivez. Et dire que ma petite sœur, avec ses quinze ans, habillée comme Olivia Newton-John à la fin du film *Grease*, rentrait le soir échevelée, le *jump suit* pas mal fripé. Quand je la regardais de travers, elle me lançait : « Pis après ? Y sont pas tous épais, les gars ! Pis j'sors pas d'un couvent comme Estelle, moi ! » La p'tite garce ! Me parler comme ça en me regardant en pleine face, les deux mains sur les hanches, juchée sur des talons de quatre pouces ! Ma mère nous séparait avant que je l'assomme en me disant : « Laisse-la faire, Victor, j'prie pour elle chaque soir pour pas qu'a se fasse avoir ! S'il fallait… » Mais la petite connaissait sûrement le tabac, car elle n'a pas fait honte à ma mère. À moins que ce soit le chapelet et les prières… Avec Estelle, pendant ce temps-là, ça marchait assez bien, j'avais même fini par éprouver des sentiments pour elle. Ça allait si bien que c'est pour ça que ça s'est gâté, mais je vous le dis d'avance, c'est pas de sa faute. Un soir, chez moi, je l'ai vue rouler des yeux, crisper la bouche et trembler quelque peu… Je lui ai demandé ce qui n'allait pas, mais ressaisie, elle s'est levée du sofa sans me répondre et s'est dirigée vers la toilette où elle est restée pas mal longtemps. Puis, revenant au salon, elle m'a demandé de la raccompagner chez elle, prétextant un vilain mal de tête. Elle était pâle, ça se voyait qu'elle ne filait pas, mais je n'ai pas osé la questionner davantage, je croyais qu'elle venait d'avoir ses règles. Faut dire que j'avais acheté mon premier *char* ! Pas neuf, bien entendu, une Mazda beige 1985, dont une voisine âgée se débarrassait. Elle était comme neuve, elle avait un bas millage, presque toujours dans le garage. La dame n'en voulait plus, elle ne désirait plus conduire, sa vue baissait. Je l'ai eue pour une bouchée de pain ! Au grand bonheur de ma mère qui voyait que mon compte en banque n'avait pas trop refoulé ! Et j'ai toujours eu des Mazda depuis ! Pas de troubles l'hiver avec ça ! Pas même besoin d'être branchée, ça part aux gros frettes noirs ! Toutefois, pour reprendre là où j'en étais, je n'ai parlé de rien à Estelle les jours suivants et, comme elle ne revenait pas sur le sujet, j'en ai déduit que je ne m'étais pas trompé, elle avait juste été menstruée.

Victor, dont le débit était plus rapide que celui de Ronald, malgré ses efforts pour ne pas être à bout de souffle, demanda à David s'il pouvait lui verser un autre café afin de mieux se réveiller. Aussitôt servi, la première gorgée avalée, il reprit :

— Faut pas que je perde le fil ! Deux semaines plus tard, je suis allé veiller chez Estelle et pendant que nous regardions un film à la télévision, sa mère cousait dans son petit atelier. Le père était parti chez l'un de ses frères... Je me souviens encore du film, c'était *Sunset Boulevard* avec William Holden et Gloria Swanson. En noir et blanc, mais quel film ! Vous l'avez vu ?

— Oui, répondit Dave, on le passe même encore de temps à autre.

— Moi, je l'ai en VHS, rétorqua Ron. Un très beau film en effet.

— Or, pendant que nous le regardions et qu'Estelle avait la tête appuyée sur mon épaule, je l'ai sentie trembler puis gigoter sur le sofa. Elle s'est levée et après avoir grimacé, elle est tombée par terre, en transe, sur le tapis, l'écume à la bouche. J'ai appelé sa mère qui, arrivée en courant, s'est précipitée sur elle en me criant de sortir. Ce que j'ai fait sans qu'elle me le redise ! Quinze minutes plus tard, Estelle avait regagné sa chambre et sa mère, me demandant de m'asseoir, m'apprit que sa fille était épileptique et qu'elle venait d'avoir une crise. Stupéfait, je lui demandai si c'était là une maladie temporaire, mais la brave dame hochait négativement la tête. Je ne savais pas ce qu'était l'épilepsie, mais je vous avoue que ça m'avait fait peur. Sa mère avait tenté de me rassurer en me disant qu'avec un bon suivi et la médication, les crises étaient de plus en plus espacées et que les victimes de cette maladie pouvaient mener une vie presque normale. J'étais déjà bouche bée lorsqu'elle ajouta, comme pour m'assommer : « Il faudra juste être vigilant, Victor, quand vous serez mariés. » J'ai failli perdre connaissance à mon tour. Après ce que je venais de voir, elle m'annonçait que nous allions nous marier. Je suis rentré chez moi perplexe et, n'hésitant pas à en parler à ma mère, je la vis sourciller. Puis, lorsque je lui appris que la mère d'Estelle parlait mariage, ma mère sursauta : « Pas question ! Tu es trop jeune ! T'as pas assez d'argent et puis... » Elle s'était arrêtée, mais j'avais compris que la maladie d'Estelle l'avait fait reculer d'un pas. Dans ma chambre, j'ai ouvert un dictionnaire médical, j'ai lu ce qui se rapportait à cette maladie, aux premiers soins à apporter en cas de crise, quoi faire... et j'ai fermé le livre d'un coup sec en me disant : « Pas capable ! »

Victor avait tout relaté d'un trait et, essoufflé, il avait avalé d'une seule gorgée le reste de son café. David, le voyant en sueur, lui avait offert un verre d'eau en lui disant :

— Ne t'énerve pas comme ça, Vic... Vas-y mollo... c'est du passé...

— Oui, mais je le revis, Dave ! Et c'est pire vingt ans plus tard parce que je ressens une deuxième fois les remords face à ça.

— Quels remords ? insista Ron.

— Laisse-moi m'y rendre... Je me suis senti tellement lâche !

David et Ronald n'insistèrent pas, et Victor reprit plus calmement :

— Il va sans dire qu'Estelle était gênée de me revoir, mais j'ai tout fait pour qu'elle se sente à l'aise, même si ce que j'avais vu m'avait perturbé. Je l'ai rassurée, je l'ai encouragée, mais c'était par compassion. Sans conviction. Elle ne s'en est pas rendu compte, mais parut soulagée de mon attitude. Elle ne me parla pas du mariage envisagé par sa mère, attendant sans doute que je fasse les premiers pas, mais je restai muet sur le sujet. Nous en étions à notre cinquième mois de fréquentations, et je faisais tout pour qu'on veille chez elle et non chez moi, au cas où, devant ma sœur... Vous comprenez ? Estelle ne se douta de rien et comme aucune rechute n'était survenue, nous avions opté pour le cinéma suivi du restaurant le dimanche suivant. Elle était très coquette ce jour-là. Un manteau neuf de teinte beige, une robe seyante dans les tons de vert... Bref, « endimanchée » comme disait sa mère. Nous étions allés voir *Cyrano de Bergerac* avec Gérard Depardieu qu'elle aimait énormément. Tout se passa bien, la journée était plaisante, le temps frais... Nous nous étions mis d'accord pour aller manger dans le Vieux-Montréal, mais, sans réservation, nous avions dû attendre debout durant vingt minutes avant qu'on nous trouve une table. Je ne sais si c'est la longue attente ou la foule, mais aussitôt assise, Estelle se paya une crise d'épilepsie encore plus grave que chez sa mère. Avec de fortes convulsions. Étendue par terre, je la regardais alors que certains clients détournaient la tête. Je la regardais, mais je ne faisais rien, j'étais figé ! On s'informa haut et fort afin de tenter de trouver un médecin sur place et, heureusement, il y en avait un à une table de douze où l'on fêtait un anniversaire de mariage. Il vint à sa rescousse, il était âgé, retraité, mais il n'avait rien oublié de sa pratique. Il se pencha sur elle, lui... Tiens ! je vous épargne les détails, mais il en vint à bout et me conseilla de rentrer à la maison avec elle. Ce que je fis sans perdre une minute. Sur le chemin du retour, elle sanglotait, ne disait rien, elle était blanche comme une morte. Je sentais mon cœur battre fort lorsque je la remis entre les mains de ses parents pour ensuite rentrer chez moi. J'avais eu plus peur que la première fois. Je ne m'en cache pas, j'étais incapable de composer avec cette maladie. Arrivé à la maison, j'étais tellement fébrile et agité que ma mère me donna un de ses calmants pour me tranquilliser. Puis, avec sympathie pour Estelle et prévenance pour moi, elle m'avait dit : « Je pense que tu ne pourras pas continuer avec elle, Victor. Elle est bien fine, mais si tu te rends malade à ton tour... Tu devrais rompre. Embarque-toi pas dans ça... »

Victor prit une grande respiration, regarda ses amis et laissa tomber :

— Et j'ai rompu ! Brusquement ! Lâchement ! Sachant que je brisais son cœur ainsi que sa vie.

— Tu l'as revue pour lui annoncer votre rupture ?

— Non, Dave, et c'est ce que je me reproche encore, je l'ai quittée trois jours plus tard par téléphone. Elle m'avait appelé comme si de rien n'était, elle avait même laissé un message sur notre répondeur. Le soir venu, seul dans ma chambre, je l'ai rappelée pour lui dire que je ne la reverrais plus. Je sentais sa voix se briser, elle en avait des hoquets, mais elle trouva le courage de me demander : « À cause de ma maladie, Victor ? » Et, au risque de la blesser, je lui répondis « oui ». Parce que je tenais à être franc avec elle, ne pas chercher un quelconque prétexte ou tourner autour du pot. Elle s'est mise à pleurer, à gémir, alors que je m'évertuais à lui faire comprendre que je ne pouvais pas vivre avec son état de santé, que j'en étais incapable, que j'avais peine à m'accoutumer au diabète de l'un de mes collègues à cause de l'injection d'insuline. Il se piquait devant nous et je baissais les yeux. Voyant que je n'avais aucune force devant la maladie et les malaises, elle fit mine de comprendre, elle accepta même la rupture aussi brusque était-elle, et elle ajouta avant de raccrocher : « J'espère que ta santé ne sera jamais défaillante, Victor. » Ça m'avait saisi, je me suis senti lâche, je me culpabilisais. Mais, d'un autre côté, j'en étais délivré. Je n'étais pas du genre à me marier et je sentais qu'elle comptait les jours... Sa mère me l'avait confirmé. Pour ajouter à ma lâcheté, je suis allé fermer mon compte à la banque où elle travaillait alors qu'elle était absente. J'avais tout transféré à la caisse populaire, certain de ne plus la croiser en agissant ainsi. Et je ne l'ai pas rencontrée, même accidentellement, jusqu'à ce qu'on quitte le quartier. Je ne l'ai aperçue qu'une fois en entrant à la pharmacie le jour de notre déménagement, et je m'étais abstenu de franchir le tourniquet, préférant revenir sur mes pas. Puis, établi plus loin, plus au nord, rue Tolhurst près de Gouin, je ne l'ai plus revue. Pas même par hasard ! Mon père qui avait gardé un compte à la banque où Estelle travaillait m'avait dit qu'elle avait quitté son emploi, que sa famille avait déménagé à l'extérieur, mais rien de plus précis. Voilà donc la première partie de mon parcours, les gars ! La deuxième est encore plus coriace, mais je commence à avoir l'estomac dans les talons, moi !

— J'allais vous le suggérer, il est presque midi. Que diriez-vous d'une quiche lorraine précédée d'un potage aux épinards ?

— Ça semble excellent ! s'écria Victor. Surtout si tu as encore le même bon pain croûté qu'hier !

— T'en fais pas, je le cuis au fur et à mesure, répondit Dave.

— Tu as aussi le « vin d'hier » ? s'écria Ron avec une pointe d'ironie.

— Non, mais j'ai deux Beaujolais qui respirent en t'attendant !

Ronald souriait et Vic, étonné, leur demanda :

— Aucun commentaire ? Rien ? Et toi, Dave ?

— Non, répondit le premier, parce que j'aurais fait la même chose à ta place. C'est quand même moins pire que mon histoire avec Catherine, tu l'as pas mariée, toi !

— Et j'avais pas d'enfant avec elle, répliqua Vic. Parce que si ça avait été le cas... Tu sais c'que j'en pense, hein, Ron ?

Chapitre 5

Alors qu'ils se bourraient la panse et que Ron faisait plus qu'honneur au Beaujolais de Dave, Vic demanda à son hôte :

— Tu es croyant, David ?

— Heu... je l'étais, je le suis moins, mais il m'arrive souvent de remercier Dieu pour ce que la vie m'apporte. Et comme je parle encore à ma mère au Ciel, il doit me rester une part de croyance, sinon je m'entretiendrais avec elle en l'imaginant seulement six pieds sous terre.

— Et toi, Ron ?

— Si on veut... Tant qu'à vivre dans le doute, je préfère croire qu'il se passe quelque chose après. Personne n'est jamais venu nous dire qu'il y avait quelque chose après la mort, mais personne n'est venu nous dire qu'il n'y avait rien non plus. Alors...

— Bien, moi, j'suis croyant ! Il faut qu'il y ait un bon Dieu pour avoir rencontré Marianne ! C'est lui qui l'a placée sur ma route. Faut dire qu'à un certain moment, je l'ai bien prié... Nous, le dimanche, c'est la messe avec les enfants. On veut leur inculquer les valeurs de la vie. Je ne suis pas seulement croyant, mais pratiquant. Marianne aussi !

— On s'en doutait bien ! rétorqua Ronald.

— Qu'est-ce que tu veux dire par là, toi ? J'aime pas trop ton sourire en coin...

— Pas un mot de plus, murmura Dave, regardez plutôt ce que j'ai pour dessert.

Victor écarquilla les yeux... David venait de sortir du frigo un *shortcake* aux fraises décongelé la veille. Ronald, après un regard furtif sur le gâteau, demanda à son hôte :

— Tu as autre chose que ça pour ceux qui surveillent leur ligne ? Il me semble avoir vu un vin de qualité sur l'étagère ! C'est quoi la bouteille jaune qu'on aperçoit d'ici ?

— Ça ? C'est La belle Sandrine, un apéro qu'un ami m'avait offert. Une importation d'Europe difficile à trouver. Tu veux y goûter ?

— Non, non, la bouteille n'est même pas ouverte ! C'était juste par curiosité ! Mais, au lieu du *shortcake* tantôt, j'vais plutôt opter pour un Cointreau.

Ils avaient repris place dans leurs fauteuils respectifs et, avant que Victor ne reprenne le fil de son récit, David s'informa :

— Elle a dû être triste, ton Estelle ? Malade, et s'entendre dire qu'on ne pouvait pas composer avec sa maladie...

— Oui, elle a beaucoup pleuré, ça l'a davantage diminuée, elle se sentait comme un légume... Mais ne me fais pas sentir plus coupable que je ne l'ai été, Dave. Je me suis rongé les ongles, je me frappais la tête, mais j'étais incapable de continuer avec elle. J'aurais peut-être pu m'y adapter si ça avait été autre chose, mais ses crises d'épilepsie m'effrayaient. J'étais devenu nerveux, méfiant, terrifié même, sans cesse dans l'attente de la prochaine. J'aurais pas pu l'épauler et j'espère qu'avec le temps elle a rencontré quelqu'un de plus solide que moi. J'ai aussi misé sur la recherche, sur les progrès scientifiques afin qu'elle vienne à bout de son mal sournois. Je l'ai heurtée en plein cœur, je le sais, mais que pouvais-je faire d'autre ? En autant qu'elle ait compris que mon recul face à elle était incontrôlable. En autant qu'elle m'ait pardonné, car je n'avais nulle intention de la blesser. Je suis généreux de nature, compatissant et bienveillant. Mais la force a ses limites et, pour moi, la barre était trop haute. Ta question me remue, Dave, j'en ai des frissons...

— Ce n'était pas mon intention, Vic. Tu veux bien reprendre où tu en étais et laisser Estelle derrière toi ? Nous n'y reviendrons plus, Ron et moi. Ta sensibilité va en être le frein, je crois.

Victor, ayant terminé son dessert avec son thé, s'ouvrit une cannette de sa boisson gazeuse et, écrasé dans le fauteuil vert, leur confia :

— Ce qui va suivre est pire que tout ce qui m'est arrivé avant. Je ne me retiendrai pas, mais je vous en prie, soyez indulgents, tâchez de comprendre, ne riez surtout pas de moi. C'était sans doute la punition du Ciel pour avoir délaissé Estelle.

David et Ronald se regardaient, ils ne comprenaient pas. De quelle « punition » voulait donc leur parler Victor ? Il avait l'air bien portant, équilibré, sa petite famille, sa Marianne... Constatant qu'ils s'interrogeaient, Victor se fit un devoir de ne pas trop les faire attendre en ajoutant :

— Quand je parle de punition, je parle de mon premier mariage.

Ils étaient restés stupéfaits. Victor, « le gros », avait déjà été marié avant de l'être avec Marianne ? Toute une surprise ! Lui qu'on croyait naïf. Lui, de qui on attendait un récit fade... Déjà que son cheminement avec Estelle sortait de l'ordinaire. David et Ronald n'en revenaient pas. Vic avait un passé qui allait surpasser celui de Ron ? Lui qui, naguère, passait de longues soirées à écouter Julien Clerc en cassant les oreilles de sa sœur avec *Cœur de rocker* qu'il faisait tourner trois fois de suite ? Revenus peu à peu de leur stupeur, c'est Dave qui cassa la glace :

— Tu veux dire que tu t'es marié à deux reprises, Vic ? À quel âge, la première fois ?

— Vingt-sept ans.

— Une fille avec qui tu travaillais ?

— Non, une femme qui était venue me rencontrer pour une réclamation.

— Tu dis une femme et non une fille, elle...

— Oui, parce que Terry était plus vieille que moi.

— Une Anglaise ? Quel âge avait-elle ?

— Non, pas une Anglaise... Terry, pour Thérèse ! Elle détestait son prénom, il fallait l'appeler Terry même si je trouvais ça commun ; ça sonnait comme un surnom, c'était insignifiant... Quant à son âge, elle avait quarante ans bien sonnés. Quinze ans de plus que moi.

— Encore célibataire ?

— Non, Dave, pas mariée, mais elle avait eu deux autres hommes dans sa vie avant moi et un enfant de chacun d'eux. Sauf qu'elle n'avait pas la garde de ses fils...

— Tu, tu... l'aimais ? se risqua Ron.

— Bien... oui, même si elle m'a enfirouapé, mais faudrait que je commence par ma fréquentation, non ?

— Tu en parles avec rage, Vic, le ton est dur. Comme si tu lui en voulais... Aucune douceur dans ton introduction...

— Parce qu'il n'y en avait pas dans notre relation. J'ai vécu l'enfer avec elle ! Tiens !... Non... Oui, il faudrait que je vous avoue quelque chose avant de reprendre du début.

— Quoi ? demanda Ron.

— C'est que... j'ai été un homme battu !

Les deux camarades bondirent ensemble de leur fauteuil. La révélation, quoique hésitante, était si inattendue que Ron, plus que Dave, avait failli tomber de son siège. La bouche ouverte, il ne savait plus quoi dire, tandis que Dave, jouant les téméraires, regardait Victor en tentant de lui parler, mais il en fut incapable.

— Ça vous en bouche un coin, hein ? lança Victor, content du rude effet que son aveu avait provoqué. Bien oui, vous avez bien compris, un homme battu, un gros dégonflé qui cherchait même pas à se défendre ! Mais rendu là, Dave, oublie mon *ginger ale* pis sers-moi un verre de vin, ça va m'aider à mieux cracher mon venin !

David s'exécuta et, ayant retrouvé son calme, Victor reprit :

— Elle était venue à deux reprises avec sa paperasse et j'avais réglé son problème. Elle possédait un petit bungalow sur la rue Pasteur dans le nord de la ville et elle se déplaçait en métro à cause des parcomètres. Elle parlait tellement qu'elle devait « pogner » des *tickets* souvent ! Quelle grande gueule !

— Jolie femme ? demanda David.

— Non, ben ordinaire, costaude, assez grande, le genre gendarme, les cheveux courts et l'allure pas trop raffinée. Je me demande encore ce que j'ai pu lui trouver ! Faut dire que j'étais pas Tom Cruise comme me disait ma sœur. La p'tite maudite ! Elle avait déjà la tête haute, elle venait de mettre la main sur son dentiste ! Toujours est-il qu'à l'heure du dîner, alors que j'étais allé manger seul à mon restaurant habituel, je l'ai aperçue à une table. Elle me faisait de grands signes pour que je me joigne à elle, et je n'ai eu d'autre choix que de le faire. On a dîné ensemble et, bien sûr, elle est devenue familière, elle m'a vite tutoyé pour ensuite m'appeler « Vic », comme vous autres ! Comme un vieux *chum*, quoi ! Comme si on avait élevé des cochons ensemble ! Le « monsieur » avait pris le bord et elle insistait pour que je l'appelle Terry et non madame. Pas même Thérèse, elle trouvait que c'était un prénom de p'tite vieille ! Du genre poli, fonctionnaire distingué, je ne voulais pas m'avancer de la sorte et qu'on pense que je lui avais fait des passe-droits avec sa réclamation. Je tentais de garder mes distances, mais comme elle était drôle et qu'elle me faisait rire, je l'ai trouvée intéressante. Faut dire que j'avais plus souvent l'air bête que le sourire facile à vingt-cinq ans. Ma mère me tombait sur les nerfs, ma sœur m'écœurait chaque soir et mon père me donnait des conseils comme si j'avais encore quinze ans. Pis, comme j'avais pas eu de blonde depuis Estelle, je trouvais le temps long en maudit ! En l'espace d'un repas, je savais tout de Terry ou presque. Elle avait eu deux conjoints et un fils de chacun d'eux, comme je vous le disais. Les p'tits gars, treize et onze ans, vivaient avec leurs pères respectifs, parce qu'un garçon, selon elle, ça avait plus besoin d'un père que d'une mère. Et moi, j'ai gobé ça la bouche ouverte ! Comme si elle avait fait preuve de générosité et de bon sens en donnant ses fils à leur père ! C'est tout juste si elle ne pleurait pas en me parlant de l'abandon de ses enfants qui, chaque fois, l'avait bouleversée. Pauvre Terry ! Gros épais que j'étais ! Rendus au café, elle m'a questionné sur moi, sur mon âge qui l'avait surprise... J'comprends ! J'avais déjà l'air de trente-cinq ans ! Mais elle ne s'en montra pas contrariée. J'étais un homme libre, pas de femme, pas d'enfants, pas même de blonde, le bon gars vivant chez ses parents. Elle me parla de l'excellente cuisinière qu'elle était. Elle voulait sans doute m'avoir par le ventre après en avoir calculé les rondeurs. Plus elle parlait, plus elle me plaisait, elle avait l'air d'une bonne vivante, la Terry. J'ai même pas osé lui demander son âge, je la mettais dans la trentaine, pas en début de quarantaine. Pis moi, les âges, ça ne me dérangeait pas ! En autant que la personne soit aimable... Elle m'a demandé à brûle-pourpoint si j'accepterais d'aller goûter à son bœuf braisé qu'elle qualifiait d'unique. Chez elle ! C'était vite en verrat, je l'avais vue seulement deux fois et par affaires. J'sais pas pourquoi, mais j'ai accepté. Faut croire que j'en avais plein mon casque d'être chez moi avec le père, la mère, ma sœur pis son dentiste quand il venait.

— Tu n'avais pas d'amis ? demanda Ron.

— Non, aucun ! Pas même pour aller « aux vues », j'y allais seul le dimanche après-midi pour sortir de la maison. Après vous autres, tout s'est éteint pour moi côté amis. Mes collègues de travail étaient soit mariés ou de bons buveurs, ce que je n'étais pas. Comme j'étais le plus jeune en poste, à part le commissionnaire, j'avais personne vers qui me tourner. Pour continuer, j'ai pas mentionné Terry à mes parents, bien entendu. Encore moins à ma gueuse de sœur qui parlait de se marier. Enfin ! Bon débarras ! Je comptais donc les jours pour le souper en vue pis, le soir venu, je me suis rendu chez Terry avec ma Mazda, pas celle-là, l'autre d'avant, beige elle aussi. C'est ma couleur préférée pour une voiture, c'est pas salissant. J'ai vite repéré la rue Pasteur, ce n'était pas loin de chez moi. Je me suis stationné devant un coquet bungalow avec des boîtes à fleurs aux fenêtres. Dans ses bosquets, il y avait des pivoines blanches déjà fanées. Mais elle avait d'autres fleurs de toutes les couleurs, des arbustes bien taillés ; bref, elle semblait avoir le pouce vert, la Terry, mais j'avais pas encore remarqué...

son poing ! Elle m'a reçu comme un roi, son bœuf était en effet succulent, le potage aux légumes servi juste avant n'avait pas son pareil. Son vin rouge n'était pas trop corsé, ce qui me plaisait, et que dire de son gâteau aux carottes garni de crème fouettée ! Bref, elle m'avait eu par l'estomac, la matrone ! Bien habillée, maquillée, les boucles d'oreilles en or, les ongles vernis, elle avait tout mis en œuvre pour me séduire. Comme première impression, elle n'avait pas manqué son coup. Sauf pour son parfum trop fort qui m'avait fait éternuer ! Mais, passons... Moi, vêtu d'un complet, chemise blanche, cravate, souliers cirés, je croyais avoir bonne allure, mais après trois verres de vin et plus, elle m'avait dit : « T'avais pas besoin de t'habiller en fonctionnaire, Vic. T'aurais pu arriver décontracté. J'aime beaucoup les gars en *jeans*, ça fait plus *sexy* ! »

Victor buvait son vin lentement, il en craignait les effets et ne voulait pas déroger de son récit ni en oublier le moindre détail :

— J'ai revu Terry une semaine plus tard. Encore chez elle où elle avait fait mijoter un poulet aux amandes qui fondait dans la bouche. Avec un dessert aux pêches rehaussé de crème glacée. Dieu que c'était bon ! Comme nous avions échangé sur nos goûts la première fois, elle avait fait jouer une cassette de Véronique Sanson, sachant qu'elle me plaisait. Peu friande de cinéma, elle préférait les récitals à la Place des Arts ou ailleurs. Elle se promettait d'aller voir Aznavour dès son prochain passage. Mais elle aimait aussi les *crooners* américains, elle avait un faible pour Tony Bennett et Frank Sinatra qu'elle avait connus par les microsillons de son défunt père. Somme toute, elle était accueillante, obligeante... et mielleuse ! Je tentai de savoir ce qui n'avait pas marché avec ses deux ex-conjoints, mais elle me répondit :

« Laisse faire ! Moi, je ne regarde pas en arrière ! Ce qui m'intéresse, c'est ce qu'il y a devant ! Donc, questionne-moi pas ! » J'avais trouvé le ton un peu sec, mais je m'en voulais un peu de ne pas m'être mêlé de mes affaires. Lors de cette seconde visite, j'avais mis mes *jeans*, même si ça ne me rendait pas plus *sexy*, et un polo à manches courtes. Très confortable cependant, je sentais que ma tenue lui plaisait, et elle s'empressa d'aller se changer elle aussi et de revenir avec un *jeans* et un *pull* assez décolleté qui moulait son gros buste. En un mot, quand j'y repense, elle n'était pas plus *sexy* que moi dans son accoutrement. Elle avait les hanches trop fortes pour porter des *jeans* et les seins trop gros pour le chandail échancré qui les étouffait. Malgré tout, après une bouteille de vin blanc, on s'est retrouvés dans sa chambre l'un par-dessus l'autre, et c'est là que je suis tombé en amour avec elle. Je venais d'en voir de toutes les couleurs dans ses draps, ce qui me sortait de la léthargie de mon éternel sofa chez mes parents. Puis, quand elle m'a soufflé à l'oreille un « Je t'aime, Vic ! », j'ai presque fondu en larmes. Personne ne m'avait encore dit qu'il m'aimait, pas même Estelle ! Du moins, par sur ce ton-là. Elle s'est aperçue de l'effet et m'a répété trois autres fois qu'elle m'aimait en écrasant ses lèvres charnues et rouges sur ma petite bouche en cœur. Elle me mordillait la langue... Bon ! assez pour les descriptions, j'écris pas un roman, mais vous devinez sans doute que Terry avait l'tour et qu'elle m'a fait solidement tomber dans ses bras ce jour-là. Si bien que, de retour à la maison, j'avais dit à ma mère : « J'suis en amour, pis j'vais vous la présenter prochainement ! » Ce qu'elle avait répété à mon père qui avait souri et à ma sœur qui lui avait répondu : « J'ai bien hâte de la voir, c't'agrès-là ! » J'aurais voulu l'étouffer quand je l'ai entendue, mais comme elle était à la veille de se marier... Le lendemain, quand je leur ai dit que Terry avait quarante ans, mon père avait sourcillé, ma mère était restée sidérée, et ma sœur avait répliqué : « Tiens ! t'as jamais réussi à le sevrer, la mère ? Y'a besoin d'une autre tétée ? » Un peu plus, pis... C'est mon père qui nous a séparés.

Ronald salivait. Il avait hâte d'entendre la suite. Le récit de Vic était presque du cinéma, de quoi garder en haleine. David, de son côté, ne pouvait s'imaginer que Victor, corpulent comme il l'était, ait pu se faire « battre » par une femme, aussi matrone pouvait-elle être. Lui, pourtant intempestif, susceptible, impatient... Comment avait-il pu ? David en était renversé et souhaitait que la pause ne soit pas trop longue, ne serait-ce que pour savoir comment il avait pu se rendre jusqu'au mariage. Avec elle ! Le gendarme ! Victor ne les fit pas attendre :

— Je l'ai finalement invitée à la maison pour la présenter à ma famille. Sachant faire les choses, Terry était arrivée avec des fleurs, qu'on disposa dans un vase, et une bouteille de vin. Ma mère ne l'avait pourtant pas invitée à souper, juste à veiller, à prendre une tasse de thé avec des biscuits. Terry s'était vêtue de façon distinguée. Un deux-pièces couleur marron avec une blouse de soie beige, des bijoux sobres et un léger maquillage. Très différente de ce qu'elle était quand elle sortait avec moi. Elle avait des tours dans son sac, la vlimeuse ! Mon père la trouva aimable, mais je sentais qu'il s'en méfiait. Il était poli, courtois, mais pas empressé comme de coutume, lui qui l'était avec tout le monde. Ma mère, pour sa part, ne l'aima pas dès le premier regard. Elle voyait de travers son « p'tit gars » avec une femme de cet âge. Elle m'imaginait mal avec une femme d'apparence aussi vieille qu'elle ! Parce que Terry ne faisait pas jeune. Ça se voyait qu'elle avait du millage ! Ma sœur, dont je redoutais les insinuations, ne lui parla presque pas. Elle la dévisageait et n'attendait que le bon moment pour murmurer, en me croisant : « Elle a l'air de ta mère, pas de ta blonde ! Pis, elle parle fort, on n'est pas sourds ! » Après son départ, ma mère me lança : « C'est pas une femme pour toi, Victor ! Elle a trop de vécu pis elle a l'air beaucoup plus vieille que toi ! Tu devrais chercher ailleurs ! » Quant à ma sœur, elle m'avait dit : « Chose certaine, elle va te mener par le bout du nez ! Tu vas être son gros "nounours", le frère ! Mais c'est de tes affaires ! » Mon père, quand je le regardais, baissait les yeux. Plus tard, seul avec lui, il m'avait dit : « Si tu veux mon avis, Victor, c'est pas une femme pour toi. Il y a quelque chose d'étrange dans son regard… J'sais pas quoi, mais ça m'dérange. Écoute, si tu veux la fréquenter, t'es en âge de le faire sans nous consulter, mais de grâce, songe jamais à la marier, ce serait la plus grave erreur de ta vie ! » Je lui avais répondu : « Voyons, papa, j'ai pas pensé au mariage avec elle… » Et il m'avait répliqué : « Toi, peut-être, mais elle, j'sais pas… Ça regarde mal, cette relation-là ! »

S'étirant paresseusement, les mains derrière la nuque, Victor poursuivit :

— Bien sûr que je n'avais pas songé au mariage. Ce qui me plaisait de Terry, c'est qu'elle me faisait découvrir la vie. Surtout au lit ! J'étais pas trop dégourdi sur ce plan-là, je ne m'en cache pas, mais avec elle, je me sentais devenir homme. J'étais bourré de complexes et elle m'en délivrait l'un après l'autre. Elle me faisait sentir comme un compagnon, pas comme un gros lard collé sur une gomme. C'est ça que j'ai aimé d'elle, les gars ! Elle me sortait de ma coquille, je parlais trois fois plus et j'étais deux fois moins gêné. Je m'affirmais avec elle, je prenais un verre, on faisait des petits voyages et elle me complimentait sur tout, même sur mes avances et mes prouesses sexuelles, moi qui n'avais aucune expérience.

Elle m'avait tout appris et elle m'en accordait le crédit ! C'est ce qui me l'a fait aimer, la Terry ! J'étais, comme disait ma sœur, un « gros porc effoiré » et, en quelques mois, elle avait fait de moi un homme émancipé. Un miracle, quoi !

Le temps de retrouver son souffle et Victor de reprendre :

— Quand Johanne s'est mariée avec son dentiste, c'est Terry qui m'a accompagné aux noces. Au grand désarroi de ma mère et au mécontentement de mon père. Je les sentais gênés d'avoir à la présenter à la parenté. Mais Terry s'est bien tirée d'affaire, elle a bavardé avec deux de mes cousines, elle a sympathisé avec l'une de mes tantes, elle a dansé avec le père de mon beau-frère, bref, elle en avait mis plusieurs dans sa poche avant la fin du *party*. Elle avait offert aux nouveaux mariés un superbe vase de cristal qui avait plu à Johanne. Mais, malgré tous ses efforts, elle n'avait pas réussi à mettre ma mère dans sa manche. Vraiment pas ! Car, en catimini, ma mère avait invité des membres de la parenté à la maison après la réception, mais pas elle. Me prenant à part, elle m'avait chuchoté : « Ramène-la chez elle pis reviens... ou reste avec ! Je l'ai assez vue pour aujourd'hui ! » Je suis donc reparti avec Terry sans lui parler de l'autre petite réunion qui avait lieu à la maison, mais je ne suis pas revenu. Je suis resté « avec », comme me l'avait signifié ma mère. Puis, le vin aidant, on a fait l'amour comme des déchaînés ! Et c'est à ce moment-là, sous l'emprise de ses caresses, que je lui ai avoué que je l'aimais à m'en damner. Gros cave !

Je me suis mis à la fréquenter assidûment, nous étions ensemble cinq soirs sur sept. Le plus souvent chez elle puisqu'elle avait sa maison. Mais, fait curieux, aucun de ses deux fils ne l'appelait, et ça me désarmait. Lorsque je lui en fis part, elle me répondit : « Quand ils s'ennuieront de moi, ils n'auront qu'à m'appeler ! » Je lui ai répliqué : « Et toi, Terry, en tant que mère, tu ne t'ennuies pas d'eux ? » Elle m'avait répondu « non », pour ensuite changer de sujet. Je la trouvais un peu dénaturée, mais je n'osais pas le lui reprocher. Ça ne me regardait pas. Du moins, pas encore. On s'est fréquentés ainsi durant un an. On est même allés une semaine en Floride durant mes vacances. Puis un soir, lasse de voir que je ne me manifestais pas, elle me demanda d'emménager avec elle, ce qui l'aiderait pour ses taxes et son électricité. J'étais loin de penser à m'installer, moi, mais...

— Excuse-moi de t'interrompre, Vic, mais tu ne nous as pas encore dit ce qu'elle faisait dans la vie, la Terry, demanda Dave.

— Oh ! c'est vrai ! J'ai sauté par-dessus ça ! Rien de spécial, elle était gérante chez un grossiste en ameublement. C'est elle qui entraînait les vendeurs et vendeuses temporaires. Une bonne job mais pas trop payante. Plus jeune, elle avait été pédicure, mais ça l'avait vite écœurée la corne et les oignons ! En plus de jouer dans les orteils des clientes ! Y'en avait qui se lavaient même pas les pieds avant de les lui mettre sous le nez pour les désinfecter ! Toujours est-il que je n'avais pas envie d'aller vivre sous son toit. J'étais bien chez mes parents, je payais une petite pension, j'étais nourri, ma mère entretenait mon linge et elle préparait même mes lunchs quand je n'allais pas au restaurant. Et depuis que ma sœur était mariée, c'était le bonheur total. J'avais toute la maison à moi. Le boudoir pour lire, le salon, la télévision... Terry n'a pas apprécié mon refus, elle a un peu boudé, mais je tenais mon bout. Ça m'aurait coûté plus cher de vivre avec elle. Or, voyant que ses ruses ne fonctionnaient pas, elle a commencé à se distancier de moi. On ne se voyait que trois soirs sur sept, elle me disait qu'il fallait qu'elle songe à son avenir. Une forme de chantage, quoi ! D'un autre côté, elle me faisait l'amour férocement. Elle était si ardente, si osée que je n'étais plus capable de m'en passer. Et c'est là que s'est déclenché le jeu du chat et de la souris. Voyant que j'en étais « accro », elle a commencé à me priver, à me parler de certains compagnons de travail qui lui faisaient des avances, d'un veuf pas mal riche qui s'intéressait à elle. Tout pour me rendre nerveux et jaloux, ce qui fonctionnait. Si bien qu'un soir où j'étais vulnérable, elle me lança froidement : « Vic, ou tu me maries ou on casse ! J'en ai assez d'attendre, je m'en vais sur mes quarante-deux ans, puis le veuf... » Traqué, apeuré comme un chaton devant un bouledogue, je l'ai pas laissée finir et je lui ai répondu : « J'te marie, Terry ! J't'aime assez pour ça ! On va la faire, notre vie ensemble, pis on va être heureux, tu vas voir ! Et, en ce qui concerne les enfants... » Vive comme l'éclair, elle me répondit : « J'suis pas capable de t'en donner, Vic, j'ai été opérée », mentit-elle. Ce à quoi j'ai rétorqué : « Pas plus grave que ça, on va être heureux pareil, Terry. Tu vas voir ! » Plus niais que moi, cherchez-le ! Ma mère a sauté quand je lui ai annoncé la nouvelle. Elle a piqué une crise de nerfs et m'a juré sur la tête de sa défunte mère qu'elle n'assisterait pas au mariage. Mon père, plus calme, me répéta son désaccord. Il ajouta encore une fois que j'allais commettre une grave erreur, mais qu'à vingt-sept ans c'était ma décision, non la sienne. Il tenta de raisonner ma mère qui continuait à descendre Terry, mais sans succès. Ma sœur, mise au courant, répondit sur un ton nonchalant : « Laisse-le faire, y'est assez vieux, le frère ! Pis, elle va peut-être le déniaiser, elle ! Toi, tu l'as trop couvé, la mère ! »

Victor, sentant un petit creux, fouilla dans les biscuits que Dave avait mis sur un plateau et, acceptant une tasse de thé, se cala de nouveau dans son fauteuil pour enchaîner :

— On s'est finalement mariés, Terry et moi, dans la plus stricte intimité. Ma mère, malgré son serment, avait cédé et était venue avec mon père ; Johanne, avec son mari. Personne d'autre de mon côté. Du bord de Terry, son amie, Rolande, qui travaillait avec elle, et son mari. Personne d'autre, pas même ses enfants. « Comme si elle n'avait pas de parenté, cette femme ! » s'était plainte ma mère. Faut dire que ses parents étaient décédés et qu'elle n'avait qu'une sœur qui vivait à Brockville, en Ontario, et qu'elle ne voyait pas. De toute façon, Terry n'avait avisé personne de son mariage, pas même ses ex-conjoints. Personne ! Et pour cause ! Il y aurait peut-être eu une divulgation de la part de quelqu'un... Ou du moins, une mise en garde, ce qui m'aurait sans doute ouvert les yeux, mais... j'en doute. Un mariage vite fait ; j'avais même pas loué d'habit, et Terry avait porté un deux-pièces qu'elle avait déjà, mais que personne n'avait vu. Le jonc au doigt, elle avait convié les quelques invités au restaurant où elle avait tout payé. Ma mère avait suivi de force. Pas de voyage de noces, mes valises et puis mon *stock* au plus sacrant dans sa maison. Sept jours plus tard, alors que j'avais repris mon travail, mais pas elle, je lui avais fait remarquer... Tenez, les gars, je vais reprendre pour vous la scène qui est encore fraîche à ma mémoire.

Et Vic se dégagea la gorge pour être plus clair dans son monologue relatant le dialogue :

— Ils t'ont donné un bon *time off* au travail !

— C'est pas le cas, Vic, j'ai lâché la job il y a deux semaines, sans t'en parler. J'ai pris mon petit fonds de pension...

J'avais blêmi. Sourcillant, j'avais osé lui demander :

— Tu veux dire que tu ne travailleras plus, Terry ?

— T'as tout compris ! Ma maison est payée, j'ai un petit coussin à la caisse puis, dorénavant, c'est toi qui vas me faire vivre, mon gros !

J'ai failli m'écraser ! Pas à cause de ce qu'elle venait de m'annoncer, mais pour m'avoir appelé son « gros » ! C'était la première fois...

— Écoute, Terry, pour la job, on va en reparler, mais d'ici là, j'aime mieux te le dire, j'aime pas tellement qu'on m'appelle « mon gros » ou « le gros ».

— Bien, maigris !

Reprenant son souffle entre deux hoquets, Vic continua péniblement :

— Comme un coup de tonnerre après un éclair, je venais de comprendre que je m'étais fait four... disons avoir par cette bonne femme ! D'autant plus que, depuis le mariage, elle tournait son derrière de bord quand je l'approchais, j'me cognais le nez sur son dos ! J'ai tenté de m'en plaindre après un certain temps et elle m'avait crié :

— J'ai mes règles ! Ça t'arrive pas d'penser à ça ?

Penaud, je lui avais répondu :

— Oui... mais y'a quand même aut'chose à faire...

— Ben certain... Fais-le tout seul, « le gros » !

Ronald s'était rendu compte que Victor était fébrile, que ce passage de sa vie l'avait terriblement marqué. Compatissant, il lui demanda :

— Veux-tu prendre un *break*, Vic ? Une pause...

— Non, ça va aller... Maintenant que je suis dedans, mieux vaut que je me rende jusqu'au bout, car jamais plus j'vais reparler d'elle ensuite. C'est la première fois que je la ramène sur le tapis... Ah ! la maudite !

Dave versa de l'eau bouillante sur son sachet de thé et Victor reprit :

— Elle m'avait appelé « le gros » malgré mon avertissement. Je sentais qu'elle cherchait le trouble, mais j'étais son mari. Sans travail, « retraitée » comme elle se décrivait, elle jardinait, elle concoctait des recettes, elle faisait l'amour pour satisfaire ses besoins, et moi, l'épais, je lui remettais ma paye ! Elle avait décidé que c'était elle qui gérerait le budget. Elle me remettait mon argent de poche, elle payait le marché qu'elle faisait sans moi, et quand nous allions au cinéma, c'était elle qui payait. Le mardi soir de préférence parce que c'était meilleur marché. Ou elle louait des films chez *International*, car avec mon argent elle avait acheté un magnétoscope. Le moins cher ! Juste bon à regarder des films et à enregistrer ceux de la télévision diffusés la nuit. Pas de qualité, il était plus souvent à *freeze* qu'en marche.

— Est-ce qu'elle était pingre, Vic ? demanda Dave.

— Non, pas radine, mais économe. Elle ménageait, trouvait des *bargains* le plus possible afin de pouvoir en mettre à la caisse. Pas dans un compte conjoint, dans le sien ! Avec son livret bien caché ! Elle se montait lentement une petite réserve bien à elle. Elle avait des idées derrière la tête, tu sais. Mais faut que j'arrive au plus important. Jusque-là, je ne me plaignais pas, mais ça n'allait pas continuer longtemps. Tant que je fermais ma gueule, pas de problème, mais vint un temps où ça a débordé. Et puis, je n'étais pas heureux avec elle. On allait rarement chez mes parents qui ne nous invitaient guère. Mais quand je croisais le regard de ma mère, elle sentait que ce n'était pas le bonheur total. Ce n'est pas moi qui le lui aurais dit, elle m'avait tellement averti. Mon père se doutait bien, à ma mine basse, que ma femme portait les culottes. À la voir me remettre mes petites dépenses, j'avais honte. Je me sentais comme à douze ans quand mon père me donnait mon allocation de fin de semaine. J'avais beau être gros et grand, fort comme un bœuf, je craignais ses réactions quand je m'obstinais avec elle. Le drame a commencé un soir où je lui ai reproché de ménager pour s'en mettre de côté. Insultée, furieuse, elle avait juste levé la main et l'avait rabaissée, mais il a suffi de ce geste de quelques secondes pour qu'elle se rende compte que j'avais peur d'elle. J'avais reculé d'un pas et penché ma tête de côté. Comme un enfant qui craint une taloche. Un geste maladroit, j'en conviens, j'aurais dû l'affronter ce jour-là, mais moi, « nounours », comme disait ma sœur, je n'ai pas eu le cran de la remettre à sa place. Ce qui m'a valu, deux jours plus tard, ma première tape en pleine face !

Victor semblait soucieux après ce brusque aveu. Il appréhendait la réaction des deux autres. Ronald le regardait bouche bée, et David faisait comme si de rien n'était, impatient d'entendre la suite. Ronald rompit le silence en ayant le front d'insister :

— Sérieux, Vic ? Tel que tu le dis ? Comment est-ce arrivé ?

— J'étais rentré pour le souper après mon travail et elle m'avait apostrophé parce que je ne lui avais pas demandé si elle avait besoin de l'auto pour la journée. Parce que, la plupart du temps, c'est en autobus et en métro que j'allais travailler. Inutile de vous dire qu'elle avait vendu son auto pour renflouer davantage ses économies et qu'on n'avait gardé que la mienne. Or, lui expliquant que je ne pouvais pas deviner, elle m'avait répliqué : « N'élève surtout pas le ton ! T'es pas loin de ma main, toi ! » Jouant les braves, j'avais répondu : « C'est quoi, ces menaces-là ? Penses-tu que tu me fais peur, Terry ? » Et c'est à ce moment-là qu'elle avait riposté sans que je m'y attende par une violente claque en pleine face ! J'ai vu des étoiles, j'en ai titubé ! Pas une simple gifle, une « mornifle » comme on dit ! Ma joue a enflé dans le temps de le dire… Je lui ai demandé ce qui lui prenait, si elle était devenue folle, et j'ai juste eu le temps de me protéger de mon coude, sinon j'en essuyais une deuxième.

— T'as pas répliqué ? lui demanda Ron, les poings serrés. Moi, je l'aurais passée à travers le mur si elle m'avait fait ça !

— Non, je ne me suis pas vengé, je suis incapable de frapper une femme.

— Ben, moi, j'te l'jure, sans la frapper, elle serait sortie cul par-dessus tête !

— C'était sa maison, pas la mienne.

— J'veux bien l'croire, mais j'aurais au moins sacré l'camp après avoir tout cassé c'qui était devant moi ! On ne se laisse pas frapper comme ça, Vic ! Robuste comme tu es…

— Tu ne l'as même pas menacée de la quitter ? questionna Dave à son tour.

— Non, j'ai été lâche, j'ai accepté de m'faire enfler la face sans lui dire que j'allais la quitter. Elle avait le contrôle sur tout notre argent, notre compte en banque…

— Tu en avais peur, n'est-ce pas ?

— Heu… oui, j'en avais peur, Dave ! C'était une furie, c'te femme-là, pis elle avait le poing plus gros que le mien ! Maintenant que vous savez que j'ai été lâche pis que j'suis resté avec elle quand même, j'vais couper court et vous dire que Terry m'a battu régulièrement par la suite. Au moindre accrochage, c'était la tape sur la gueule, le poing sur le nez et les coups de pied dans les reins quand j'étais couché par terre. Parce qu'elle réussissait à me faire trébucher en m'enfargeant, pour ensuite me rouer de coups, parfois avec un manche de balai, un bout de tuyau ou sa ceinture métallique. Tout ce qui lui tombait sous la main ! Elle avait les yeux sortis de la tête et elle me criait : « Défends-toi, gros sale ! » et quand je lui saisissais la main, elle me mordait jusqu'au sang !

Hors de lui, assis sur le bord de son fauteuil, Ron s'emporta :

— Ben, moi, j'te l'jure, ç'aurait été dehors d'un coup d'pied au cul ! Je l'aurais rentrée dans l'mur d'un coup de poing ! Je l'aurais crissée dans l'fond d'la cave d'un coup de pied !

— Ron, prends sur toi ! lui cria Dave. C'est le drame de Victor, pas le tien. Ne t'énerve pas comme ça et laisse-le continuer. De toute façon, le mal est fait, et c'est si loin tout ça...

— Oui, t'as raison, Dave, c'est loin tout ça, mais ça ne s'oublie pas. Je la revois encore et je ferme les yeux de peur...

— Pourquoi ne pas en avoir parlé à tes parents ?

— Parce que j'avais honte, Dave. Un homme battu ne s'en vante pas. Il se replie sur lui-même et cache les sévices subis. Pas facile de dire aux collègues : « C'est ma femme qui m'a fait ça. »

— Comment faisais-tu, alors ?

— Je me déclarais malade, je prenais de longs congés ou, quand c'était moins apparent, je racontais que mes bleus et mes ecchymoses provenaient d'une chute, que j'étais maladroit. J'arrivais parfois au travail en boitant et je leur disais que je m'étais coincé un nerf... Y'a rien que j'ai pas inventé pour ne pas avouer que c'était ma femme qui me sacrait des volées !

— Ta mère, si méfiante, Vic... Elle n'a pas... murmura Dave.

— Ma mère m'a vu une fois avec un bleu près de la paupière et j'ai réussi à la convaincre que c'était le chat de Terry qui m'avait fait ça. Même prétexte pour les égratignures... Outrée, elle m'avait répondu : « Ben, faites-le tuer, c'te maudit chat-là ! Attends pas qu'y t'crève un œil ! » Mon père ne disait rien, mais il affichait un air douteux. Il voyait que j'avais le caquet bas et il redoutait que ma femme y soit pour quelque chose. Un soir, plus méfiant que d'habitude parce que j'avais un doigt dans le plâtre, il m'avait dit : « Écoute, Vic, juste un conseil. Fais pas d'enfants avec elle ! »

Ronald, encore sous l'effet du choc, prêt à retracer « la Terry » pour bondir de rage sur elle, avait demandé à son vieux copain :

— T'aurais pas pu voir un avocat ? Ou la police pour la faire arrêter ?

— Bien oui ! Pour qu'on se paye ma tête ? Pour qu'on se moque de moi, Ron ? Un gars bâti comme un bûcheron battu par sa femme ! J'aurais été la risée de la cour si ça s'était rendu jusque là ! Pis, demande-moi pas pourquoi j'ai pas demandé de l'aide, y'en avait pas dans ce temps-là, ou si peu... De nos jours, y'a des associations... Mais, même à ça, j'y serais pas allé ! Comme plusieurs n'y vont pas encore ! Il est normal pour une femme violentée de se réfugier dans un centre pour être protégée, mais pas pour un homme. On risque même de subir les railleries de la famille ! J'imagine ma sœur ! On dit qu'on se penche aussi sur le cas des hommes battus pour être *politically correct*, mais dans le fond, on se sacre pas mal de leurs yeux au beurre noir ! Surtout quand ça vient de leur femme ou de leur blonde ! Y'a juste quand il y en a une qui pète les plombs et qui tire sur son homme qu'on prend ça au sérieux. Toi-même, Ron, tu sembles me reprocher d'avoir été faible, de ne pas l'avoir sortie de la maison, comme tu disais. Tu t'enrages contre moi... pas contre elle ! C'est ce qu'ils ont tous fait quand ils l'ont su, ce qui m'a fait passer pour une lavette ! J'ai été obligé d'en parler à mon patron, j'avais peur d'être moins considéré avec mes absences répétées. Alors, pour continuer sur cette erreur de parcours, je vous dirai que ses mauvais traitements ont duré plus d'un an. J'avais beau me protéger qu'elle réussissait à me mettre son poing dans l'œil en me disant : « Tiens ! tu vas voir des étoiles pour un bout de temps, gros plein d'marde ! » Côté intimité, c'était fini, je couchais sur le divan du salon, un pied à terre sur le tapis parce que j'étais trop grand et gros. À la longue, j'ai fini par me dire qu'il fallait que je m'en sorte d'une façon ou d'une autre. J'ai essayé de parler de divorce avec elle, mais elle m'a répondu : « Pour que je retourne travailler ? Jamais, gros porc ! On est mariés à la vie, à la mort ! » J'ai tenté de lui parler de séparation de corps seulement, de me laisser retourner chez ma mère, de lui verser une pension alimentaire... Ça n'a pas marché. Elle a crié, sacré et m'a dit que si je partais à son insu, elle reviendrait me chercher par la queue ! Plus vulgaire que Terry, cherchez-la ! Mal pris, j'ai réussi à rejoindre Rolande, celle qui était venue à mes noces, et à obtenir un rendez-vous avec elle sur mon heure de dîner. Une femme affable, compréhensive... Elle n'avait plus de nouvelles de Terry, mais quand je lui ai fait part de mes difficultés, même si j'en étais gêné, elle m'avait donné le numéro de téléphone de son deuxième conjoint en me disant : « Peut-être qu'il pourra te conseiller, lui. Tu n'as rien à perdre, Victor, il faut que tu sortes de cette maison. Une femme violente peut s'avérer aussi dangereuse qu'un homme. N'attends pas qu'elle te tue dans un excès de rage ! » Là, j'ai eu encore plus peur, car Terry, deux jours plus tôt, m'avait lancé un couteau qui m'avait frôlé la tête. J'ai donc appelé le type en question et quand je lui ai mentionné le nom de Terry, il a presque raccroché. Je l'ai retenu pour lui débiter d'un trait la raison de mon appel, les sévices qu'elle m'infligeait, et il m'avait répondu : « J'm'en mêle pas ! J'l'ai sortie de ma vie pis le p'tit aussi ! Mais comme t'as pas d'enfants, sacre ton camp, laisse-toi pas faire, c'est une folle, c'te femme-là ! J'ai eu droit à ses coups, moi aussi, elle m'a presque arraché une oreille, mais à la fin, je les lui rendais. Une poussée dans le dos, pis a l'avait mon coude dans l'ventre ! C'est quand elle a commencé à bûcher sur le p'tit que j'suis parti avec lui ! Pis je l'ai pas revue depuis. J'ai la garde de mon fils, a l'reverra plus ! L'autre avant moi avait aussi subi le même sort. Y'a eu la mâchoire déboîtée pis un bras cassé. Y s'défendait pas trop, celui-là. Un peu comme toi, le pauvre gars... Pis un jour, y'est parti avec son p'tit gars pis elle l'a pas cherché, elle m'avait déjà trouvé pour le remplacer ! Nous autres, au moins, on l'avait pas mariée, c'te jument-là ! Mais, si on a réussi à s'en débarrasser avec un enfant d'elle, je m'demande ce que tu fais encore là à subir ses raclées. S'rais-tu une poule mouillée ? Si c'est pas l'cas, t'as deux choix. Ou tu lui rentres dans l'*dash* comme elle le fait avec toi ou tu décrisses avec ton *char* pis ton *stock* avant qu'a t'plante un couteau dans l'corps ! Pis divorce-la, mais trouve un bon avocat parce qu'a va essayer de t'laver. C'est pas vrai qu'sa maison est payée, elle l'a hypothéquée jusqu'aux oreilles, c'est pour ça qu'elle en met de côté, comme tu dis. De ton argent ! Avec moi, elle a pas pu l'faire, j'avais pas une maudite cenne ! J'travaille à contrat dans la construction quand ça marche... Mais le p'tit manque de rien, ma mère en prend bien soin. Alors, dépêche-toi de prendre la porte, elle est mûre pour l'asile, la Terry ! R'tourne chez ton père ou cache-toi, pis laisse-la affronter ton avocat. Mais rappelle-moi pas, j'veux pas être mêlé dans ça, moi ! Ça s'peut-tu, avoir marié c'te débile-là à l'âge que t'avais ! Tu devais être en peine en maudit ! »

— Il m'avait secoué, le bonhomme... Tu vois, Ron, j'passais pour un lâche à ses yeux... Il m'a pris pour une poule mouillée ! C'est ça un homme battu ! Pourtant, il avait subi le même sort, de la même femme...

— Oui, mais y s'est pas laissé faire longtemps, lui ! Y'a dû lui casser une ou deux dents ! C'est toi qui…

— Le premier aussi s'est fait tabasser, pis y'est pas allé à la police lui non plus ! Tu vois ? Va pas plus loin pis demande-toi pas pourquoi j'ai pas cherché d'aide. Ils m'auraient tous regardé comme tu le fais, Ron. Avec plus de mépris que de compassion.

— C'est pas ça, mais…

— Inutile d'aller plus loin, arbitra Dave. Victor n'a pas tout à fait tort. Même moi, tantôt, j'avais pas beaucoup de sympathie… On n'est pas habitués, les hommes, d'entendre dire que l'un d'entre nous a été roué de coups par une femme. C'est comme si on était au-dessus de ça, nous autres, parce qu'on a du poil en dessous des bras ! Mais si on avait été à sa place…

— Ben, moi, j'persiste à dire que j'l'aurais passée à travers la vitre… murmura Ronald.

— Oui, si t'avais été encore en vie pour le faire ! hurla Victor.

Ronald demanda une bière et David la lui servit, ajoutant qu'on allait bientôt souper. Victor, regardant sa montre, leur dit : « Je vais avoir le temps d'en finir avec Terry. » Puis, avec un verre de *ginger ale* dans la main gauche, il gesticulait de la main droite :

— Vous dire tous les noms auxquels j'ai eu droit est impensable ! « Gros puant », « gros chien sale », « gros torchon », « gros tabar… », et j'en passe ! Tu comprends pourquoi j'suis plus capable d'entendre « le gros », Ron ? Ça m'rentrait dans l'corps comme des coups d'poignard ! Surtout quand j'étais un « gros » suivi d'un blasphème ! J'ai jamais osé dire à ma mère tous les jurons que Terry employait, elle en aurait échappé son chapelet. Donc, après l'appel au conjoint précédent, je me sentais déjà mieux. Parce que quelqu'un d'autre qui était passé par là savait ce qui m'arrivait. Rolande, son amie, s'en doutait, bien sûr, mais je n'étais pas entré dans les détails avec elle. Mon patron à qui je m'étais aussi confié a été le premier à sympathiser avec moi. Je l'avais fait pour être honnête avec lui. Comme il était passablement âgé et empreint de sérénité, je savais qu'il me soutiendrait et qu'il serait discret. C'est même lui qui m'avait présenté l'avocat qui allait m'en délivrer. J'ai commencé par faire ce qu'on m'avait conseillé. J'ai attendu qu'elle soit sortie pour un après-midi complet. Sans la voiture, car elle n'aimait pas conduire dans le trafic. C'était un samedi et, de retour à la maison après l'avoir déposée au métro, j'ai tout paqueté en un temps record. Mon linge, mes disques, mes livres, mes effets de toilette, mes choses personnelles… J'ai rempli le coffre de la Mazda, j'en ai mis sur le siège, j'ai laissé une note disant : « Cherche-moi pas, j'reviendrai pas ! » J'ai glissé la clé dans la fente à lettres et j'ai démarré en vitesse. Comme un fou ! Comme un cochon qui fuit l'abattoir ! Puis je me suis rendu au chalet de mon patron qui m'avait accueilli à bras ouverts avec sa femme et leurs deux fils un peu plus jeunes que moi. Mais comme les fils n'étaient que de passage pour saluer leurs parents, ils regagnèrent la ville le soir même pour rejoindre leur blonde ou je ne sais qui. Resté seul avec mon *boss* et sa femme, ce fut la détente complète. Je retrouvais mon souffle, mon sourire et ma quiétude. Je savais que je ne la reverrais plus, sauf en cour pour un divorce, et je décompressais. Jamais Terry ne m'aurait retracé, j'étais dans un chalet de Saint-Faustin, quasi au fond des bois. J'imaginais sa tête quand elle rentrerait et qu'elle trouverait la note, la maison vide de mon *stock*, l'auto partie. D'autant plus que je devais la reprendre au métro et qu'elle n'a jamais pu m'atteindre. Je l'imaginais, hors d'elle, me cherchant après être rentrée en taxi, pour me matraquer de ses talons hauts dans le dos ! Un autre de ses mauvais traitements ! Mais je n'étais plus là. Elle n'allait trouver que le chat dans son lit, ce qu'elle ne tolérait pas. La porte de sa chambre fermée pour qu'il fasse ses besoins sur le tapis ! J'avais oublié de vous dire, parlant du chat, que deux fois, dans une crise de rage, elle me l'avait garroché en plein visage ! Imaginez un chat qui s'agrippe ! J'avais ses marques de griffes de l'oreille jusqu'au cou !

Se levant, Victor se permit d'aller au petit coin. Le *ginger ale* en grande quantité était un bon diurétique. De retour, il laissa échapper un soupir et enchaîna :

— Débarrassé de la Terry ! De Thérèse de son vrai nom, c'était comme si j'étais sorti de l'enfer ! J'avais averti mes parents que j'étais au chalet de mon patron, de n'en rien dire à ma femme si elle appelait, car je l'avais quittée. Ma mère m'avait répondu : « Tant mieux ! Pis, si elle appelle, elle n'aura pas le temps de parler, je vais lui raccrocher la ligne au nez ! » Je n'ai pas pris la peine de leur donner la raison de ma séparation, je gardais cela pour plus tard. Ma mère était si contente de m'en voir délivré qu'elle ne m'a pas questionné. Or, tel que prévu, Terry, en furie, a téléphoné chez ma mère, la sommant de lui dire où j'étais, mais, tel que convenu, la mère avait raccroché. Terry avait rappelé et rappelé... Ma mère soulevait le combiné et le laissait retomber fortement ! Pour lui écorcher les oreilles ! Pour qu'elle ne rappelle pas. Le lundi, Terry téléphona au bureau et la réceptionniste lui répondit que j'étais en vacances. Enragée, déchaînée, attestant qu'elle était ma femme, ce que l'autre qui l'avait reconnue savait déjà, elle insista et tomba sur mon patron qui l'informa que j'avais demandé et obtenu un congé sans solde, que j'étais en dehors de la ville, il ne savait où... Puis, sur un ton sarcastique, il ajouta : « Vous n'en saviez rien ? » Elle était clouée au sol ! Elle aurait sans doute voulu hurler, mais elle raccrocha. L'après-midi même, elle recevait un appel de mon avocat, l'avisant qu'un huissier allait lui signifier ma demande en divorce. Terry s'emporta, jura, et mon avocat la pria de se trouver… un avocat ! Tout se passa entre mon procureur et l'avocat de l'aide juridique dont Terry bénéficiait parce qu'elle n'avait pas de salaire. Elle tenta de mettre la main sur mon fonds de pension plutôt mince et sur la moitié de la valeur de ma voiture à laquelle elle n'avait pas droit, faisant partie de mes biens propres avant le mariage. Mais elle n'insista pas quand l'avocat l'informa que je serais en droit de lui réclamer la moitié de ses régimes d'épargne à la caisse et comptes en banque. Je n'ai eu à la croiser que lors des signatures de l'entente, et devant le juge qui devait l'entériner. Elle avait trouvé le moyen de me murmurer, les dents serrées : « Tu vas me payer ça ! » J'avais eu le cran, cette fois, de lui répondre en chuchotant : « Où ça ? Là où on va finir par t'enfermer, Terry ? »

Prenant une grande respiration, Victor se gratta la nuque et leur dit :

— Ben, voilà, c'est fini en ce qui concerne ma première femme. J'ai été un homme battu, je ne me suis pas défendu et j'en ai payé le prix. J'espère juste que les hommes d'aujourd'hui seront plus avisés, mieux protégés. Parce que ça existe aussi, des femmes qui tuent leur mari.

— As-tu fini par en parler à tes parents, Vic ?

— Non, parce que je n'ai jamais eu à le faire. Le divorce a été prononcé et on n'en a jamais reparlé. Terry n'aurait sûrement pas aimé que la vérité éclate. Et, de mon côté, j'étais trop honteux…

— Tu sais ce qu'elle est devenue depuis ? insista Ron.

— Plus ou moins... J'ai appris qu'elle avait vendu sa maison et qu'elle avait tenté de reprendre son poste au travail, mais ça n'a pas marché. C'est Rolande qui m'avait raconté ça un jour où je l'avais croisée. Terry lui avait ensuite dit vouloir s'installer à Québec, qu'un autre emploi l'y attendait, et Rolande l'a ensuite perdue de vue. Comme moi, d'ailleurs...

— Est-ce que cette expérience t'a fait te méfier des femmes, Vic ?

— Oui, Dave, jusqu'à ce que je rencontre Marianne. Mais, là, j'ai plus qu'un creux à l'estomac... On mange quoi, ce soir ?

— Tu ne trouves pas que ça sent bon ? J'ai un bœuf bourguignon qui mijote depuis deux heures. Avec du pain croûté, Vic !

— Et un bon vin ? demanda Ron.

— Oui, un bourgogne Réserve de la Chèvre Noire. Assez raffiné pour ton palais, Ron !

— Wow ! C'est pas de la piquette, cette bouteille-là !

Chapitre 6

Victor, après avoir tant parlé, dévorait son souper sans dire un mot. C'était vraiment succulent ! Mais où donc David avait-il appris à cuisiner de la sorte ? Le potage aux légumes, le bœuf bourguignon… Exquis ! Décidément, il avait tout d'un grand chef, celui-là. Ronald avait certes apprécié, mais la bouteille de vin qu'il lorgnait depuis le début l'avait attiré beaucoup plus que les éclairs à la crème dont Victor s'était empiffré pour deux, sautant vite sur celui de Ronald qui n'avait pas la dent sucrée. Sirotant son café, Victor demanda à ce dernier :

— Tu dois me prendre pour une grosse nouille après ce que t'as entendu de moi concernant ma première femme ?

— Pourquoi ? Je n'ai eu aucune pensée semblable…

— Non, mais juste à te voir l'air, je sens que tu me désapprouves sur bien des points. Non pas que tu me juges…

— Arrête de chercher la bête noire, Vic ! Je t'ai dit ce que je pensais quand je t'ai interrompu, mais si tu insistes pour revenir sur le sujet, j'avoue que je ne comprends pas encore que tu aies accepté tous ces coups avant de la foutre là ! Moi, dès la première taloche, j'aurais pris la porte non sans lui avoir remis sa tape sur la gueule ! Mais on n'est pas fait pareils, tous les deux. On est différents...

— En un mot, tu trouves que j'ai pas de couilles, hein ?

— Non... J'ai pas pensé de la sorte ! Je suis plus impulsif, voilà tout !

Ron soupira alors que Dave prit la relève pour ajouter :

— Arrête de te diminuer, Vic ! Tu étais jeune, tu n'avais pas d'expérience, tu étais sous son emprise... L'important, c'est que tu t'en sois sorti !

— Oui, mais ce que tu ne sais pas, c'est que je n'étais pas plus heureux d'être de retour chez mes parents. Ma mère, que j'aime bien pourtant, était envahissante. Elle reprenait le contrôle et je revenais à la case départ.

— Pourquoi n'as-tu pas loué un appartement ? Tu avais presque vingt-huit ans ! lui lança Ronald.

— Parce que j'ai fait une dépression, Ron ! Quand j'ai décompressé puis que j'me suis retrouvé à nouveau sous le toit familial, j'ai flanché ! Heureusement que j'avais un bon patron, Dieu ait son âme, c'est lui qui m'a aidé à remonter la côte. Plus que mon père et ma mère ! Mais ça m'a pris trois mois et un paquet de pilules du psy qui me suivait. Des pilules que j'ai lâchées parce qu'elles avaient des effets secondaires désastreux sur moi. Tu sais, les anti-ci, les anti-ça, c'est pas toujours ce qu'il y a de mieux ! Mon père a même des problèmes plus graves depuis qu'il prend des anti-inflammatoires pour son dos ! Moi, j'étais rendu si creux que mon *boss* m'a tout fait jeter. C'est lui qui m'a remonté un jour à la fois. J'avais encore des *downs*, mais c'était de moins en moins fréquent. J'étais réveillé finalement, je ne vivais plus entre les cauchemars et la noire réalité, toujours couché... Je reprenais goût à la vie. Mon docteur de famille m'avait prescrit de légers sédatifs pour me garder détendu, pas des bombes à me donner le goût de sauter devant le métro ! Je passais les fins de semaine avec mon patron et sa femme à leur chalet et ils me traitaient « en homme », pas en enfant comme le faisait maladroitement ma mère. Ma dépression n'était pas due qu'à Terry et aux tracas qu'elle m'avait causés, c'est quelque chose que je traînais depuis plusieurs années. Jusqu'à ce que la *fuse* pète au frette ! J'ai fini par m'en sortir, mais ça m'a foutu des complexes qui m'ont rendu terriblement méfiant ! Même de toi, Ron ! Je surveille tout, je suis sur mes gardes, j'ai toujours l'impression qu'on se moque de moi. Parce que j'ai pas encore repris confiance en moi. Presque, mais pas complètement. Mon estime en a pris un coup ! J'ai toujours été dépendant depuis que je suis jeune. Même de vous deux au temps du cégep ! Rappelez-vous, ce n'était jamais moi qui suggérais ou décidais ce qu'on ferait, où on irait. C'était Dave ou toi, Ron, et moi, je suivais. Ça va me talonner toute ma vie, ces complexes-là, mais le bon Dieu a été bon, il a mis un ange sur ma route. Bien sûr que je dépends de ma femme, mais quand t'as une perle entre les mains...

— Tu n'aimerais pas garder ça pour tantôt, Vic ? Tu en es rendu là ou presque dans ton cheminement, lui suggéra Dave.

— Oui, t'as raison, je vais finir mon café avec l'éclair qui va sécher si personne ne le mange. Après, je vais vous raconter la plus belle partie de ma vie, au risque de vous ennuyer.

— Pourquoi dis-tu cela ?

— Parce que le bonheur, ça n'intéresse personne. Le malheur, par contre… Je n'ai pas dit ça pour vous deux, mais regardez à la télévision ou dans les magazines. Le bonheur, ça ne vend pas. C'est pour ça qu'on a toujours de gros titres avec des personnalités ou des artistes qui font des scandales ! Aux États-Unis, c'est encore pire ! Quand est-ce qu'on parle de Shania Twain ? Presque jamais ! Mais de Britney Spears par contre…

— Ça veut pas dire que ton bonheur va nous ennuyer, Vic. Pas après ce que tu as vécu ! Cette autre manie que tu as de toujours pressentir, prévenir, aller au-devant des coups, t'imaginer des choses, te faire des scénarios… C'est ça qui te mine, Vic, lui affirma Dave. Là, tu t'assois, tu prends un *ginger ale* et tu nous confies tes joies. Tu trouves pas que t'as eu assez d'merde ? Tiens ! regarde, le fauteuil vert t'attend !

Victor, nettement convaincu que la fin de soirée lui appartenait, s'installa confortablement pour leur parler de celle qu'il aimait. Ronald avait accepté le digestif que lui avait offert David, espérant qu'un ou deux autres suivraient, pour le tenir « réveillé » pour le récit qui allait suivre. Victor, fier d'être encore le point de mire, s'étira d'aise pour leur raconter :

— J'ai donc habité chez mes parents, incapable d'aller vivre seul en appartement. Au bureau, tout se replaçait et je préférais avoir le statut de « divorcé » à celui de « célibataire vivant encore avec sa mère ». Je remarquais que les femmes tournaient davantage autour du divorcé que j'étais qu'elles ne l'auraient fait pour un gros niais avec sa boîte à lunch ! J'exagère un peu, n'empêche que j'apportais le dîner que ma mère me glissait dans un sac rigide de coton avec fermeture éclair. Après mon expérience maritale, inutile de vous dire que je me méfiais des femmes. Surtout de celles au-dessus de trente-cinq ans ! J'évitais aussi les monoparentales, sachant que j'aurais des ennuis avec les exconjoints. Comme les célibataires étaient une denrée rare au bureau, à moins d'être âgées, j'en avais déduit que je serais un divorcé heureux toute ma vie. Je ne sortais pas beaucoup, sauf pour aller seul au cinéma ; et le samedi soir, au restaurant avec mes parents. Des collègues m'invitaient parfois à aller manger chez eux, mais comme ils avaient une conjointe et moi pas, je me sentais gêné d'accepter leur invitation. Je restai donc ainsi jusqu'à mes trente ans qu'on avait soulignés au bureau dans un restaurant du Vieux-Montréal. C'était gentil à eux. Mon patron, au bord de la retraite, avait réglé l'addition. Un vrai père, celui-là ! C'est d'ailleurs après avoir pris sa retraite qu'il est mort d'un arrêt cardiaque. Travailler toute sa chienne de vie pour finir ainsi ! Plus injuste que ça... Il se promettait de beaux voyages avec sa femme, il devait commencer par l'Italie sans se douter qu'il avait en poche un aller simple pour le paradis ! Je l'ai beaucoup pleuré. De grosses larmes coulaient quand je l'ai vu étendu dans son cercueil. Il avait été si bon pour moi. Sa femme a vendu le chalet et elle s'est acheté un condo pas loin d'un de leurs fils. Voilà ce qu'était sa retraite à elle maintenant. Sans son mari, elle n'avait plus envie de rien. L'aîné s'était marié et aurait souhaité qu'elle habite avec eux, mais une bru, ce n'est pas une fille. Ça marche les premiers temps, mais à la longue... Toujours est-il que je l'ai perdue de vue. Je ne sais même plus si elle est encore en vie, la pauvre femme, elle était si chétive... Et de patron en patron, de retraite en retraite chez les collègues, on a fini par oublier celui qui avait été le plus aimable d'entre tous. Depuis cet homme, j'en suis à quatre patrons qui se sont remplacés.

— Tu n'as jamais visé un poste plus élevé ? lui demanda Ron.

— Non. J'aurais pu monter en grade, avoir des promotions, mais plus tu avances, plus t'as de responsabilités sur les épaules. J'ai préféré rester aux réclamations et pouvoir partir de bonne heure chaque soir. De cette façon, quand tu fermes la porte, tu n'emmènes pas le bureau avec toi. Le lendemain, je reprenais mon crayon à l'endroit où je l'avais laissé sur la paperasse.

— Si je comprends bien, toi, l'ambition... marmonna Ron.

— T'as raison, j'en avais pas ! L'ambition tue son homme, dit-on ? Moi, ça ne m'arrivera pas. J'ai une bonne paye, des augmentations selon la convention, et j'veux rien de plus jusqu'à ma pension. Marianne n'est pas dépensière...

— Vas-tu finir par arriver à ta rencontre avec elle ? Depuis l'temps que tu nous en parles ! s'impatienta Ron.

— J'y arrive ! Ç'a été le plus beau cadeau de mes trente ans. Je ne l'ai pas rencontrée en milieu de travail, ma femme, mais près de chez mes parents et de façon accidentelle. C'était en début de février, c'était frisquet et, en tournant le coin de la rue pour me rendre au boulot, j'ai aperçu une voiture en panne, capot levé, et une jeune femme qui, les mains sur les hanches, semblait découragée. J'ai modéré, j'ai baissé ma vitre et lui ai demandé ce qui se passait. Elle a répondu qu'elle était mal prise, que sa batterie était à terre, qu'elle ne savait pas quoi faire. En bon samaritain, je suis descendu et, avec mes câbles, j'ai pu lui redonner le jus nécessaire pour redémarrer. Elle était folle de joie et elle me remercia mille fois ! Pendant la petite intervention, j'avais réussi à apprendre qu'elle habitait à deux pas de là depuis l'été précédent. Pressée par le temps, elle avait ajouté : « J'aimerais bien causer davantage avec vous, mais je vais être en retard, je travaille dans une garderie. » J'ai réussi à lui dire mon nom, j'ai été trop bête pour lui demander le sien. Mais elle m'avait fait bonne impression. Très jolie, assez grande, beau sourire, plus jeune que moi, environ vingt-six ou vingt-sept ans... Bref, j'avais été ravi de cette rencontre et j'étais fort surpris de ne pas l'avoir encore vue dans les parages. Était-elle mariée ? Je n'en savais rien, mais je la classais célibataire. Par son travail et par le fait qu'elle était mal prise avec sa batterie à terre. Avec un mari, on reste pas plantée là à se demander quoi faire... Tiens ! avant toute chose, voici une photo de Marianne. Depuis le temps que j'en parle !

Ronald avait été le premier à jeter un coup d'œil sur la photo. En effet, Marianne était jolie, mais très sobre. Aucun maquillage, les cheveux bruns tirés vers l'arrière, agréable sourire... Mais rien en commun avec les filles que lui-même courtisait. David la regarda à son tour et la trouva charmante, pas plus. Il remit la photo à Vic en lui disant : « Jolie femme. Beaucoup de classe ! » Ce qui ravit « le gros » qui rangea précieusement la photo dans son portefeuille. Les paroles de Dave le touchaient beaucoup plus que celles de Ron. Il savait que ce dernier avait un faible pour les femmes plus sensuelles. S'enfonçant dans son fauteuil, il poursuivit en soupirant :

— Il me fallait la revoir ! Elle m'avait marqué ! J'savais pas pourquoi, mais son visage me revenait en tête constamment. Pas facile de croiser quelqu'un dans la rue en plein hiver. Je l'ai donc épiée jusqu'à ce que je sache où elle habitait. Puis, de là, je surveillais ses allées et venues. Mais comme elle était souvent accompagnée d'une dame plus âgée, sans doute sa mère, je ne pouvais pas la surprendre au marché IGA, ça me gênait bien trop. Mais j'ai fini par avoir ma chance un samedi soir, alors qu'elle se rendait à pied chez le dépanneur du quartier. J'ai attendu qu'elle rentre et j'ai fait irruption à mon tour jusqu'aux tablettes des conserves où elle me vit apparaître à côté d'elle. Elle me salua, me sourit, et je lui ai demandé si sa batterie ronronnait encore depuis mon coup de pouce, ce qui l'a fait rire, et la conversation engagée a duré un bon quinze minutes. J'ai acheté un litre de lait pour ne pas trahir ma présence inusitée et je lui ai offert de la déposer chez elle, car il commençait à neiger et à venter pas mal fort. Elle a accepté et, en cours de route où je roulais à trente kilomètres à l'heure, j'ai appris son nom, j'ai su qu'elle était célibataire, qu'elle habitait avec ses parents et qu'elle avait un frère plus vieux qu'elle, marié, qui vivait avec sa femme à Victoriaville où il était professeur. Pour sa part, elle travaillait à la garderie du quartier voisin. Éducatrice pour les tout-petits, elle disait adorer les enfants, elle avait un sourire irrésistible, une voix si chaude. Spontanément, je lui ai dit que j'étais libre et que j'aimerais beaucoup la revoir si elle l'était aussi. Elle a bien ri... mais elle a apprécié mon audace. Elle était libre également. Je lui ai avoué mes trente ans, elle m'a confié en avoir vingt-huit. Cinéphile tout comme moi, elle a accepté mon invitation pour le film du lendemain soir, même si elle me trouvait un peu empressé. Tu vois, Ron ? J'ai pas toujours les deux pieds dans la même bottine ! Pas ambitieux, mais capable de sauter sur les occasions !

Ron sourit et « le gros », se remémorant de beaux jours, continua :

— Personne soupçonnait, moi le premier, que dix mois plus tard, nous serions mariés.

— Wow ! Si vite que ça ? T'avais pourtant eu une dure leçon...

— C'est vrai, Dave, mais Marianne, c'était un bijou de femme. Dès la première sortie, j'ai réalisé que le bon Dieu venait de me gratifier d'un trésor inestimable. Elle était si douce, si affable.

— Si tel était le cas, comment se faisait-il qu'elle était encore célibataire à vingt-huit ans ?

— Parce qu'elle n'avait pas encore rencontré un gars comme moi ! Marianne rêvait de se marier, d'avoir des enfants, ce qui faisait fuir les prétendants. Elle avait fréquenté deux gars avant moi, mais pour pas longtemps dans chaque cas. Puis, comme elle était naturelle, pas maquillée ou si peu, les gars de ton style, Ron, ne *stickaient* pas avec elle ! Marianne n'aurait pas été ton genre, avoue-le !

— Je l'admets ! Une fille *plain* comme elle, éducatrice dans une garderie, c'est loin des filles *sexy* que je rencontrais dans les discothèques.

— Des filles chromées, Ron ! Mais, bon, puisque ça te plaisait…

— Comment a-t-elle pris le fait que tu sois divorcé ? demanda Dave.

— Avec stupeur au départ, mais j'ai été franc et je lui ai raconté ma mésaventure avec Terry sans sauter une virgule.

— Tu lui as dit qu'elle te battait ? insista Ron.

— Oui, sans force et détails cependant. J'avais encore honte, tu sais. Mais elle a compris, elle a sympathisé, elle a vite deviné que je m'étais fait embarquer… Bref, elle ne m'en a plus reparlé. Le fait de ne pas avoir eu d'enfants, de ne pas avoir Terry collée à moi à cause de ça… Tu sais, Ron, sans enfants, ce n'est qu'une rupture : salut, on ne se revoit plus. Avec un ou deux petits, c'est un paquet de troubles à vie avec l'ex ! Dans un cas comme dans l'autre ! Ce qui m'a été favorable, c'est que ç'a été le coup de foudre entre mes parents et Marianne. Dès leur première rencontre ! Ma mère l'a aimée tout de suite et vice versa. Mon père l'a trouvée ravissante et distinguée. Nous avions des goûts en commun, elle aimait les films français, un peu d'américains, elle avait un faible pour Yves Duteil depuis qu'il avait composé la très belle chanson *Prendre un enfant par la main*. Tu la connais, Dave ?

— Oui, pour l'avoir entendue, elle a tellement tourné.

— Marianne vénérait ce chanteur parce qu'il vouait un culte aux enfants. Encore aujourd'hui, elle achète tout ce qu'il enregistre. Faut dire que les enfants la touchent beaucoup.

— Était-elle réservée avant le mariage ? Tu comprends ce que je veux dire ? demanda Ron.

— Tu veux savoir si on a couché ensemble avant d'être mariés ? Tu peux être direct, Ron, on n'est plus en 1950 ! Oui, bien sûr, on avait quand même chacun un cheminement de ce côté-là, mais en prenant nos précautions cependant. Marianne ne comptait pas tomber enceinte avant d'être mariée.

— C'est donc toi qui as fait la grande demande ? questionna Dave.

— Oui, je n'avais plus de temps à perdre. Comme on avait parlé de fonder une famille, je l'ai demandée en mariage et, en novembre, je l'épousais. En toute simplicité, car Marianne avait horreur des mariages élaborés avec un tas d'invités. Comme j'étais divorcé, on s'est mariés civilement sans déranger trop de monde. Que la stricte parenté de chaque côté. On s'est vêtus comme on le faisait le dimanche, rien de plus. Puis ses parents ont donné une petite réception dans leur logement de sept pièces où les convives n'ont manqué de rien. Le salon avait été aménagé en conséquence. Ma sœur était là avec son dentiste et ses enfants. Disons que la paix se maintenait quelque peu entre Johanne et moi, mais ça allait encore se gâter par la suite, même si on ne se voyait pas souvent. Marianne fut néanmoins si bien accueillie dans la famille qu'elle en fut intimidée. En ce qui me concernait, ses parents m'aimaient bien, son frère et sa femme aussi. Comme il commençait à faire froid, nous avons fait un petit voyage de noces d'une semaine à Nassau et, le mois suivant, Marianne était enceinte. J'étais fou de joie ! J'allais être père, j'en étais si fier ! On s'est empressés de combiner nos économies pour acheter un petit bungalow qu'on habite encore aujourd'hui. Pas tout à fait payé, mais pas loin ! On va y arriver !

— Ta femme travaille encore, Vic ?

— À temps partiel seulement, mais à la même garderie. Pour finir de payer la maison parce que, pour le reste, je suis capable de la faire vivre, mes enfants avec ! J'ai un très bon salaire. Dites donc, les gars, il pleut encore ! Ça vous dirait de prendre dix minutes pis de sortir ma voiture de la boue ? Il fait encore clair...

— Pourquoi ne pas attendre à demain matin, Vic ? La pluie cessera peut-être.

— Ça me fatigue, Dave, tu peux pas savoir comment ! Chaque fois que je regarde dehors pis que je la vois caler au bout du chemin, ça m'angoisse...

— Dans ce cas-là, on va y aller, toi et moi, lança Ronald. Dave pourra mettre un peu d'ordre dans le vivoir pendant ce temps-là, on est pas mal traîneux tous les deux.

— Non, non, on va y aller à trois, reprit Dave. Un au volant ; les deux autres, pour soulever.

— Alors, tu prendras le volant, Dave, ça va être moins salissant.

— Pourquoi, Vic ? Me trouves-tu si précieux ?

— Non, mais c'est toi l'hôte et tu en fais assez comme ça. T'arrêtes pas de nous cuisiner de bons plats... Pis, si on la sort d'un coup ou deux, Ron et moi, c'est toi qui pourras la monter jusqu'ici et la stationner en lieu sûr. Tu connais mieux le chemin de terre que nous autres.

— Dans ce cas-là, on y va pendant que la pluie est moins forte. Mais en revenant, Vic, après s'être décrottés de la boue, tu reprends ton récit, n'est-ce pas ? demanda Dave.

— Oui, oui, pour ce qu'il m'en reste à dire...

— Bien, reste à voir ! rétorqua Ronald. T'as pas encore été mitraillé de toutes nos questions, « le gros » ! Ah, *shit* ! Pardon !

Dave prêta un vieux pantalon à Ronald pour ne pas qu'il déchire ou macule de boue ses *jeans* griffés, mais pour Vic, avec son tour de taille... Il l'accommoda toutefois d'un imperméable jaune, genre pompier, qu'il avait dans un placard avec le chapeau appareillé. Ron, avec un casque de bain sur la tête, Dave couvert d'une nappe de plastique, les trois se dirigèrent vers le bout du chemin où la voiture du « gros » s'était enlisée. Ron, voulant prouver le bien-fondé de ses bras musclés, tenta de la soulever du coin gauche, mais la voiture ne bougea pas. David la mit en marche et la laissa rouler quelques minutes avant de forcer l'accélérateur. Victor, plus colosse que Ronald, avait empoigné le côté le plus enfoncé pendant que Ron, au centre, allait lui donner un coup d'épaule. Un, deux, trois... l'auto ne sortait pas. David semblait maladroit au volant, le pied peu pesant de peur de les éclabousser. Victor lui cria d'aller plus au fond, ce qu'il fit, et d'une force inouïe, « le gros » réussit à lui seul, ou presque, à soulever le côté gauche, à le sortir de sa crevasse et à le pousser sur la terre plus ferme. Avec les muscles de Ronald à l'appui pour l'autre roue, bien entendu. L'auto sortie du trou, David s'empressa de la monter lentement et de la garer sur le gazon trempé à côté du chalet. Là où elle serait plus en sécurité que sur la terre vaseuse. Il regarda par le rétroviseur et aperçut Victor avec de la boue jusque sur le front. Ronald, de son côté, n'en avait que sur son vieux pantalon et ses gants souillés. Ils rentrèrent, se départirent de leurs vêtements sur la carpette de l'entrée et, retrouvant son souffle, Victor fut le premier à demander s'il pouvait aller se décrasser. On lui laissa le champ libre, et Ronald, vieux pantalon par terre, les mains lavées, le menton aussi, renfila ses *jeans* déposés sur une chaise. Regardant David, il lui dit :

— Je pense qu'on va avoir besoin d'une bonne douche ce soir.

— Pas moi, j'ai pas forcé, mais toi, Ron…

— J'ai sué ! Pas grosse, sa Mazda, mais pesante en maudit !

David éclata de rire et, s'emparant de deux verres, il demanda à son ami :

— Un p'tit cognac pendant que Vic se lave ? J'entends la douche qui coule. C'est lui qui a pris le plus de saleté en pleine face !

— Oui, il avait le côté le plus calé ! Mais, là, il va arrêter de s'en faire, le pauvre, sa voiture est sauvée ! Merci pour le cognac, Dave, mais range pas la bouteille, un deuxième verre ne sera pas de trop. Ça régénère le cœur !

Le téléphone sonna, celui de Dave qui, cette fois, se retirant un peu à l'écart, répondit furtivement :

— Allô ?

— C'est toi, Dave ?

— Qui veux-tu que ce soit d'autre, Louise, tu es sur mon cellulaire.

— Dieu que je suis bête ! C'est que ta voix était éteinte, le ton sec et peu sonore.

— J'essaie d'être discret, je ne suis pas seul au chalet.

— Oui, je sais, mais tu as bien quelques minutes à me consacrer ?

— De quoi s'agit-il ?

— De nous deux, David, de ce que je t'avais proposé…

— Tu aurais pu attendre à lundi. Mon week-end est chargé...

— À moins de te rappeler en pleine nuit, ou que tu le fasses, toi.

— Non, Louise ! Je dors la nuit et tu devrais en faire autant ! Mon Dieu que les femmes sont...

— Dis-le, elles sont quoi ? Gourdes ? Idiotes ? Têtes de linotte ?

— Pour agir de la sorte, ça pourrait être tout ça à la fois. Tu ne comprends rien ! Tu es bornée ! Je te répète que j'ai des invités ! Tu le savais pourtant, ils sont ici depuis jeudi... Comment peux-tu ? Ah ! toi ! Tu as le don de me faire sortir de mes gonds ! Sur ces mots, je dois te quitter, car Victor reprend son fauteuil, nous en sommes à ses confidences.

— Lundi, ce sera un ultimatum, Dave, pas une proposition.

— Ce sera ce que tu voudras, mais ce soir, ce ne sera rien ! Je te laisse, j'ai des amis qui m'attendent ! Ça devient impoli...

— Évidemment ! C'est plus important que ta femme !

— Tu ne l'es pas, Louise.

— Non, mais c'est tout comme.

— Non, pas tout comme, on se fréquente, rien de plus.

— Voilà pourquoi il faut que je te parle ! Ton « rien de plus »...

— Bon, ça suffit, bonne nuit et à lundi.

Il raccrocha et, rejoignant ses deux copains, il leur dit :

— Ah ! les femmes ! Ce qu'elles peuvent être emmer...

— Tu peux le dire ! Emmerdeuses ! J'en sais quelque chose ! clama Ron.

— Bien, dans mon cas, je ne peux pas dire ça. Marianne...

— Oui, Vic, une perle, on le sait, mais peux-tu reprendre ton récit là où tu l'as arrêté ? Ta femme était donc enceinte...

— Oui, et j'en ai pris soin durant sa grossesse. Je la portais sur la main, je lui ai fait prendre un congé de maternité prématuré dès que j'ai su qu'elle attendait un enfant. Je ne voulais pas qu'elle se lève tôt le matin, et j'arrivais malgré tout à joindre les deux bouts avec ma paye. Marianne faisait en sorte que ça ne coûte presque rien. Elle faisait même ses betteraves en pot, son ketchup aux fruits, ses tartes et ses biscuits, pour épargner le plus possible. Entre-temps, ses parents qui étaient à loyer là où ils habitaient ont déménagé à Charny, près de Québec, dans une petite maison pas chère que le frère du beau-père leur avait dénichée. Ils étaient enfin chez eux et ce n'était pas le bout du monde pour aller les visiter ou les recevoir.

— D'après ce que je vois, toute la famille avait les pieds sur le *break* pour les dépenses ! s'exclama Ron.

— En plein ça ! On y allait selon nos moyens, eux aussi, mais on payait nos dettes rubis sur l'ongle ! Pis on était heureux comme ça, nous autres, Ron ! Y'en a qui se contentent de peu !

— Oui, j'sais, mais de là à faire ses marinades à vingt-huit ans... Pas mal vieux jeu, ta femme, non ?

— Qu'est-ce que t'as contre ça, toi ? Marianne adore faire la popote, ses conserves et son pain aussi ! Pour d'autres, ce sont les bars ; pour elle, sa cuisine ! As-tu d'autres questions, Ron ?

David souriait de voir Ronald se faire rappeler à l'ordre. Dans le fond, il savait que le récit de Vic ennuyait Ron, qu'il avait préféré la partie concernant Terry, que le mariage heureux du « gros » avec Marianne risquait de le faire bâiller dans pas grand temps. Mal à l'aise de le démontrer aussi clairement, Ronald n'ajouta rien et Vic, rassuré, continua :

— Nous avons eu notre petit Jules et ce fut le plus beau jour de notre vie. Marianne l'a eu comme une chatte. Sans gémir, sans crier, sans pleurer. Un beau petit gars qui ressemblait à sa mère et qui faisait toutes ses nuits quelques semaines plus tard. Quel bonheur d'avoir un enfant, de le serrer dans ses bras...

— J'ai connu ça, Vic, c'est bien beau dans les premiers temps, mais on dit qu'avec l'âge...

— Non, t'as tort de parler comme ça, Ron. Notre fils est aussi merveilleux maintenant qu'il l'était à un an. Faut dire que Marianne a le tour avec les enfants. Tendre et très maternelle, Jules ne lui montait pas sur le dos pour autant. Moi, j'étais plus mou, plus bonasse, elle me le reprochait parfois, c'est pourquoi je lui ai laissé l'éducation des enfants entre les mains. Parce qu'elle avait étudié dans ce domaine...

— Tu parles au pluriel, c'est vrai, vous en avez eu un autre !

— Oui, Dave, une fille, deux ans plus tard. Notre petite Sophie ! Un ange comme sa mère, une douceur, elle berçait sans arrêt ses poupées. Et Marianne, avec son expérience de jardinière en garderie, lui apprenait des choses qui venaient du bon vieux temps. À trois ans, Sophie effeuillait la marguerite en disant : « J'me marie, j'me marie pas. » Puis, Marianne lui avait appris à jouer à « Trois fois passera ». Elle leur chantait aussi les chansons d'Henri Dès et de Carmen Campagne, sans oublier les folkloriques comme *Ah ! vous dirais-je, maman* ou *Au fond des campagnes* que Jules connaissait par cœur. C'était si agréable de les entendre en duo devant mes parents ou ceux de ma femme. Dieu qu'elle les élève bien, nos petits, ma chérie ! Quel paradis sur terre avec elle après avoir vécu l'enfer avec l'autre !

— Et là, vous êtes mariés depuis... ? demanda Dave, afin d'abréger le récit qui commençait à peser à Ronald.

— Bien là, en novembre qui vient, ça va faire neuf ans et notre petit Jules va les avoir neuf mois plus tard… J'espère que je ne me trompe pas ! J'suis pas bon dans les années ! Je dis toujours que Sophie a huit ans quand elle en a à peine sept. Et toi qui disais que j'étais marié depuis longtemps, Ron ! Tu me reprochais même de former un vieux couple ! On n'en est pas encore aux noces de porcelaine, Marianne et moi ! C'est vrai que si on compare mon mariage à la durée du tien…

— Non, je ne te reprochais rien, je disais ça comme ça… Sans doute une question d'attitude…

— Ça veut dire quoi, ça, Ron ?

— Rien de spécial, une constatation, un comportement…

Vic sourcillait, sûr et certain que son ami d'antan le trouvait démodé ou ridicule. David, plus observateur, savait très bien que Ronald trouvait la femme de Victor « vieux jeu » et « granola » à la fois, mais sans saisir ouvertement le fond de sa pensée, « le gros » préféra poursuivre sur sa lancée en fermant les guillemets :

— Bon, passons, et laissez-moi vous dire que nous n'avons jamais eu de différends, pas la moindre discussion, Marianne et moi.

— Parce que tu dis toujours comme elle, je suppose ?

— Non, Ron, parce qu'on est sur la même longueur d'onde et qu'on n'a rien à se reprocher, l'un l'autre. On se promène encore main dans la main, on se sourit, on s'aime et on a convenu d'un commun accord de ne plus avoir d'enfants après avoir eu le couple. Imagine ! Un garçon et une fille ! Le bon Dieu a été généreux !

— Oui, on s'en rend compte ! scanda Ronald en soupirant.

Constatant qu'il semblait l'ennuyer, Victor lui dit :

— Tu vois ? J'avais raison ! Le bonheur, ça ne vend pas ! Même dans une conversation… Le bonheur d'autrui, ça ennuie, ça fait bâiller…

— Non, non, répliqua Ron en refermant la bouche brusquement. C'est d'avoir forcé après la voiture tantôt qui m'a vidé…

— Ronald ! À d'autres ! Prends-moi pas pour un imbécile ! Je t'endors avec mon roman d'amour avec Marianne. Mais je vais continuer quand même parce que Dave, plus attentif, n'a pas l'air d'être emmerdé, lui ! Remarque que tu peux aller te coucher si tu veux. Je ne te retiens pas !

— Écoute donc, toi ? Cherches-tu encore la bisbille avec moi ? Tu m'engueules depuis tantôt parce que j'ai osé m'étirer les bras, et là, parce que je bâille ! C'est avec Terry, ta première, que tu aurais dû utiliser ce ton-là !

— Bon, excuse-moi… J'suis encore méfiant, tu vois ? Je guette encore le chat… Pis ça tombe sur toi, Ron ! Sers-lui donc un autre cognac, Dave, ça va le garder éveillé jusqu'au bout ! J'en ai plus pour longtemps, j'suis presque rendu au temps présent. Bon, où en étais-je ? J'y suis ! Oui, ça marchait sur des roulettes, notre union. Ça marche encore de cette façon…

— Et tu as tort de penser que le bonheur des autres n'intéresse personne, protesta David. Lorsque c'est le cas, Vic, c'est que tu as affaire à des envieux, des gens qui donneraient je ne sais quoi pour avoir la moitié de ton bien-être. Il en va de même pour le succès. Quand je regarde ce qu'on dit d'un tel ou d'une telle sur Internet, que ce soit un chanteur, un sportif, un comédien ou un politicien, il est inconcevable de lire autant de critiques gratuites et méchantes comme il s'en trouve. Ce que je déplore, c'est que les personnes visées ne peuvent pas les retirer. C'est très dommageable, l'Internet, parce que n'importe qui avec un site, un envieux ou un ennemi, une bonne femme ou un p'tit baveux, peut détruire un film, un disque ou un livre en quelques phrases. Sans penser que ça prend des mois, parfois des années à réaliser une œuvre. Et ça reste collé, ces critiques-là, à la vue de tous, sans qu'on puisse rien faire pour les retirer, à moins de supplier « le machinchouette » qui l'a gommé de le faire. Un deux de pique, la plupart du temps ! C'est pourtant une atteinte à la personne, à sa réputation, à son travail... Je me demande quand on va inventer quelque chose pour débarquer tout ça d'un *clic* quand c'est gratuit et malsain ! C'est encore pire que certaines émissions de radio et de télévision qui invitent des personnalités pour les descendre, les mettre au pied du mur ! Avec des animateurs et animatrices genre faces à claques ! Y'en a une gang que je passerais à Terry, Vic ! ajouta Dave en souriant malicieusement. Quoique les artistes sont libres d'y aller ou pas ! Puis, l'émission, un coup diffusée, ne reste pas collée sur le téléviseur comme les petits sites nuisibles de l'ordinateur !

— Dis donc, quand tu t'emportes, ça compte, toi !

— Non mais, c'est vrai ! Écoute, j'ai fait plusieurs pays à ce jour et, croyez-le ou non, c'est ici qu'on est le plus mesquin envers ses semblables. Pas dans les autres provinces ! Au Québec ! C'est ici qu'on démolit le plus par envie ou méchanceté ce que de braves artisans tentent de solidifier. Sans parler de ceux qui ont des connexions pour les éloges et les autres qui doivent frapper aux portes pour les mendier !

— Aïe ! t'es rendu loin, là, Dave ! s'exclama Ron. Notre ami Vic semble déboussolé ! Il parlait de son petit bonheur et toi...

— C'est justement de son petit bonheur que je suis parti pour en arriver à toutes ces injustices de la vie. Excusez-moi si je me suis emporté, les gars... Pardonne-moi de t'avoir interrompu, Vic.

— Y'a pas d'offense, Dave. D'autant plus que j'approuve et que je partage tout ce que tu dis. Comme toi, j'suis intolérant face à la bêtise. Même en politique ! Mais j'arrête là et je reprends avec la fin de mon témoignage, sinon on va encore se coucher après minuit. Bon, voilà ! Je disais que je faisais un bon salaire et que, petit à petit, j'ai demandé à Marianne de rester à la maison, mais pour une fois, elle m'a tenu tête. Les enfants étaient rendus sur les bancs d'école et elle ne tenait pas à les attendre les bras croisés ou à épousseter. Elle a donc repris son travail à la garderie à temps plein, c'est ce qui la garde jeune, ça lui redonne de l'énergie. Et elle est de retour à la maison vers 15 h 45, juste à temps pour le retour de Jules et Sophie. Alors on soupe tous ensemble et, après les devoirs scolaires des petits, ils ont droit à leurs jeux jusqu'au coucher. Pas d'ordinateur et pas de télévision le soir pour eux ! Notre fiston a son Nintendo et la petite aime lire, bricoler ou écouter ses disques préférés. Une vraie perle, celle-là ! Le Ciel nous a donné des anges, Dave ! C'est sûr qu'on les élève bien, mais ils ont un bon fond. Pas de malveillance, pas de violence, très forts en classe... Ils ont même des amis qui leur conviennent. Quant à Marianne et moi, les soirées sont courtes. Un peu de télévision, le bulletin de nouvelles de neuf heures à RDI et c'est le coucher, car on se lève assez tôt le lendemain. Les fins de semaine, Marianne va louer un bon film pour la famille et, quand il pleut sans arrêt et qu'on ne peut aller au parc faire de la bicyclette, elle sort les jeux de société que les enfants aiment beaucoup. Comme quand nous étions petits, Ron ! Le Parchési, le *Up and Down*, tu te rappelles des serpents et des échelles ? Là, on commence à leur apprendre le Monopoly. Puis, le samedi soir, quand les enfants sont couchés, nous regardons un film pour meubler le reste de la soirée. Le plus récent à ce jour a été *L'ivresse du pouvoir* avec Isabelle Huppert. On l'avait raté au cinéma, on s'est donc repris... Tu l'as vu, Dave ?

— Heu... non, quoique j'aime bien cette actrice.

— Pas mal fort ! Un film de Chabrol auquel Marianne a accroché ! Voilà donc où nous en sommes dans notre vie à deux, ma femme et moi. Un couple heureux et sans histoire avec deux beaux enfants à choyer. Côté santé, ça va bien, on garde nos doigts croisés. C'était donc le cheminement de celui que tu appelles « le gros », Ron. Rien de renversant, mais content d'avoir réussi ma vie. J'avais si peu confiance en moi...

— Bien, pas mal impressionnant ton parcours, Vic, lui répondit Ronald. Plus intéressant que le mien parce que plus solide. Tu vois ? Moi, je cherche encore ce que tu as déjà trouvé, et j'ai échoué là où tu as réussi en tant que père. J'ai donc du chemin à faire pour te rattraper, mais avec mon drôle de caractère... Disons qu'on a tous nos joies et nos peines, mais quand ces dernières sont derrière nous, comme c'est le cas pour toi, on doit soupirer d'aise. Moi, il m'arrive encore de penser à Carla, parfois à ma fille, Émilie, mais pour ce qui est de Josée...

— C'est de ce côté que tu devrais faire un effort, répliqua Vic.

— Un effort ? L'amour n'a pas à être forcé... Ça vient tout seul. Tu en es la preuve, Vic. Tu n'as pas eu d'efforts à faire avec Marianne.

— Non, c'est vrai, mais comme tu dis, avec ton drôle de caractère... Mais j'ai fini mon récit, moi. Demain, c'est à ton tour, Dave. Tu pourrais peut-être nous en offrir le prologue ce soir. Juste le commencement...

— Non, demain seulement, je me réservais le dimanche, je n'en déroge pas... Ce soir, pour les quelques heures qu'il nous reste, nous allons boire, les amis.

Sur ces mots, David déboucha un vin blanc d'Australie bien frappé, et Ronald tendait déjà son verre.

Victor, fatigué, voire épuisé d'avoir autant parlé, se contenta d'une cannette de Canada Dry et, timidement, demanda à David :

— T'aurais pas quelque chose à grignoter ? Des biscuits soda...

— J'ai mieux que ça, Vic ! Des *pretzels*, des mini-croissants, des chips au sel et au vinaigre, des *cheese sticks*...

— Là, tu parles ! Mais si tu sors les chips, j'te l'dis d'avance, j'vide le sac !

Et c'est ce qu'il fit pendant que Ronald « vidait » les fonds de bouteilles de vin blanc et que David, songeur, légèrement tourmenté, appréhendait son tour le lendemain.

Chapitre 7

Trois heures du matin et David, réveillé par la pluie qui tombait encore, avait peur qu'elle s'infiltre par une fente du toit qui laissait à désirer. Il y avait des limites à pouvoir prendre toute cette eau pour un chalet qui courbait déjà le dos. Il se leva, se rendit à la salle de bain et fouilla dans la petite armoire où il trouva un flacon d'Advil avec deux comprimés collés au fond. Bien sûr que le produit était périmé, il datait de plus de deux ans, mais David se disait que c'était certes mieux que rien pour le mal de tête qui le martelait, conséquence de trop de vin avec Ronald. Il les avala avec un verre d'eau et retourna se coucher sans avoir, par son pas lourd, réveillé les deux autres. Curieux que Ron dorme à poings fermés, lui qui avait vidé la dernière bouteille jusqu'à la lie. « Sans doute un meilleur estomac que le mien... », songea-t-il. Pourtant, les Tums étaient bien en vue sur la table de chevet de son invité. C'était plutôt Dave qui portait bien l'alcool, mais de là à se rendre au verre de trop… Il était évident, toutefois, que Ronald était plus habitué aux « cuites instantanées » que lui qui, de coutume, buvait plus raisonnablement. Le fait d'être nerveux n'arrangeait rien. C'était lui qui allait prendre le fauteuil vert le lendemain. Comment allait-on accueillir son témoignage scabreux ? Surtout Victor qui, depuis son mariage avec Marianne, menait une vie si rangée. Il pensa un instant à leur mentir, à inventer une histoire qui ne serait pas la sienne… Pour ne pas perdre leur estime et leur respect. Il lui serait facile de parler d'un héritage pour justifier son condo, sa voiture, ses voyages… De l'argent que sa mère aurait entassé pour lui avant de mourir. Mais non ! Il n'allait pas impliquer sa défunte mère, la pauvre Virginia, la seule qui l'avait compris et épaulé dans ses projets les plus farfelus. Non, il n'allait pas l'associer à une tromperie aussi odieuse. Comme Ronald et Victor avant lui, il allait jouer franc jeu et s'ouvrir sans frémir. Stoïquement, calmement, comme si son histoire était des plus banales. Ses amis semblaient en admiration devant lui. Qui sait si son récit n'allait pas l'édifier davantage aux yeux de Ron ? Pour ce qui était de Vic, que lui importait la réaction du « gros » qu'il n'allait pas revoir de sitôt. Et puis ? Pourquoi redouter leur étonnement ? Il n'avait ni tué ni volé, il n'avait enfreint aucune loi, il n'avait vécu qu'au gré de ses convoitises. Sans rien perturber de l'échelle des valeurs de la société. Ses paupières étaient plus lourdes, il allait s'endormir, les pilules n'avaient rien perdu de leur effet. Il se départit de son *brief* signé Calvin Klein et, nu comme un ver, se coucha sur le ventre, la joue droite enfouie dans l'oreiller. Dehors, il pleuvait encore aussi fort et, dans la chambre voisine, Victor ronflait. David, paisiblement, se laissa emporter au pays des rêves tandis que sa tête secouée par le vin retrouvait peu à peu son équilibre grâce au labeur des comprimés. Il allait pleuvoir encore lorsqu'il se lèverait. Au grand désespoir, sans doute, de Victor. Mais comme l'avait mentionné la météorologue de la radio la veille, nous allions avoir eu, en incluant jeudi et demain, quatre jours de pluie.

Victor, le premier à mettre les pieds hors du lit en ce dernier jour sans sa Marianne, vociférait contre les nuages qui tenaient tête au soleil. Il n'avait pas attendu, cette fois, que les autres se lèvent pour préparer son déjeuner. David leur avait dit : « Faites comme chez vous ! » et Victor ne s'était pas gêné pour faire griller sur le poêle quatre tranches de pain pour lui seul. Il avait une faim de loup. Puis, pour se réveiller et, du même coup être affable, il fit couler le café pour tout le monde. C'est cette odeur qui fit se lever David qui, enfilant son petit *brief* blanc, se rendit à la toilette en passant devant Victor sans la moindre retenue. Il s'était même arrêté sur le seuil de la cuisine pour lui dire :

— Merci, Vic, ça va me faire ça de moins à préparer ce matin.

— De rien, voyons ! J'ai pensé que le fait de sentir ce bon café allait vous sortir du lit, mais je crois que Ronald n'a pas le sens de l'odorat. Il dort encore comme une bûche, celui-là !

— Faut dire que ce temps de chien n'a rien pour réveiller personne ! Il fait presque aussi noir que le soir !

— Coudon ! L'as-tu commandée, cette pluie-là, Dave ? Tu voulais vraiment pas qu'on mette le nez dehors, hein ?

— Peut-être... En tout cas, ça m'arrange parce que, avec moi sur la sellette aujourd'hui, on va avoir eu juste le temps de se livrer tous les trois. Autrement, on aurait pu perdre l'étendue des témoignages. Et puis, l'été s'arrête pas là ! On aura encore de beaux jours d'ici la fin d'août. Tiens ! Je saute tout de suite sous la douche, ça va me revigorer ! ajouta Dave, en grattant sa poitrine velue. Au même moment, Ronald apparut vêtu d'un *boxer* et d'une camisole grise. Apercevant David en petite tenue, il lui lança :

— Tiens ! Monsieur *Show off* est en évidence ce matin ? J'espère que tu le seras autant en paroles dans le fauteuil vert. Tu sais, je me lève pour ne pas perdre un mot de ton récit, car avec le déluge de cette nuit, pis là, encore de la pluie, je serais volontiers resté au lit jusqu'à midi.

Ils avaient tous déjeuné, « le gros » s'était bourré dans les *toasts* avec fromage et confiture, tandis que David s'était contenté de céréales et que Ronald s'était fait cuire deux œufs au miroir dans la poêle en fonte. Victor, une fois de plus transi par l'humidité, avait enfilé son pantalon cargo, son chandail noir à col roulé, ses bas et ses souliers. Sans attendre que David le fasse, il avait déposé une bûche dans le poêle à bois pour bénéficier d'un peu de chaleur. En plein été ! Ronald, dans son *jeans* bleu moulant retenu d'une ceinture brune, avait endossé une chemise de flanelle à carreaux beiges et noirs. Les pieds dans des bas blancs et des mocassins bruns, il avait l'allure d'un bûcheron de chantier, comme auraient pu dire certaines filles qui se pâmaient devant ce *look*. David, quant à lui, avait revêtu un pantalon de velours côtelé beige qui laissait deviner qu'il ne portait pas de sous-vêtement, et un *t-shirt* brun foncé, ample sur la poitrine. Pieds nus sur le tabouret du fauteuil vert, il semblait fin prêt à ouvrir les pages de son « journal intime ». Il paraissait même pressé de le faire, sans doute pour briser la glace et les affranchir le plus tôt possible sur son parcours pas tout à fait conformiste. Ses deux amis avaient pris place dans leur fauteuil rembourré, Victor plus près du feu, bien entendu. David, constatant qu'ils attendaient que le film se déroule, leur rappela avant le retour en arrière :

— Dans mon cas, je ne vais pas vous demander de comprendre, mais je vous saurais gré de ne pas me juger.

— Bien... là n'est pas notre intention, Dave. Toi-même disais, justement, qu'il fallait tenter de comprendre... répondit Ron.

— Oui, mais il y a de ces cas inexplicables et j'en suis un. Pas surprenant qu'on m'ait renié dans la famille... Ma sœur...

— Ta sœur ne t'a jamais aimé, Dave ! Même quand nous étions au cégep ! Elle a toujours envié le fait que tu sois plus en évidence qu'elle ! Quant à ton père... Je pense que tu as fait ton chemin sans lui !

— Et comment donc ! J'avoue avoir eu besoin de l'appui de ma mère, cependant. Sans Virginia... « Faire son chemin » est un bien grand mot, Ron, je n'ai pas tout à fait réussi, tu sais.

— Bien, si on en juge par ta voiture, le condo dont tu parles, tes voyages et tes vêtements... insista Victor.

— Oui, j'imagine que si on se fie à ce qu'on voit... De toute façon, on commence, oui ou non ? Tourner autour du pot, ça va finir par me figer, moi !

David, les pieds allongés, une cheville croisée sur l'autre comme d'habitude, les mains derrière la nuque, un doigt tournant nerveusement une mèche de cheveux, releva la tête pour leur dire :

— Quand on s'est perdus de vue, j'ai tout lâché ! Finies pour moi les études, même si je n'avais pas achevé mon cégep. J'étais plongé dans une phase contestataire et je ne voulais rien savoir des cours à reprendre qui m'auraient permis de graduer. Plus mon père me reprochait mon attitude, plus je lui disais de se mêler de ses affaires.

Jusqu'à ce que je n'aie plus de nouvelles de lui. Pour un bon laps de temps, du moins. Alors, devant rien à vingt ans, j'ai trouvé un emploi dans un magasin d'articles de bureau. Un emploi minable ! Mal payé ! À peu près comme celui que tu avais, Ron, avant de faire le saut chez ton ex-beau-père. Ma mère trouvait que ça ne me convenait pas, elle désirait que je devienne acteur, elle était prête à me payer des cours, mais je n'avais aucune envie d'être comédien, je n'en avais pas le talent, encore moins la passion. Donc, je végétais. Je sortais avec une fille puis une autre, mais je ne parvenais pas à tomber amoureux. Et je n'étais pas une bête de sexe comme toi, Ron !

— Aïe ! pousse pas trop fort ! Je couchais, mais je ne violais personne ! Elles ont toutes été consentantes !

— Je le sais, je plaisantais, Ron. Ce que je veux dire, c'est que je n'étais pas aussi attiré que toi par les ébats quoique… Je sortais souvent seul, j'allais dans les bars, je prenais un verre, je rencontrais, mais bien souvent ça se terminait là. Moi, coucher le premier soir avec une fille que je ne connaissais pas, ce n'était pas mon genre. Je craignais les maladies vénériennes, les feux sauvages, je ne voulais même pas hériter d'un bouton sur une fesse ! Alors, imagine ! Pas mal imbu de lui-même le bonhomme, mais le temps allait se charger de refouler mes peurs de ce côté-là. Je travaillais donc à ce magasin en attendant mieux, ce qui se produisit un soir alors que je prenais un verre dans un bar de l'ouest de la ville. Un type d'une quarantaine d'années s'est approché de moi et m'a demandé en anglais si j'étais mannequin. Je connaissais certes les bases de la langue de Shakespeare, mais je ne saisissais pas exactement ce qu'il voulait dire. J'avais juste saisi le mot *model*, ou *top model*, et comme il se débrouillait bien en français, il me reposa la question pour se faire répondre « non ». Il m'a alors demandé si j'étais intéressé à le devenir, que j'avais tout pour l'être, qu'il possédait une agence. Surpris, j'ai hésité... Je me demandais si je rêvais ou si ce gars-là ne m'approchait pas pour autre chose. Mais à force de parler, ma méfiance s'est dissipée. Il me faisait miroiter l'argent que je pourrais empocher en posant pour des catalogues de grands magasins et, éventuellement, pour des magazines. Il me remit sa carte et me fixa un rendez-vous pour le lundi suivant, jour de congé pour moi au magasin. Je n'en ai parlé à personne, pas même à ma mère, et je suis allé le rencontrer à son vaste bureau d'un immeuble du centre-ville. Ce qui m'avait fortement impressionné ! Il m'avait fait attendre, histoire de me prouver son importance, mais quand il m'a enfin reçu et détaillé de la tête aux pieds, en plein jour, il a été encore plus enthousiasmé que lors de notre rencontre au bar. Il m'a dit : « Tu vas être parfait pour les réclames, mais pas pour les défilés de mode. Tu es beau, mais trop costaud, trop musclé. Les mannequins des défilés sont maigres comme des asperges, les joues creuses... Mais tu as en plein la tête qu'il faut pour les photographes qui se spécialisent dans les présentations de catalogues et les réclames publicitaires. » Sur ces mots, il me fit passer dans un vaste studio où un maître de la caméra m'attendait avec toutes les toiles de fond possibles et une assistante pour les maquillages et les changements de vêtements. Je n'en croyais pas mes yeux ! C'était donc vrai, l'affaire ? Pas de la frime ? Je me voyais déjà remettre ma démission au gérant du magasin d'articles de bureau. Tu veux bien me verser un autre café, Vic ? Je manque de salive...

— Avec plaisir, mais parle moins vite, Dave. C'est ce que tu me reprochais pourtant... Ton débit est trop rapide.

— Oui, c'est vrai, mais je pense qu'on est plus agité au commencement. Au fur et à mesure, le rythme va sans doute ralentir.

Victor lui servit un café, Ronald en prit un également, et David, brassant le sucre pour le dissoudre, reprit plus lentement :

— La séance de photos d'essai dura pas moins de deux heures. On me fit changer de vêtements je ne sais combien de fois, pour ensuite me prendre en sous-vêtements d'une marque populaire, pas du Calvin Klein. Il n'y a que ça qui m'a déplu, même si les vêtements que j'avais portés pour les autres photos n'étaient pas griffés eux non plus. Mais comme il avait parlé de catalogues… Je n'ai rien dit, c'était une audition, pas un contrat. Mais quand le gars, en fait le patron, a vu les épreuves, il m'a regardé et m'a dit : « Toi, tu viens d'être engagé ! » Il était tellement ébloui par le résultat qu'il me signa un chèque de deux cents dollars pour la session de photos expérimentales. Il me recommanda de quitter mon emploi et de rester à l'affût de ses appels. Ma mère était folle de joie ! À défaut de devenir acteur, son fils allait être le plus grand mannequin du Canada. Elle voyait loin, la Virginia ! J'aurais dû la choisir comme agente !

David éclata de rire, Ronald et Victor aussi, et décroisant ses chevilles pour s'asseoir plus droit, les jambes ouvertes, celui qui semblait vouloir se livrer tout entier poursuivit :

— Mon premier chèque, j'ai ouvert un compte de banque avec ! Je me disais que cet argent tombé du ciel allait être le socle de la fortune que je ferais dans ce métier. J'avais décidé que je deviendrais riche sans avoir gradué.

— Ce que tu sembles avoir réussi si on se fie à ce qu'on voit ! lança Ron.

David sourit, mais ne releva pas la remarque. Se massant la poitrine de sa main gauche sous son *t-shirt*, il gardait la droite pour gesticuler au besoin :

— Mais je suis tombé sur le cul la semaine suivante quand ma mère, fouillant dans ses circulaires, me cria : « David ! Viens voir ! T'es là ! En p'tit sous-vêtement blanc ! » Je m'emparai de la page du journal et c'était exact. J'étais là ! En sous-vêtement d'une marque bon marché ! À trois pour cinq piastres en fin de semaine ! Pour la vente hebdomadaire d'un magasin à grande surface très peu répandu. Pas dans les majeurs, un que je n'ose même pas nommer ! J'ai eu honte, les gars ! Le papier était de si mauvaise qualité que la couleur de ma peau était sombre. J'avais même un *spot* rouge foncé sur le ventre, on aurait dit une tache de vin ! Si seulement on m'avait *croppé* le visage, comme ils disent dans leur jargon, mais non, on voyait mon sourire niais. J'étais si en maudit que j'ai déchiré la circulaire ! J'avais peur qu'on me reconnaisse, qu'on se paye ma tête dans mon entourage. J'avais quitté mon emploi deux jours avant. Pour ça ! Pour un gars riche qui m'avait eu comme un épais pour deux cents piastres ! L'audition était une commande, pas un essai ! Voilà pourquoi il m'avait dédommagé, le salaud ! Fort heureusement, je n'ai pas entendu parler de ma réclame les jours suivants. Personne ! On ne m'avait sans doute pas reconnu avec le visage couleur de terre ! Mais j'ai engueulé le *boss* de l'agence comme du poisson pourri. Il m'avait dit que j'avais été grassement payé et de ne pas m'en faire avec cette annonce, qu'il avait un contrat pour moi à New York la semaine suivante. New York ? J'ai retrouvé mon assurance, j'ai relevé le menton... Sans savoir que ce contrat-là allait être le début de mes plus grandes désillusions. Oui. Parce que, même à l'aise pour ne pas dire riche, je n'ai jamais été fier de moi par la suite. Il n'y a qu'ici, dans ce chalet, que je me retrouve les deux pieds sur terre. Je le garde intact, tel qu'il était, parce qu'il représente les années de ma candeur, celles où il n'y avait que ma mère et moi pour en respirer l'air. Celles où la pauvre Virginia, Dieu ait son âme, voulait un grille-pain et où je réussissais à la convaincre que les *toasts* étaient meilleures sur un rond de poêle. Parce que c'est ce que j'avais de plus rudimentaire dans l'âme, de plus mélancolique au cœur. Et j'y tenais comme à la prunelle de mes yeux. Pas de grille-pain et personne dans mon univers secret. Personne de tous ceux rencontrés, sauf un. Et en cette fin de semaine, vous deux ! Pour agréer nos retrouvailles ! Après, ce sera le cadenas jusqu'à l'an prochain.

David, ayant encore parlé trop vivement, se sentit à bout de souffle. Regardant Victor, il lui demanda de lui verser de l'eau, alors que Ronald réchauffait son café noir.

David, après s'être levé pour faire le tour de la pièce, reprit son fauteuil pour continuer :

— J'y suis allé, à New York ! En autobus payé par lui ; il me disait que le retour par avion serait défrayé par l'agent qui m'attendait là-bas pour une session de maillots de bain. Il m'avait aussi remis quarante dollars pour me rendre à l'hôtel en taxi, m'assurant que la chambre était payée pour deux nuits. Crédule à l'excès, je n'avais pas apporté d'argent ou si peu, tout devait être réglé par l'autre, les repas inclus. J'avais donc cinquante piastres en poche, rien d'autre, pas même une carte de crédit. J'ai vu New York ! C'est beaucoup dire, car je n'ai vu que l'hôtel où on m'avait *booké*, rien de plus. Un hôtel deux ou trois étoiles, je dirais. Pas mal, mais pas le grand luxe. Ma première surprise a été d'être contacté par un gars qui s'appelait Jeff et qui me disait être là pour la même raison que moi. Je l'avais rejoint au bar et il semblait plus *cool* que moi, plus habitué, très détendu. Vingt-huit ans, beau gars, il n'avait pas pour autant l'allure d'un modèle. Cheveux en broussailles, petite barbiche… On a quand même sympathisé jusqu'à ce qu'un gros ventru s'amène avec une valise remplie de maillots de bain. Des Speedos pour la plupart. Pas mal trop *sexy* pour une réclame, mais je les ai enfilés dans sa chambre pour un photographe délabré qui n'avait qu'un appareil photo usagé. Le fameux Jeff avec qui j'avais parlé au bar n'était pas là. Chacun son tour, m'avait-on dit. On me fit prendre des poses qui n'avaient rien pour vendre un maillot de bain. Pas fou, néanmoins, j'ai refusé d'aller plus loin et le ventru m'avait dit que ce serait encore plus payant si j'acceptais de poser nu sur le lit. Une ou deux photos seulement. Couché sur le ventre… ou le dos ! Je me suis rhabillé et j'ai réclamé mon dû pour ce que j'avais fait comme travail, et le bonhomme m'a dit que j'allais être payé en après-midi au bar, argent comptant, en même temps que l'autre modèle. J'ai douté, mais j'ai fini par le croire, parce que Jeff, décontracté, entrait à son tour pour prendre ma place. L'après-midi, j'ai attendu au bar, en vain, où Jeff ne m'a pas rejoint. Personne n'est venu et j'ai ensuite appris, à la réception, que le ventru et son photographe étaient partis après avoir remis les clés de leur chambre. Évidemment, on refusa de me donner leur nom et leur adresse. Aucun renseignement possible ; ils avaient réglé leur addition et n'avaient enfreint aucune règle de l'établissement lors de leur court séjour. Je n'avais qu'une carte avec un numéro de téléphone, pas de nom personnel, que celui d'une agence inexistante. Vers la fin de la journée, j'ai téléphoné à Montréal pour parler à mon agent, mais il n'y avait plus de service au numéro composé. Je n'avais presque plus d'argent, pas de billet de retour, que ma chambre pour une autre nuit. J'ai compris que je venais de me faire avoir et que le fameux Jeff n'était qu'un complice du gros ventru pour me rassurer et, peut-être, m'initier comme il l'avait été à la pornographie. Mal pris, j'aurais pu appeler ma mère, elle m'aurait fait parvenir de l'argent ou tout régler au bout du fil, mais j'étais trop humilié. Il ne fallait pas qu'elle apprenne qu'on s'était payé ma tête, qu'on avait tenté de m'embarquer... Bref, il fallait que je m'en sorte seul et que j'aille voir à Montréal ce qui se passait avec l'agence que je ne pouvais plus atteindre. Je suis allé manger deux hot-dogs d'une cabane stationnée sur la rue de l'hôtel, une espèce de *snack bar* ambulant pas trop recommandable. Puis, de retour à l'hôtel, j'ai flâné jusqu'au 5 à 7, les heures du 2 pour 1, et je suis allé prendre deux bières au bar afin de réfléchir à comment m'en sortir. Avec la tête haute, de préférence. Quinze minutes s'écoulèrent et un rouquin d'environ quarante-cinq ans m'offrait de l'argent en échange de mes services. Je refusai poliment et je commandai une autre bière quand une dame d'âge mûr, la soixantaine avancée, corpulente, saoule et titubante, ayant sans doute déjà bu ailleurs, vint s'asseoir à deux *stools* de moi. Je la surveillais, je croyais qu'elle allait tomber, son tabouret rond sans dossier pivotait constamment. Vint un moment où elle me regarda et me demanda de prendre place près d'elle. Je bougeai d'un siège et, dans un anglais cassé par sa nationalité, hongroise ou tchèque, elle m'offrit un verre. Elle portait des bagues en or à chaque doigt ou presque, des lunettes de marque et, richement vêtue, elle arborait une perruque blonde coiffée comme dans les années 1960. Haute sur la tête, boudins tombant sur la nuque. Un peu comme ma mère quand elle portait ses postiches et ses faux cils ! J'étais petit à ce moment-là, mais l'image m'est restée. Quand elle paya les verres, je remarquai qu'elle avait une liasse de billets dans son sac à main. Honnête, je lui conseillai de garder sa sacoche fermée et, avec un sourire qui laissait voir son dentier qui se dandinait sur ses gencives, elle m'offrit cinq cents dollars si j'acceptais de la suivre à sa chambre. J'ai failli tomber à la renverse !

La grand-mère, excessivement saoule, voulait se payer à gros prix un p'tit jeune qu'elle trouvait *cute*, m'avait-elle dit. Demandez-moi pas pourquoi, mais j'ai joué le jeu et je lui ai répondu que je la suivrais si j'étais payé d'avance. Elle ouvrit son sac et me remit cinq billets de cent qu'elle me demanda de compter après les avoir glissés dans ma poche sous le comptoir. Pas prudente, la touriste, j'aurais pu déguerpir avec l'argent en peu de temps puisque personne n'avait remarqué le geste, mais comme je suis intègre, je l'ai aidée à descendre du tabouret et, lui offrant mon bras, je me suis dirigé vers l'ascenseur avec elle. En la soutenant, bien sûr !

— Quoi ? Tu y es allé ? Avec la vieille éméchée ? cria Victor, outré.

— Oui, je suis monté avec elle jusqu'au douzième étage, je l'ai laissée ouvrir sa porte, elle est entrée, m'a entraîné par la main jusqu'à la chambre, puis assise sur le bord du lit, elle a tenté de défaire la ceinture de mon pantalon lorsqu'elle est tombée ivre morte sur l'oreiller. J'ai attendu quelques minutes, j'ai remis mon veston et je suis retourné à ma chambre avec cinq cents dollars en poche ! J'avais été honnête, j'avais accepté cet argent en échange de caresses, mais je savais qu'elle était au bout de sa corde et que la chaleur de sa chambre l'endormirait dès qu'elle toucherait le matelas. J'avais la conscience en paix, je ne l'avais pas dévalisée.

Ron et Vic se regardaient, estomaqués, mais comme Vic n'osait intervenir après son emportement soudain, c'est Ron qui demanda :

— Mais si elle ne s'était pas endormie, Dave ?

— Bien quoi ? J'en serais pas mort ! Y'a pire que ça, non ?

Victor avait froncé les sourcils, mais il n'osait rien dire de peur d'offenser David qui avait été si accueillant avec eux. Ronald, toutefois, plus en compétition avec David, ne se retint pas pour lui envoyer :

— Mais c'était quand même...

— Quand même quoi ? Dis-le, Ron, ne te gêne pas !

— Bien... vendre son corps à une vieille dame...

— Non, je n'avais rien à vendre, moi ! C'est elle qui voulait acheter ce qu'elle n'avait pas vu. Je n'ai fait qu'encaisser et partir.

— Mais tu viens de dire que si elle ne s'était pas endormie...

— Bien oui ! Je l'aurais laissée faire... J'aurais été passif, rien de plus. Il fallait bien que je rentre à Montréal, j'étais cassé comme un clou !

— Tu... tu aurais pu appeler ta mère.

— Oui, Ron, j'aurais pu l'appeler et je ne l'ai pas fait pour ne pas qu'elle constate que je m'étais fait avoir par l'agence. Puis, il y avait la fierté et l'humiliation... Je viens de te l'expliquer pourtant ! Si tu as des scrupules à ce point, mieux vaut m'arrêter là !

— Non, non, surtout pas, mais comme on a le droit d'interrompre...

— Oui, je te l'accorde, mais ne sursaute pas à chaque révélation, tu risques de tomber en bas de ta chaise. Toi aussi, Vic ! Je vais poursuivre, mais n'affichez pas cet air consterné, sinon j'aurai l'impression de me confesser à deux curés !

Ronald baissa les yeux, Victor regarda dehors, et David enchaîna :

— De retour à Montréal le lendemain soir, en autobus parce que ça coûtait moins cher et pour qu'il me reste le plus possible de cet argent, j'ai dit à ma mère que la session avait été réussie et qu'on m'avait payé grassement pour ces photos qui devaient être utilisées sur des emballages de maillots de bain, mais aux États-Unis seulement. Pour ne pas qu'elle se mette à chercher le produit dans tous les magasins ! Puis, le matin suivant, je me suis rendu à l'agence pour y lire, collé sur la vitre, que c'était fermé. Un voisin du même palier de l'édifice m'a dit, devant mon air ahuri : « Cherche-le pas, y'est parti, c'te pas bon-là ! J'espère qu'y t'doit pas d'argent parce que t'en verras pas la couleur ! T'es le troisième à t'cogner l'nez dans sa porte à matin ! Y'est parti sans laisser d'adresse avec deux mois de loyer pas payés. Y travaillait sous un faux nom, selon ma p'tite enquête, j'ai même su qu'il avait opéré avec une autre identité dans un *building* de la rue Sherbrooke l'année passée. La réceptionniste n'a même pas eu sa dernière paye ! Comme ça marchait pas, ses affaires de supposés modèles, y'a préféré s'pousser ! Qu'est-ce qu'y faisait au juste avec vous autres ? » J'ai préféré hocher la tête, ne pas répondre et redescendre par l'escalier. Je venais d'être renseigné, mais, Dieu merci, il ne me devait rien contrairement à d'autres. J'avais pas fait beaucoup d'argent avec lui, mais il m'avait au moins formé dans le métier. Là, sans emploi, avec le peu que j'avais à la banque, il fallait que je trouve vite.

Chanceux comme j'étais, je suis tombé sur Andy le soir même. Il avait travaillé comme modèle plus d'une fois pour cette agence, mais, se méfiant de ces requins, il s'était toujours fait payer comptant ! Et il avait sans doute accepté ce que j'avais carrément refusé. Assis au bar-salon d'un hôtel du centre-ville, il m'avait suggéré :

— Écoute, Dave, si tu veux faire pas mal d'argent, t'as qu'à me suivre et je te présente à mon *boss* demain !

— Je veux bien, mais tu fais quoi maintenant ?

— Je danse.

— Tu danses ? Où ça ? Pour les grands ballets ? Fais-moi pas rire !

— Non, je danse dans un bar pour dames, on est douze à le faire chaque soir. Si tu veux, je te fais engager.

T'es beau gars, t'as ce qu'il faut, tu vas faire de l'argent comme de l'eau !

— Mais... j'sais pas danser...

— Moi non plus ! T'as juste à te déhancher pis, lentement, tu te débarrasses de ton petit *slip* !

— Quoi ? Tu veux dire...

— Danseur nu ! C'est ça ! Pensais-tu que c'était pour une comédie musicale ?

J'avais failli tomber sur le dos ! J'avais terminé mon scotch soda d'un trait et je m'étais levé pour rentrer. Andy, me retenant par le bras, me dit :

— Libre à toi, mon vieux, mais si tu changes d'idée, t'as juste à m'appeler. C'est quand même respectable ce qu'on fait, les femmes n'ont pas le droit de te toucher, sauf pour te glisser des billets de dix ou vingt piastres dans ton petit caleçon blanc. C'est gênant les premiers temps, mais on s'habitue vite. Pis t'auras un nom de scène, moi, je travaille sous celui d'Andy West. Pis, si ça t'gêne trop, y'a toujours ça pour te donner du *guts* !

Il avait tenté, à ce moment-là, de me glisser un petit sachet blanc dans ma poche, mais je l'en ai empêché en lui disant :

— Non, merci, je ne touche pas à ces cochonneries-là, moi !

Puis, je suis parti en lui disant de m'oublier pour la job de danseur de troisième ordre. Jamais je n'aurais fait ça ! C'est du moins ce que je croyais ce soir-là.

David se leva, sortit un plateau sur lequel il déposa des biscuits au miel, d'autres à la cannelle, et le présenta à Victor :

— Tiens ! En guise de coupe-faim en attendant le lunch. Tu veux bien me verser un autre café ?

Victor s'exécuta tout en s'en versant un ainsi qu'à Ronald, et plongea vite la main dans les biscuits pour combler son petit creux. David, constatant qu'ils n'avaient rien à lui demander pour le moment, poursuivit tout en remarquant l'air étonné qu'affichait Ronald :

— J'ai donc repris le chemin du retour et j'ai vécu aux crochets de ma mère durant un mois, l'assurant qu'on allait me rappeler bientôt pour des réclames de catalogues ou d'autres contrats. Elle payait tout, ce qui m'empêchait de puiser dans ma petite réserve bancaire. Je me sentais *cheap* d'agir de la sorte, mais je n'avais pas le choix. Je ne sortais même pas pour ne pas avoir à la quêter davantage. Ma mère avait de bonnes économies, mais elle ne roulait pas sur l'or. Je n'ai pas appelé une seule fille pour aller au cinéma, je n'avais pas le budget pour ça, je grattais les fonds de tiroirs. Puis, j'en ai eu assez de mendier ma mère ainsi à vingt ans ! Pas avec le corps que j'avais et les gains qu'on m'avait fait miroiter. Ça fait prétentieux de parler ainsi, mais je n'étais pas aveugle et on me le disait à tour de bras. Je n'avais pas de diplôme, je ne voulais pas reprendre les études, ce que j'aurais dû considérer, et je souhaitais faire de l'argent sans travailler comme un forcené. J'avoue que je n'étais pas des plus vaillants, je ne le suis pas plus aujourd'hui, mais je voulais profiter quand même de la vie, voyager, voir le monde avant d'avoir quarante ans... Et je l'ai fait ! Par mes propres moyens, en restant le plus convenable possible dans ma démarche. On a beau dire « en marge de la société », mais quand on ne fait de tort à personne... Tout cela pour vous dire que j'ai rappelé Andy et qu'il m'a invité à aller le rencontrer au bar où il travaillait, afin de voir comment ça se passait. Caché derrière le vaste paravent de la scène, j'observais. Je n'avais jamais vu autant de femmes dans un même lieu ! Ça se bousculait pour avoir les meilleures tables ! Que des femmes ! De tous les âges ! De vingt à soixante ans ! Andy West et les autres avec des noms d'emprunt ont dansé pour elles. Jusqu'à se dévêtir ! Sans aucune gêne ! Je n'en revenais pas ! Mais ce que je remarquais, c'étaient les multiples billets de dix et vingt dollars que les dames accrochaient aux *slips* des danseurs pour les inciter à se montrer nus. Il y en avait un qui avait, accroché au derrière, le salaire hebdomadaire que je faisais comme commis-vendeur ! Je me suis finalement dit : « Si eux sont capables, moi aussi je le peux ! » L'appât du gain m'attirait plus que les clientes. Certaines avaient les doigts longs, ce qui était pourtant interdit. À la fin de la soirée, Andy me présenta au *boss* qui me fit mettre à poil et qui me demanda de me déhancher au son d'une musique. Je l'ai fait en me basant sur ce que j'avais vu et il m'a dit : « Tu l'as, Dave ! Tu vas faire des ravages pour un bout de temps ! As-tu un nom de *stage* ? » J'ai hésité, j'ai jonglé un peu et j'ai répondu : « Dave Johnson. »

— Pourquoi ce nom ? l'interrompit Ronald.

— Parce que ça m'est venu subito presto ! Ma mère était une fan de l'acteur Van Johnson, elle avait même regardé un de ses films en noir et blanc à la télévision la veille. Ça ne pouvait pas mieux tomber !

Je suis rentré chez moi après avoir bu une bière que le patron m'avait payée et, me regardant dans le miroir, je m'étais dit : « Pas honorable comme emploi, mais ça vaut mieux que de prendre du poids à rester écrasé dans mon salon ! » J'ai investi dans deux *strings* noirs et un *brief boxer* de vinyle rouge que je comptais laver chaque soir. Du moins pour commencer ! Et je me suis rendu pour mon premier *show* le vendredi suivant. Là, j'ai eu le trac, j'étais moins sûr de moi torse nu derrière le décor. Avec Andy pour me rassurer et m'encourager. Et j'ai tressailli quand le DJ a annoncé d'une voix forte au micro : « Dave Johnson » comme si j'étais la découverte du siècle ! Je ne sais pas comment j'ai fait pour avancer sur la scène, sourire, me déhancher et lentement retirer mon *jeans*. Un *strip* progressif qui me gênait terriblement. Avec les *spots* sur moi, je ne voyais pas toutes les femmes, mais j'entendais ce qu'elles disaient. C'était flatteur, sensuel, indécent, parfois vulgaire ! Les femmes d'âge mûr avaient les doigts plus longs que les plus jeunes. Elles étaient plus entreprenantes, plus osées... Parce que plus généreuses, elles se croyaient tout permis. Fort heureusement, Andy m'avait appris à contourner les mains allongées... Mais je l'ai donné, mon *show*, et je suis sorti de là les poches bien remplies, en plus de ma paye du club. J'ai donc continué les jours suivants, la semaine d'après, le mois complet ! « Dave Johnson », en peu de temps, était celui que toutes les femmes adulaient. J'en profitais et je ne gaspillais pas mon argent, j'avais loué un coffret de sûreté que je remplissais au fur et à mesure que ça rentrait.

— Tout ça sans payer d'impôts, Dave ? *Cold cash* dans tes poches ?

— Tiens ! Le fonctionnaire qui parle ! Bien sûr que c'était clair à moi, comme ça se passe encore de nos jours. Penses-tu que j'aurais fait ça pour un salaire avec déduction à la source ?

— Non, j'imagine, mais tu me renverses ! ajouta Vic.

— Pourquoi ?

— Bien... parce que t'as l'air trop distingué, trop éduqué pour avoir fait ce métier. Pas facile de se figurer...

— J'avais vingt ans, Vic ! On fait tous des folies à cet âge-là, Ron le premier, il s'est marié !

— Tant qu'à ça, t'as pas tort, mais t'as continué longtemps ?

— Quatre mois. Jusqu'à ce que la clientèle se lasse de moi. C'est comme ça que ça se passe pour les danseurs. Tu arrives, tu les séduis, tu deviens la vedette.

Mais, entre-temps, d'autres se présentent et le décalage commence. Tu recules dans le rang, les billets verts sont moins nombreux dans ton maillot. Tu t'en rends compte et tu t'arranges pour quitter le club avant que le *boss* t'indique la sortie. Andy était déjà parti, mon tour s'en venait.

— Tu ne recevais pas de propositions de ces femmes ?

— Sans arrêt, Vic ! Pour une nuit, pour une semaine, pour un déplacement avec elles à New York ou ailleurs. Les clientes se manifestaient régulièrement. Il y avait même une avocate dans la quarantaine qui voulait que j'aille habiter avec elle. Elle était prête à me verser un salaire pour m'avoir à elle seule ! Une autre, la femme d'un chirurgien, m'a offert de l'accompagner à son luxueux chalet pour un week-end pendant que son mari était à une convention à Paris. Les offres n'arrêtaient pas, mais que veux-tu, pour ces femmes nous étions des hommes-objets, des *toy boys* comme on les appelle de nos jours.

— Tu n'as jamais accepté une seule proposition ? Tu étais pourtant avide d'argent ! insista Vic.

— Non, pas une seule ! Je voulais bien danser, mais pas me vendre ainsi. Devenir un gigolo, me faire entretenir, leur appartenir, non merci. Les femmes sont si possessives ! J'avais encore assez de fierté pour me tenir debout sans tomber dans les filets tendus… Je voulais gagner mon argent honnêtement !

— Tu pousses pas un peu ? Honnêtement ! Dans ce milieu-là !

— Oui, Vic, parce que quoi que tu en penses, je dansais ! C'était ça mon métier ! Je dansais à en être en sueur, comme un autre est lutteur ou chanteur. J'exerçais un métier, je ne me droguais pas, je ne buvais pas, je fumais à peine. Mais je faisais de l'argent comme je l'avais souhaité. Tant pis si t'as des préjugés !

— Non, c'est pas ça, sauf que ça me dépasse, Dave. J'pensais pas…

— Et toi, Ron, tu ne dis rien ? Tu ne m'as pas interrompu une seule fois depuis un bout de temps ! Je t'ai pourtant vu sursauter.

— Un peu, mais je jongle, Dave, je tente d'assimiler… Ça me renverse tout ce que tu nous dis. Un tel milieu et rester *clean*…

— Ça, c'était mon défi ! J'aurais pu sombrer comme beaucoup d'autres, mais je ne voulais pas me retrouver à trente ans le bec à l'eau ! C'est pas parce qu'on est marginal qu'on ne peut pas être intelligent !

— Tu as raison, tu en es la preuve, Dave… Qu'est-ce que t'as fait après ?

— Écoutez, les gars, on prend le brunch et, ensuite, on passe à l'autre partie. Et j'espère ne pas vous empêcher de digérer !

— Je me demande bien pourquoi, Dave ! Tu es du genre si réfléchi…

— Oui, maintenant, mais pas à ce moment-là. J'ai poussé un peu plus…

— Ce qui veut dire ? demanda Ron.

— Que sorti du milieu des femmes, j'ai remis mes *briefs* dans mon *club bag* pour me retrouver chez les hommes !

Chapitre 8

Ayant pris place à table, Ronald et Victor s'échangeaient des regards dès que David se levait pour sortir du frigo soit les œufs farcis, les viandes froides, les pâtés de foie, ou le thon, les fromages et les desserts... Sans oublier, bien sûr, le pain croûté du « gros » ! Pour une fois, Ron et Vic étaient complices. Ce que venait de leur débiter David les déconcertait, surtout Victor qui semblait réprouver toute marginalité. Ronald, un peu plus *wild*, plus leste dans tout, avait, au cours du témoignage de Dave, envié ce dernier. Pas pour l'argent que son drôle de métier lui avait rapporté, mais pour avoir été adulé des femmes, payé pour leur montrer ce qui les avivait, avoir été caressé en passant... Bref, Ron, esthète et imbu de lui-même, se disait qu'il serait allé plus loin que son ami dans pareil cas. Il n'aurait certes pas détesté être le « joujou » d'une avocate ou d'être choyé par la femme d'un chirurgien. Une espèce d'envie s'était emparée de lui jusqu'au moment où Dave leur avait dit qu'il avait changé son fusil d'épaule. Ronald avait hâte de connaître la suite, d'autant plus que Dave était devenu très à l'aise financièrement. Mais de là à empocher l'argent des hommes, comme il le présumait... Ronald hésitait, songeait... Ce fâcheux tournant ne semblait pas avoir eu d'effets négatifs sur son copain, mais tout de même ! Pour ne rien freiner du scénario qui suivrait, Vic et Ron avaient décidé de ne pas revenir sur l'aveu qui les avait sidérés. Installés devant un « banquet », ils s'empiffraient de tout ce que Dave avait préparé la veille avant d'aller se coucher. Victor en était à ses derniers Canada Dry, mais il avait remarqué que Dave avait des cannettes de Cott Up lime et citron, ce qui pourrait prendre la relève. Ron, de son côté, ne s'était pas fait prier pour déboucher un bon Saint-Véran que Dave avait gardé au frais toute la nuit. Assis autour de la table, ils causaient d'un peu de tout : cinéma, lecture et sports, comme si de rien n'était. David n'ouvrait aucune parenthèse sur son changement de cap, ce qui voulait dire d'attendre la continuation en après-midi. Pour briser la monotonie de cette autre journée pluvieuse, Ron demanda à Vic à brûle-pourpoint :

— Qu'est-ce qui te fatigue chez une femme, toi ?

— Me fatigue ? Pas grand-chose... Tu veux dire ce que je ne tolère pas ?

— Oui, si tu préfères...

— Bien... les fumeuses ! J'ai horreur de l'odeur de la cigarette ! Je me souviens d'avoir dansé avec une belle jeune femme à un mariage, et d'avoir reculé de deux pieds à cause de l'odeur de tabac qu'elle dégageait. Tout son charme s'était évanoui d'un coup ! Je l'imaginais devenue vieille, avec la voix rauque causée par les ravages de la nicotine ! On dirait que c'est pire pour la femme, cette brisure des cordes vocales. J'entrevoyais aussi ses doigts jaunis à la longue, son teint vert, ses rides précoces, car fumer fait vieillir la peau plus vite...

— Décidément, les fumeuses n'ont guère ta faveur...

— Non ! Je suis pour le « vivre et laisser vivre », mais je me tiens loin des esclaves de la cigarette. Je n'en aurais jamais épousé une. Je tolère un peu plus les hommes parce que je n'ai pas à danser avec eux dans les noces ! ajouta « le gros », en riant bêtement de sa blague.

— Tu endures les fumeurs chez toi ?

— Bien, voyons donc... T'es fou ou quoi ? Ils vont tous fumer dehors ! Ou je ne les invite pas ! Avec les enfants, pas d'exception ! C'est surtout pour eux que j'agis de la sorte. Mes petits n'ont pas à respirer la fumée secondaire de ces intoxiqués ! Ma femme non plus ! Tu sais, la fille avec qui je dansais au mariage ? Je lui avais dit : « Comment peux-tu faire ça à tes poumons ? » Décontenancée, mal à l'aise, elle était allée se rasseoir sans que rien ne paraisse. Et ça faisait mon affaire, car elle avait déjà empesté mon veston de son haleine insupportable ! Bon, c'est assez, t'as eu ma réponse ! Et toi, Ron, quel genre de femme te déplaît ?

— Celles qui parlent fort ! Celles qui ont une voix aiguë et un rire strident ! Tu as déjà vu ça, toi, huit femmes à table dans un restaurant, qui rient à chaque seconde de la blague de l'une d'elles ? C'est tellement désagréable pour les autres clients ! Et peu discrètes, on entend tout ce qu'elles disent, on pourrait jurer qu'elles sont dans leur cuisine. Aucun respect pour les autres ! Ça parle fort, ça rit avec un *high pitch*, ça énerve ! Moi, quand j'en vois six ou huit qui s'installent pas loin de moi, je change de table ! En plein milieu du repas ! Et je m'en sacre si elles s'en aperçoivent ! Je n'ai pas à supporter ces voix criardes et ces rires perçants à rendre sourd quand j'ai un dîner d'affaires. Sur ce plan, les hommes sont plus discrets. C'est peut-être dû au fait qu'ils ont des voix plus graves ; il y en avait sept à une table voisine dernièrement et c'est comme s'il n'y avait eu personne ou presque. La discrétion totale. Un rire de temps à autre, mais pas à écorcher les oreilles. D'ailleurs, je n'ai jamais fréquenté une femme à petite voix haute énervante. Carla avait une voix sensuelle, ma femme était dans la moyenne et Josée a un ton plutôt bas. Ma mère avait aussi la hantise des voix aiguës. Elle aimait les chanteuses comme Barbara, Éva, Dany Dauberson, Cher, Michelle Torr... Fallait pas lui parler de Doris Day et encore moins de Teresa Brewer dans l'temps ! Ça te dit de quoi, ces noms-là, Dave ?

— Doris Day, oui, mais l'autre, ça doit être du temps de ma grand-mère, Ron ! Je ne la connais pas.

— Pourtant, c'est dans les années 1950, celles de nos mères ! La mienne avait plusieurs disques de cette époque sauf ceux de Teresa Brewer ! Tiens ! va voir sur l'Internet, ils ont tout sur elle ! Elle est décédée l'an dernier et elle était *cute* en maudit quand elle était jeune et populaire. Le style de Vic, je dirais ! Pour résumer, vous venez de savoir le genre de femme qui m'horripile. Moi, je suis pire que Vic, je ne les endure même pas, je les fuis comme la peste ! « Vivre et laisser vivre », mon œil avec ces criardes ! Qu'elles vivent... mais loin de moi !

Ronald reprit son souffle et lança en regardant David :

— Et toi qui as tant vu de femmes, qu'est-ce qui t'agace ?

— Ce qui me déplaît à outrance, ce sont les mâcheuses de gomme ! Je suis incapable de voir une femme chiquer sa gomme à gauche et à droite durant des heures. Même pour contrer sa nervosité ! Une mâchée de gomme, ça enlève toute la classe d'une femme. Elle pourrait s'habiller chez Versace et habiter le Ritz Carlton lors de ses déplacements, elle perdrait tout mon respect si elle mâchait de la gomme. Surtout en public ! Ma mère détestait les mâcheuses de gomme, il n'aurait pas fallu que j'arrive avec l'une d'elles à la maison. Mais ça n'aurait pas pu arriver, je ne les tolère pas moi-même. Imagine quand une femme le fait en pleine télévision ! J'en ai vu plusieurs mâcher leur gomme et arrêter sec quand elles se rendaient compte que les caméras étaient braquées sur elles. Les femmes de sportifs surtout, quand elles sont dans les estrades. Et je ne comprends pas pourquoi ces champions ne leur demandent pas d'abandonner cette manie qui leur enlève leur dignité et leur féminité. Ne serait-ce que pour leur propre *standing* à eux ! La gomme, c'est bon pour les p'tits *bums*, pas pour les filles qui ont appris à vivre. J'ai même vu une femme vêtue d'un chic tailleur, coiffée d'un chignon, du genre à faire tourner les têtes, qui la claquait entre ses dents. Une chance que c'était pas une gomme balloune ! Une autre chose qui me déplaît, ce sont les tatouages sur une femme. Ça fait vulgaire, ça fait commun ! Ça donne l'impression d'une femme dépourvue du respect d'elle-même. Et dénuée d'élégance ! Chez un homme, c'est moins pire, quoique je n'en porterai jamais. J'ai remarqué que tu as un bracelet tatoué qui encercle un de tes biceps, Ron...

— Oui, un défi d'il y a dix ans. C'était à la mode, ça faisait macho, c'était courant dans les *gyms*... Là, je m'en passerais bien, mais je suis pris avec, Dave, je n'y peux rien.

— Tu imagines ce que ton bras aura l'air à soixante-dix ans ? Plus de muscles, les chairs flasques, le bracelet tatoué tombant jusqu'au coude...

— Oui, mais... Tout de même, ne me fais rien entrevoir d'aussi repoussant, j'ai encore bien du temps... Sois pas écœurant !

— Alors, imagine ce que ça donnera sur une femme : la fleur sur un sein tombant, le serpent sur une fesse molle et le petit lézard sur la cheville enflée, quand la « p'tite vieille » va se promener avec sa canne et ses souliers lacés. Avec un gros bas noir épais pour cacher le tatouage qu'on pourrait confondre avec un cancer de la peau !

— Dave ! T'es vraiment pas indulgent ! s'écria Victor avec un air dédaigneux.

— Non, je ne le suis pas, parce que personne ne pense à ça avant de le faire ! On est jeune, on veut être *cool* ou *in*, pis on laisse des imbéciles mutiler ce qu'on a de plus précieux, son corps ! Pas juste des p'tites jeunes, j'ai vu des femmes de quarante-cinq ans avec un affreux tatouage sur l'épaule ou le bras ! Elles ne les cachent même pas, elles pensent que ça va nous séduire alors que moi, ça me fait reculer de trois pas. C'est comme les *piercings* ! Ça aussi ça me donne des frissons. Je ne peux pas croire qu'on puisse laisser transpercer son corps avec les risques d'infection et les hématomes qui peuvent surgir et rester à vie. Les oreilles avec six ou sept trous dans chacune maintenant ! Les narines, les sourcils, les lèvres, le nombril, les mamelons, pis les gars vont encore plus loin, ça me donne la chair de poule... On se croirait dans un film de cannibales ! Moi, quand j'en vois une avec un anneau dans le nez, je détourne la tête, ça me lève le cœur ! Ça me rappelle le bœuf dans les prés. La fille d'une amie s'est retrouvée avec la langue paralysée à la suite d'un *piercing* et l'hémorragie a été difficile à arrêter, elle a dû être transportée à l'hôpital. D'autres se retrouvent avec des gencives déchaussées... Bande d'innocents ! Filles ou gars ! Tatoués, percés, pis ça se pense séduisants ! *Sexy* même ! Quand c'est tout simplement grotesque et répugnant ! Mais là, je m'éloigne, Ron, ta question était sur... J'y suis et j'y ai répondu. Moi, les mâcheuses de gomme... Pas capable !

Les trois copains avaient fait honneur au brunch, au vin blanc, au dessert à la vanille que Vic avait vite repéré, et au petit digestif que Ron n'avait pas repoussé de la main. De retour au *living room*, David dans le fauteuil vert, Victor près du poêle et Ronald dans la chaise longue, on attendait avec fébrilité la suite du récit de Dave qui s'était arrêté alors qu'il avait subitement, au cours de sa « carrière », troqué les femmes... contre les hommes !

— Comme je vous le disais, j'ai fait le saut, j'ai changé de bord sur les instances d'Andy qui m'avait dit qu'il y avait encore plus d'argent à faire de « l'autre côté » dans le même métier. Il n'y avait pas assez de clubs du genre pour femmes pour pouvoir changer d'endroit à Montréal. Il m'aurait fallu aller à Toronto, Vancouver, New York même, et je ne voulais pas laisser ma mère toute seule durant des mois. J'ai donc délaissé le nom de Johnson pour devenir Dave tout court et j'ai fait mes débuts dans les bars pour hommes remplis à craquer de clients qui avaient, chacun, un danseur préféré. Tous les danseurs n'avaient qu'un prénom ! Éric, Alan, Réjean, Jason, Gabriel... et j'en passe ! Ce qui était payant, c'est qu'on pouvait déménager d'un club à l'autre, une semaine ici, une autre là, on revenait, on repartait... De même qu'à Québec et dans d'autres coins de la province où on faisait de l'argent. Mais, comme je vous le disais, si on tombait dans les drogues, finie la belle vie. À ce moment-là, un danseur en arrivait à se produire et se prostituer que pour payer sa poudre ou autre substance.

— Ils se prostituaient ? questionna timidement Victor.

— Les offres affluaient ! Moi, je ne l'ai jamais fait ! Je dansais certes aux tables pour un dix de plus, mais...

— Quoi ? Tu dansais dans les recoins ? demanda Ron.

— Tiens ! Tu sembles connaître ça, toi ! T'en as fait le tour ?

— Non, pas le tour, juste une fois, Dave, avec un collègue homosexuel qui avait insisté pour que je l'accompagne. Et c'est là que j'ai vu qu'ils dansaient privément derrière un paravent pour des clients. Je ne te vois pas faire ça, Dave ! Pas toi ! Tu as trop de classe ! Tu me déçois ! s'emporta Ron.

— Alors, sois déçu, je l'ai fait ! Je vous répète que j'avais vingt-deux ans, que j'entassais de l'argent et que ça ne me gênait pas de me faire admirer sur un tabouret par un client qui payait !

— J'imagine que c'était bon pour ton ego ! s'exclama Vic.

— En plein ça ! L'engouement que je suscitais était plus grand chez les hommes que chez les femmes. Il y avait plus de retenue aussi. Je dansais et, contrairement à certaines femmes âgées, les hommes d'âge mûr ne tentaient pas de tripoter la marchandise. Donc, pour écourter un peu, je vous dirai que j'ai fait ce métier qui te « déçoit », Ron, jusqu'à l'âge de vingt-cinq ans.

— Je ne voulais pas dire décevant, plutôt surprenant, balbutia Ron. Mais, dis-nous, Dave, c'est quand même pas avec les pourboires de ces clients que tu as pu devenir riche au point de te payer une telle voiture, le condo, les voyages...

— Non, tu as raison, mais j'avais déjà, en sortant de là, un coffret de sûreté passablement « meublé ». Je ne sortais pas, je ne buvais pas...

— Comment faisais-tu quand les clients t'offraient un verre ?

— J'acceptais, je commandais un *rhum and coke*, et le *waiter* m'apportait un *coke* sur glace, rien d'autre dedans. De toute façon, ça revenait pas mal au même prix et j'encaissais un pourcentage sur les *drinks* que je me faisais payer. Mais, je vous le redis, je n'ai jamais accepté la moindre proposition de qui que ce soit lorsque j'étais danseur. Non pas que j'avais des scrupules...

— Tu n'étais quand même pas homosexuel ou bisexuel… répliqua Ron.

— Ni l'un ni l'autre, Ron, et encore aujourd'hui… Je ne suis que « sexuel » d'occasion. Ce qui veut dire que je prends ou que je me donne selon les circonstances et les impulsions du moment.

— J'ai peine à te suivre, ce n'est pas très précis…

— Attends, tu comprendras au fur et à mesure de mon cheminement.

— Parce que tu es allé plus loin ? Tu as donc poursuivi…

— À vingt-cinq ans, je voulais tout arrêter, reprendre les études, changer de vie… Mais ma mère est morte, Ron ! D'un cancer dont elle a beaucoup souffert…

David avait les yeux embués en se remémorant les derniers moments de Virginia, sa mère bien-aimée. Mal à l'aise, Ron ne savait que dire, et David poursuivit :

— Quand elle est décédée, qu'on l'a enterrée, que mon père m'a à peine regardé et que ma sœur, Geneviève, m'a renié, j'ai compris qu'on savait ce que je faisais dans la vie. Effectivement, c'était un client d'un club en vue où je dansais qui m'avait reconnu. Ayant étudié avec ma sœur, il s'était empressé de lui écrire pour lui dire que son frère était le plus beau danseur nu de la métropole. Donc, répudié par elle et le paternel, j'ai quand même enterré ma mère avec amour. Elle qui m'avait tant soutenu, croyant que j'étais mannequin pour une agence et qui rêvait de me voir un jour au grand écran… Ma mère n'a jamais su ce que je faisais réellement, mais, si elle l'avait appris, je crois bien qu'elle m'aurait épaulé du seul fait que j'étais en vue, envié, et bien payé. Virginia aurait même cru qu'un danseur pouvait devenir un acteur ! Et comme elle avait confiance en moi, elle ne craignait rien du côté de l'alcool et des drogues… Elle connaissait son fils, ma mère. Mais, bon, elle est partie, je l'ai pleurée longtemps et j'ai accepté sans sourciller le reniement de ma sœur et le mépris de mon père. De toute façon, je n'avais reçu de lui que ce vieux chalet, rien d'autre, pas même une marque de tendresse lorsque j'étais petit. Or, ce qui a envenimé les choses, c'est que ma mère m'avait tout légué dans son testament. Son appartement, ses bijoux, ses meubles et son argent. Rien à ma sœur qui, selon elle, vivait richement avec son concubin, médecin. Geneviève est repartie en claquant la porte et, deux jours plus tard, songeur, hésitant, je me demandais si j'allais tout laisser tomber ou poursuivre en empruntant le dernier sentier qu'Andy m'avait fait miroiter. Un cran plus haut, évidemment.

— Comme quoi ? demanda Vic.

— Escorte pour hommes ! répondit Dave, sans broncher d'un pouce.

Il était évident que le terme avait créé un nouveau malaise. Surtout chez Victor qui n'appréciait guère les gens *off track*, comme il les qualifiait. Ronald était plutôt resté stupéfait par l'aveu. L'étrange parcours de David l'intriguait, le fascinait même. Comme si son ami d'antan s'était élevé à un degré plus haut que lui avec cette vie particulière. Pourtant ! Toutefois, sans relever la dernière phrase lancée froidement par David, Ronald se permit un léger recul :

— Avant de passer au prochain chapitre, Dave, vu que tu as coupé court à tes années dans les bars, je peux te poser quelques questions ? C'est comme si tu nous avais laissés dans la brume...

— Vas-y, Ron, ne te gêne pas, je suis ouvert à tout maintenant.

— Lorsque tu dansais, tu choisissais toi-même ta musique ?

— Non, il y avait un DJ pour ça, mais il tenait compte de nos goûts personnels. Moi, j'ouvrais toujours sur *Careless Whisper* de Wham !, parce que c'était plus long et très sensuel, ce qui donnait le temps à d'autres clients qui entraient de voir la performance. Et après un si long déshabillage, il devenait plus facile d'avoir des clients pour une danse à dix piastres.

— C'est curieux, Dave ! Tu racontes ça sans aucune retenue ! s'emporta Victor.

— Pourquoi en aurais-je ? C'était là ma vie et je vous la déballe comme vous l'avez fait avec la vôtre. Mais si, toi, ça te contrarie, Vic, tu es libre de partir ou de te réfugier dans ta chambre. Je ne voudrais pas t'offenser… Et je tiens à vous prévenir, je vais être direct jusqu'à la fin de mon histoire. J'ai eu du mal à briser la glace, mais là, c'est parti sur une lancée…

— C'est ce que j'aime, moi, murmura Ron. Droit au but ! Spontané !

Victor n'avait rien ajouté, mais ne s'était pas retiré tel que proposé. Les embardées de Dave l'avaient fait descendre dans son estime, mais comme il avait été un hôte exceptionnel, il ne pouvait lui faire l'affront de se montrer trop offusqué. Il allait feindre d'être intéressé, même si l'image de Marianne sur le chemin du retour avec les enfants occupait toutes ses pensées.

— Pour conclure avec la musique, disons que j'ai dansé sur les rythmes de l'époque. Les chansons de Donna Summer, Gloria Gaynor, Elton John, Bryan Adams, et j'en oublie. Ils avaient aussi de la musique sensuelle, dite érotique, qu'ils faisaient tourner pour qu'on devienne plus osés.

— Tu n'as jamais reçu de cadeaux de tous ces voyeurs rassemblés ?

— Oui, c'est bien le terme, des « voyeurs », même si certains, peu chanceux dans leur vie intime, n'avaient que nous pour s'allumer. Des cadeaux ? Oui, on m'en a donné au cours de ces années : des montres, des bagues, de l'eau de toilette, des billets de spectacles, des bouteilles de rye, de gin ou de cognac. Bref, j'acceptais, je remerciais, mais j'ai toujours refusé les dons en argent. Je ne tenais pas à avoir à les remettre en nature, tu saisis ? Ils étaient sournois, les clients, surtout ceux de cinquante ans avec, au poignet ou aux doigts, des montres et des bagues en or... Je prenais donc ce que je n'avais pas à rendre avec mon corps. Mais je n'ai eu aucun ennui, il n'y a jamais eu de descente là où je travaillais et je ne prêtais pas d'argent à personne. Je préférais néanmoins les clubs de l'ouest de la ville à ceux de l'est. La clientèle était plus filtrée et il y avait un plus grand nombre de touristes. Mais j'ai dansé partout ! Des plus beaux clubs de Vancouver et Toronto, jusqu'aux pires trous d'ici où je me retrouvais par hasard certains soirs.

— Et ta mère, Dave ? De son vivant ? Elle ne se questionnait pas sur tes rentrées tardives ?

— Non. Ma mère se couchait tôt avec un ou deux sédatifs pour dormir toute sa nuit. Elle ne se rendait pas compte de mon retour. Je rentrais sans faire de bruit à trois heures du matin et je tombais mort de fatigue sur mon lit. D'ailleurs, je ne me suis jamais attardé après le travail. Pas même pour un verre avec un autre danseur. Je sautais en vitesse dans mes *jeans* et, en deux temps trois mouvements, je m'engouffrais dans un taxi qui me ramenait à la maison. Je ne prenais jamais ma voiture, j'avais peur des vols et des attaques dans les rues avoisinantes. Combien de clients stationnés à ces endroits se sont retrouvés avec un couteau sur la gorge pour se faire vider leurs poches ! Le plus sûr était de grimper dans un taxi et moi, plus averti, j'avais toujours les mêmes chauffeurs qui m'attendaient à la porte. En quelques pas, de l'établissement jusqu'à la voiture, j'étais en sécurité. Je n'ai jamais pris de risques.

— Dernière question, Dave, le fameux Andy dont tu nous parles, celui qui t'a beaucoup aidé dans ce milieu, il n'y a jamais rien eu entre lui et toi ?

— Tu… tu veux dire sexuellement ? Heu… non, Andy n'était qu'un bon copain à qui je parlais au téléphone et que je ne voyais que lorsqu'on travaillait au même endroit. C'était un gars de mon âge qui ne mettait pas en pratique ce qu'il prêchait. Car lui, hélas, a sombré dans l'alcool et les drogues. Il a fini par s'en sortir, mais son corps était flétri. Il est ensuite tombé dans l'autre milieu dans lequel il m'a entraîné et dont je vais vous parler, mais je l'ai perdu de vue quand il est devenu autonome. Je ne sais pas ce qu'il est advenu de lui depuis.

— Autonome ? insista Ron.

— Oui, mais je constate qu'il est temps que je reprenne mon récit, les gars ! Et concernant ta question, Ron, je n'ai jamais eu à coucher avec Andy pour travailler !

Ils se versèrent à boire, et Ron, regardant Dave qui reprenait son fauteuil vert, persistait à croire qu'entre David et Andy… Selon lui, Dave mentait.

Juste avant de changer de pièce, on avait pu entendre à la petite radio de Dave que la pluie fine, qui allait tomber toute la journée, cesserait probablement la nuit prochaine pour faire place au brouillard accompagné de vents forts, et que le soleil allait peu à peu se pointer. Vic, contrarié, avait dit :

— C'est ça ! Un lundi ! Le jour où tout le monde retourne travailler !

— Désolé, les gars, je n'avais certes pas commandé toute cette pluie.

— Je plaisantais, Dave ! Comment se plaindre avec tout ce que tu nous as servi ! On a été reçus comme des rois, Ron et moi !

Ronald avait acquiescé en souriant, sans rien ajouter toutefois. Le passé de David l'obsédait. Il ne savait plus quoi en penser… Le décrier ou l'envier ? Dave avait tellement l'air au-dessus de ses affaires… Puis, il n'était passé à côté de rien. Il avait pris « tous les trains », comme on disait, et il était resté intact. Certains avaient dû « dérailler » parfois, mais à l'entendre, on aurait pu jurer que son métier peu honorable était recommandable. Tandis que lui, agent immobilier, ses petites journées, Josée… Ce qu'il y avait de plus étrange dans les pensées de Ronald, c'est que plus il tentait de discréditer David, plus il s'y attachait. Comme si quatre jours de pluie avaient suffi…

Réinstallés dans leur fauteuil avec les boissons appropriées, Dave, les pieds croisés, la chemise ouverte, le sourire franc et rassurant, s'apprêtait à reprendre le fil là où il l'avait laissé en suspens, après avoir sauté quelques années et omis certaines précisions pour maintenir un peu de discrétion sur ses antécédents. On ne fait pas un tel métier en restant de marbre, tout de même ! C'est ce qui embêtait Ron, sans obtenir pour autant la moindre confirmation de ses soupçons.

— Bon, je repars, les gars ! J'avais vingt-cinq ans, j'en avais assez des bars de danseurs et je songeais même à reprendre les études quand Andy m'a fait reluire une autre facette du métier. À plus haut échelon, il va sans dire. Andy faisait maintenant partie d'une agence d'escortes dont le siège social était à Toronto. Il me rencontra, m'expliqua les phases de la « profession », comme il disait, l'argent qu'il en retirait… et ça me renversait ! Si lui pouvait faire la grosse vie avec ce qu'il lui restait d'apparence, je me disais que j'allais faire le double avec mon charme et mon physique.

— Escorte ? Ce qui veut dire... questionna Vic, innocemment.

— Accompagnateur, si tu préfères. Des gens bien, des hommes d'affaires, des femmes riches, s'adressent à l'agence pour obtenir un compagnon pour un voyage ou une fin de semaine chez eux. Il y en avait qui préféraient un soir à l'hôtel...

— Et tu l'as fait ! s'emporta Ron, effaré et emballé à la fois.

— Oui, timidement au départ, puis de plus en plus à l'aise avec le temps. On remettait un pourcentage à l'agence et le reste était à nous, pourboires et cadeaux inclus dans certains cas.

— Mais tu devais te plier, leur donner...

— Passivement, Ron, avec les hommes. Avec les femmes bien conservées, j'y allais un peu du mien, mais il y avait plus d'hommes que de femmes qui téléphonaient à l'agence.

— Oui, mais passivement... On payait pour un gars passif ?

— Écoute, Ron, tout comme pour Vic, hier, je ne suis pas obligé d'entrer dans les détails. C'est quand même intime ce côté-là.

— Excuse-moi, je ne voulais pas dépasser les bornes...

Ronald se tut, détourna la tête, et David, regardant Victor, reprit :

— C'est ainsi que j'ai fait mon premier voyage. La Californie ! Los Angeles ! Malibu ! Un saut à Las Vegas dans le Nevada... Je me sentais au septième ciel ! Mon compagnon de voyage...

— Ça te gêne de dire « mon client » ? ironisa Vic.

— Oui, parce que c'était du compagnonnage, pas de la prostitution, si c'est ce que tu veux savoir !

Malgré les sourcils froncés de Dave, Vic pointa l'index en ajoutant :

— N'empêche que tu couchais avec eux, Dave ! Joue franc jeu ! Tu n'as pas à entrer dans les détails, mais dans les grandes lignes, l'escorte se vend pour récolter le *jackpot* si je comprends bien !

— Oui, oui et oui ! On ne se vend pas, on loue nos services. On leur soumet certaines conditions et, ensuite, en contre-offre, libre à nous d'accepter ou de refuser.

— Il t'est arrivé de refuser des voyages ?

— Une seule fois parce que le millionnaire asiatique était trop exigeant. Andy y est allé à ma place, il ne refusait rien, lui.

— Tu ne devais pas être très populaire dans ce cas...

— Oh oui ! parce que j'avais de la classe, que j'étais bien habillé et que la majorité des hommes riches sont des gens éduqués. La plupart étaient dans la cinquantaine, mais j'en ai eu de soixante-dix ans et plus au bout du fil.

— Que peuvent-ils vouloir à cet âge-là ?

— De l'affection, un peu de tendresse, un compagnon pour les protéger en cours de route. Un infirmier, un porteur de valises... Mais le soir, rien de spécial à moins d'être encore vert !

David avait éclaté de rire après sa remarque, ce qui n'avait fait que sourire Vic et laisser Ron pantois. Voyant que l'effet était raté, David voulut leur en mettre plein la vue en bifurquant sur un autre angle :

— Les prix demandés par les escortes étaient élevés. Parfois, c'était le voyage toutes dépenses payées et cinq mille dollars en *cold cash* comme on disait dans le milieu. Ça pouvait varier, mais je n'acceptais pas les déplacements d'un soir à deux cent cinquante piastres ! Je refilais ces appels à Andy ou à d'autres qui ne laissaient rien passer. Mais c'est avec un avocat fortuné que j'ai vu Paris. Un homme très instruit. C'est lui qui m'a tout appris en me faisant visiter Versailles, le Louvre, la Conciergerie... J'ai eu droit à un cours complet sur la Révolution de 1789. Pauvre Louis XVI qu'on a guillotiné ! Le peuple français était barbare en ce temps-là ! J'ai passé deux semaines de rêve à Paris et je suis revenu plein de cadeaux et plus riche qu'à mon départ. Imaginez ! Être payé pour s'instruire !

— Quel âge avait cet avocat, Dave ?

— Cinquante-deux ans ! Moi, j'en avais vingt-sept !

— Quand même pas un p'tit vieux, celui-là... marmonna Ron, en se figurant tout ce que Dave avait dû faire pour son argent.

Ils firent une pause et David offrit des biscuits aux amandes à Victor tout en ouvrant une bouteille de vin rouge pour Ronald et lui. Sentant que son ami au bras tatoué était irrésolu, voire méfiant, mieux valait l'enivrer pour qu'il devienne plus tolérant face à son récit peu orthodoxe.

— Tu as visité plusieurs pays avec ces hommes bien nantis ?

— L'Italie, la Grèce, Haïti dans ses meilleures années, l'Espagne, la France... Puis, je suis allé à San Francisco, Nassau, Miami... Parfois, c'était juste à Toronto ou Vancouver, mais c'était quand même des déplacements. Je n'acceptais plus de *one night stands*. Que des parcours avec des gens intéressants. J'ai voyagé avec un ministre, un comédien fort connu, un juge retraité...

— Tu as des noms ? demanda Victor.

— Non. Discrétion totale ! C'était dans notre contrat et, même devenu autonome, je n'ai jamais divulgué le nom d'un client connu.

— Tu vois ? Tu viens de dire « client » ! s'écria Vic.

— Oui, en quelque sorte, mais fort souvent, ces gens deviennent des amis. Plusieurs m'appellent encore aujourd'hui.

— Parce que tu es encore escorte, Dave ? demanda Ronald.

— Oui, mais sur les derniers milles, bientôt, je n'en aurai plus l'âge. Tout est éphémère, de plus jeunes viendront. Puis, il y a Louise... Je vous parlerai d'elle plus tard.

— Tu as prononcé le mot « autonome », Dave. Vas-tu enfin nous expliquer ce que ça change dans ton comportement ?

— C'est bien simple, Vic, vient un temps où on n'a plus besoin de l'agence. On connaît assez de monde pour que le bouche à oreille devienne notre carte d'affaires. On rompt alors son contrat et on travaille pour soi-même de son cellulaire.

— Excuse mon indiscrétion, mais le monsieur Finni... qui t'a appelé ?

— Monsieur Finnigan ? Oui, c'est ça, Ron, un homme référé par un médecin américain. Ce serait mardi qui vient pour l'Australie. Je verrai, il a des conditions à considérer.

— Tu nous l'as nommé celui-là... Alors, la discrétion...

— Oui, je l'ai identifié parce que Finnigan est un nom d'emprunt. Plusieurs utilisent des pseudonymes au bout du fil. Exactement comme sur un ordinateur, afin de rester dans l'ombre. Ensuite, en cours de route, sécurisés, ils se dévoilent à nous. À moins de poursuivre avec leur nom d'emprunt lorsqu'ils se méfient encore. C'est arrivé à deux reprises avec Andy.

— Pourquoi ? Il n'est pas honnête ?

— Non, ce n'est pas le cas, mais comme il est sur les drogues, on s'en rend compte et on s'en éloigne à ce moment-là. Les gens de qualité ne veulent pas de drogués et d'alcooliques dans leurs parages. Andy réussissait à faire encore des affaires qu'avec ses semblables, mais à rabais, vous comprenez ?

— Tu escortes aussi des femmes ?

— Non, plus maintenant. Depuis plusieurs années même. Les femmes sont envahissantes, elles s'attachent, elles te veulent à temps plein comme gigolo... Non, c'était trop embêtant.

— Donc, que des homosexuels ?

— Je t'arrête, Vic ! Ceux qui s'adressent à des services d'escortes sont de toutes les orientations. Des pères de famille de quatre enfants, des grands-pères avec une bonne descendance, des entraîneurs de *gym*, des hommes du clergé, des politiciens et des médecins qui, parfois, en sont à leur première aventure, d'autres qui nous engagent par curiosité, des *straights*, des bisexuels, des femmes délaissées ou veuves, *you name it* ! Mais la plupart des appelants exigent une grande discrétion et nous donnent rendez-vous loin de leur quotidien. Nous avons quelques homosexuels âgés, car les plus jeunes n'ont pas à débourser pour rencontrer. Ils vont dans les bars comme ceux dans lesquels j'ai travaillé plus jeune, pour draguer, ou ils ont un ami régulier. Mais le plus inusité, c'est lorsque j'ai reçu un appel d'un homme d'affaires qui offrait mes services à son fils de dix-neuf ans pour son anniversaire. Le jeune désirait s'affranchir, sortir du placard...

— Et tu l'as fait ? s'étonna Vic.

— Heu... oui... À mille dollars l'heure ! Mais là, je crois avoir trop parlé. Tu vois ? À force d'être franc, on s'enthousiasme et on dépasse la limite qu'on s'était fixée.

Ronald, mi-hargneux, mi-envieux, lui demanda à brûle-pourpoint :

— Tu n'as jamais craint les maladies, Dave, les virus ?

— Bien sûr, mais quand tu te comportes intelligemment, tu minimises les risques. Moi, je ne prenais aucune chance et je ne m'adonnais pas à des pratiques douteuses.

— Même à ça, Dave, tu n'étais pas inactif ! On a beau être passif... C'est quand même pas en l'étant que tu as pu initier un jeune de dix-neuf ans, non ? Pourquoi les cachotteries ?

— Parce que c'est personnel, Ron ! Ai-je insisté pour savoir ce que tu faisais au lit avec ton Italienne, moi ?

— Je te l'aurais dit ! Je n'ai aucune pudeur !

— Bien moi, j'en ai ! Pas seulement par considération pour moi, mais pour ceux qui m'ont fait confiance. Je vous avoue comment j'ai fait mon argent, que cela vous suffise. Je crois avoir été assez ouvert ; je n'ai pas à devenir inconvenant pour vous plaire. On dirait que, parce que mon métier est particulier, je devrais vous en dévoiler tous les aspects. Allons !

— Particulier... particulier... murmura Ron. Tu es devenu riche comme Crésus en quinze ans, ce qui n'est pas mon cas. En dessous de la table à part ça ! J'aurais bien aimé être « particulier » moi aussi !

— L'aurais-tu fait, Ron ? En aurais-tu été capable ?

— Non, parce que je n'ai aucun penchant de ce côté-là...

— À d'autres ! Pour de l'argent, tu sais, les penchants... Je n'en avais pas moi non plus, je n'en ai toujours pas, mais personne ne s'en est jamais rendu compte. Les femmes feignent bien l'orgasme...

— Ça ne se compare pas ! Une femme feint avec un homme ! Dans ton cas, tu n'as rien à feindre, Dave, tu dois... tu dois... Ah ! puis, je préfère me taire, ça ne mène à rien !

David avait sourcillé alors que Victor regardait par la fenêtre sans rien dire, ne sachant plus qui approuver. Ronald avait certes raison d'interroger de front, mais David n'avait pas tort de plaider la discrétion. Son intimité lui appartenait. Victor, contrairement à Ronald, ne tenait pas à ce que David élabore sur les angles charnels de son métier. De son côté, mal à l'aise, David se rendait compte qu'il avait baissé dans l'estime de ses amis de jeunesse. Par ses révélations ! Il regrettait presque de s'être livré en pâture à ses ex-camarades qui, contrairement à lui, lors de leurs témoignages, le regardaient maintenant de haut. Victor, avec une certaine suspicion face au métier que Dave tentait de décrire « sain » alors que « le gros » le trouvait sans doute « corrompu » ; Ronald, avec désobligeance, simulant parfois l'abnégation, sans afficher toutefois l'air jovial de la veille. Ce qui permit à David de déduire que « le musclé » en était rendu à pâtir d'envie pour ne pas dire de jalousie. Parce que sans études et sans trop d'efforts, il était plus à l'aise que lui. Et surtout, parce que malgré son métier « déshonorant », il avait meilleure mine que lui. Ce fichu David qui, à quarante ans, vivait encore des largesses de ses clients millionnaires qui l'emmenaient à travers le monde ! Alors que lui, Ronald, n'était pas allé bien loin jusqu'à ce jour. Lui, le second du clan, réduit à vivre avec Josée qui semblait l'emmerder. L'admiration avait fait place à l'animosité, mais David ne s'en faisait pas outre mesure. Ron voulait jouer le jeu du censeur alors qu'il salivait devant l'ampleur de son parcours ? Qu'à cela ne tienne ! David allait lui en mettre plein la vue jusqu'à ce que la nuit tombe, quitte à ne plus le revoir par la suite. Profitant d'un moment d'arrêt, David regarda Ronald sans omettre de jeter un coup d'œil sur Victor :

— Je ne vous ai pas encore parlé de mon faible pour la grande musique et la poésie.

— Non, en effet ! Et ça m'intrigue ! lança Vic.

— Alors, voilà, ça s'est passé ici dans ce chalet, sous ce toit, alors que j'avais trente ans et que j'avais invité Paul pour un mois.

— Paul ? Un client ? Pardon, un compagnon ? demanda Vic.

— Non, ne jouons plus sur les mots, Paul n'était ni l'un ni l'autre, il était un ami. Un gars marié et divorcé que j'ai rencontré par hasard dans un bar. On ne savait rien l'un de l'autre, mais on avait sympathisé. Paul était enseignant. Il était professeur dans un cégep et se passionnait pour la littérature et la grande musique. Nous avions causé jusqu'à minuit ce soir-là. Il m'avait avoué être libre et père d'une fille qu'il voyait de temps en temps. Il avait dix ans de plus que moi et semblait bien seul dans la vie. Ni beau ni laid, pas grand, mince, il avait par contre fière allure et je l'aurais écouté discourir toute la nuit tellement sa voix était lascive. D'un commun accord, on a décidé d'échanger nos numéros de téléphone et une amitié est née.

— Savait-il ce que tu faisais dans la vie ?

— Non, je lui avais dit être modèle pour les artistes-peintres.

— Wow ! Jamais si bien servi que par soi-même ! Bon pour l'ego ! lui lança Ron.

— Oui, et vrai ! Parce que j'aurais pu l'être finalement. Je l'avais été une fois pour un groupe d'artistes en herbe et les regards posés sur moi m'avaient plu ! Celui du prof de peinture inclus !

— Dis donc, y'a pas grand-chose que t'as pas fait de ton corps, toi ! lança Victor.

— Je l'admets ! Mais rien de malhonnête, rien de dérangeant pour la société, comme tu peux voir. Quand je serai vieux, je pourrai dire que mon corps m'aura servi à gagner ma vie.

— À qui ? T'as pas d'enfants, donc pas de petits-enfants à venir...

— C'est vrai, Ron ! Comme toi, je vais être seul dans mon déclin ! À moins que Louise et moi, un jour...

— Parlant d'elle, sait-elle ce que tu fais dans la vie, ta Louise ?

— Oui, Vic, je ne lui cache rien. Je lui raconte même mes voyages.

— Et elle accepte le partage ?

— Non, pas tout à fait, mais comme je ne suis pas encore à elle...

— Tu veux dire qu'elle et toi...

— Non, j'ai été accroché à l'hameçon, bien entendu, mais rien de concret entre nous encore. Je ne lui appartiens pas en totalité.

— Va-t-elle endurer ça bien longtemps ?

— Sais pas... Elle attend patiemment que je prenne ma retraite !

Ronald avait failli s'emporter devant la condescendance de son ex-copain. Prétendre qu'une femme attendrait qu'il en ait fini avec les hommes... Quel mépris ! Quelle situation humiliante pour Louise ! Mais il serra les dents, ne dit rien et attendit la suite du récit :

— Or, à force de se fréquenter, Paul et moi sommes devenus des inséparables. J'allais chez lui, il venait chez moi. Il écoutait ma musique folle de l'heure, mais discrètement. Je lui avais avoué aimer l'opéra, mais lui n'appréciait pas. Il savait qui étaient Montserrat Caballé, Placido et les autres, mais il était davantage attiré par les symphonies, les concertos, les sonates... Il m'imposa donc ses préférences. J'ai commencé par aduler Vivaldi et, ensuite, Beethoven, Schubert, Schumann et les autres.

Nous passions des heures à écouter des enregistrements des plus grands interprètes de ces illustres compositeurs. J'ai finalement développé une préférence pour Chopin, mais Paul ne lâchait pas prise, il voulait que je sois le plus cultivé de ses « élèves ». Ce qui était facile avec un professeur privé. Après la musique, il me fallait passer à la poésie, selon lui...

— Je t'arrête un moment, lui dit Vic. Paul et toi ne partagiez qu'une amitié ou...

— Une amitié particulière, Vic. Déduis-en ce que tu veux !

« Le gros » n'osa rien ajouter alors que Ron, rongeant son frein, les imaginait tous deux au lit, les recueils de poésie sur le plancher. Dave le sentait. Juste à le voir ! Il pouvait discerner que Ronald, dans sa chaise longue, l'enviait en tout, même en désordonné. Il buvait ses paroles, il se tâtait les biceps, il bougeait constamment sur son siège. Bref, David ne s'était pas trompé dans ses probabilités. Il lui en mettait plein la vue, et l'autre, avide, friand, n'en était que plus agité. Reprenant son débit, David poursuivit doucereusement :

— Nous avons passé tout le mois d'août ici. Plus chanceux, nous avions eu du soleil et à peine quelques jours pluvieux, mais dispersés. Paul aimait le vin rouge. Comme toi, Ronald ! C'était un connaisseur, lui aussi. Il avait apporté un magnétophone et se promettait d'enregistrer quelques poèmes qu'il comptait réciter. J'avais pris congé de tous mes engagements, les messages s'accumulaient sur le répondeur. Durant ce mois, Paul et moi avons vécu comme des sédentaires. À peu manger, à boire du vin, à écouter Mozart, Tchaïkovski ou tout autre, et à se gaver de poésie. C'est ainsi que j'ai connu les trois recueils de Paul Morin, incluant *Géronte et son miroir*, mais j'avais un faible pour les Rimbaud, Verlaine, Mallarmé et Sully-Prudhomme, entre autres. Paul me lisait leur biographie puisée dans ses notes, pour ensuite réciter de sa voix d'outre-tombe un ou deux poèmes du maître en question qu'il enregistrait. Tu vois, Vic ? Ce sont les petites cassettes que tu as aperçues en arrivant. Je les ai conservées en souvenir de ce mois inoubliable partagé avec lui. Il avait, sans le savoir, bouleversé ma vie.

— Tu en parles sans cesse au passé, commenta Ron, tu ne le vois plus ?

— Non, hélas. Nous avons eu un différend et Paul n'est jamais revenu. Blessé dans sa fierté, je l'ai perdu.

— Ça devait être grave...

— Non, Vic, Paul est parti quand il a appris par quelqu'un d'autre ce que je faisais dans la vie. Non pas qu'il n'aurait pas compris, mais il ne m'a pas pardonné de le lui avoir caché. Ce mutisme face à mon métier l'a insulté. Je ne lui avais pas avoué la vérité et, pour lui, c'était inexcusable. Pourtant, il ne me questionnait jamais sur le fait d'être modèle pour les studios d'art... Peut-être était-il possessif et, apprenant qu'il y en avait d'autres... Ai-je brusquement baissé dans son estime ? Je ne le saurai jamais. Il est parti et, consterné, je me rendais compte que je perdais le seul véritable ami que j'avais. Il avait eu le temps, cependant, de m'instruire et de m'élever d'un cran dans mon éducation, ce qui allait me servir lorsque j'allais être engagé par quelqu'un de cultivé en musique ou en littérature. Mais il me manque encore, il comblait un grand vide, j'y étais profondément attaché.

— Il serait peut-être encore temps... murmura Vic.

— Non, dix ans se sont écoulés et je n'ai pas changé de métier. Paul aura comblé un beau moment de ma vie. C'est fini, il devait en être ainsi.

— A-t-il été le seul...

— Je t'interromps, Ron, avant que tu creuses davantage. Oui, Paul a été le seul aussi près de moi... Ne te questionne plus.

David, constatant que l'effet du vin apportait une certaine accalmie sur les vilenies de Ron, déboucha une autre bouteille qu'il s'empressa de verser. Il s'en servit aussi un verre et poursuivit :

— J'écoute encore la voix de Paul sur cassette quand je suis seul et j'en frémis de nostalgie. Quand il lisait *Recueillement* de Charles Baudelaire, *Colloque sentimental* de Paul Verlaine ou *La Jeune Tarentine* d'André Chénier, je buvais mon vin sans m'en rendre compte. « *Hélas ! chez ton amant tu n'es point ramenée. Tu n'as point revêtu ta robe d'hyménée. L'or autour de tes bras n'a point serré de nœuds. Les doux parfums n'ont point coulé sur tes cheveux.* » Comme il était triste le dernier quatrain de ce poème ! Il récitait aussi *Soir d'hiver* de Nelligan en plein été et la sensation était aussi dense. L'année suivant son départ subit de mon existence, je me suis réfugié seul ici pour écouter ces cassettes et les accompagner des musiques de Debussy, Brahms et Mahler. Afin de revivre l'émerveillement...

— Ne viens pas nous dire que tu ne l'aimais pas cet homme-là ! osa Ronald.

— Oui, mais pas comme tu l'entends, Ron. J'aimais l'entité de son être, ce qu'il dégageait et dont je ne pouvais plus me passer. Mais le temps a fini par tout effacer...

— Tu conserves pourtant sa poésie.

— Oui, au nom de la réminiscence, rien de plus, Vic. Je suis un grand sensible...

Ce disant, David retomba sur terre et proposa à ses amis :

— Que diriez-vous d'un bon souper gastronomique ? Je le prépare, je vous sers copieusement et, après le dessert, je vais clore ma vie jusqu'à ce jour. Ça vous va ?

— Pas de problème pour moi, répondit Ron, en buvant son vin.

— Moi, je veux bien, enchaîna Victor, mais quelle que soit l'heure, je repars ce soir. Marianne est déjà en chemin pour la maison.

— Libre à vous ! Mon invitation se termine avec la fin de mes confidences. Demain, vous travaillez, donc soyez à l'aise de partir, mais si vous préférez rester, votre chambre est encore là jusqu'au petit matin.

Levant son verre en direction de Dave, Ron répondit :

— Moi, je passe la nuit ici !

Chapitre 9

David n'avait pas failli à sa tâche. Ce dernier souper des retrouvailles avait été gargantuesque. Un consommé Xérès, le filet mignon de bœuf Angus rehaussé d'une sauce aux trois poivres et accompagné de pommes de terre sautées et de champignons frits à l'ail. La salade romaine croustillante avec vinaigrette balsamique, le gâteau au fromage, thé et café, sans oublier, évidemment, le vin, l'un des plus prestigieux de sa réserve : le Châteauneuf-du-Pape en multiples bouteilles. Ronald n'avait jamais vu un tel banquet... dans un chalet ! Victor, plus gourmand, avait tout dévoré, le pain croûté inclus, tout en reluquant sans cesse le gâteau auquel il fit honneur. Après ce repas de roi, Ronald, quelque peu enivré par les excès de vin, n'avait de cesse de féliciter David de son savoir-faire. Il n'y avait plus d'amertume dans son regard et loin de lui l'idée, en ce début d'ébriété, de voir en David un être dénaturé, comme il l'avait pensé lors des chapitres quasi explicites que celui-ci avait livrés à cœur ouvert. Peu scrupuleux, Ronald avait quand même le défaut d'être envieux, voire jaloux du succès des autres, même si ce « succès » pouvait s'avérer immoral aux yeux de la société. David ne semblait nullement en souffrir, au contraire, il paraissait s'en foutre éperdument. Il avait réussi là où des gars du même acabit avaient échoué. Il avait entassé une petite fortune qui lui assurait ses vieux jours et, sans vraiment le chercher, il bénéficiait encore de bonnes rentrées. Parce qu'il était beau, bien sûr, et aussi parce qu'il était distingué, viril, et qu'il se voulait « l'escorte » exemplaire pour tout homme âgé qui, ayant une santé frêle, désirait se payer un compagnon athlétique et discret lors des voyages à travers la planète. Il arrivait à David d'apprendre qu'un tel ou un autre était décédé mais, souvent, l'interlocuteur, ami du regretté, devenait son prochain client. « Un de perdu, dix de retrouvés », lui aurait dit sa mère de son vivant. Alors que Ronald s'époumonait à vanter les mérites du repas grandiose, Victor se taillait une troisième pointe du gâteau au fromage. David, se croyant plus humble que *show off* malgré ce qu'en pensait Ronald, répondit à son ami qui persistait dans ses éloges :

— Trêve de compliments, Ron ! C'est un souper comme tu en fais sans doute chez toi ! Et puis, content que tu en aies profité parce que, demain matin, puisque tu couches ici, il ne restera plus que des *toasts* et du café !

Victor s'esclaffa et Ronald, narquois, répliqua :

— C'est pourtant pas le vin qui manque, Dave !

— Ron ! Je te parle du déjeuner ! À huit heures du matin !

— Bien oui ! J'ai compris ! Ma mère commençait plus tôt que ça, elle !

Personne ne releva la remarque. On venait de comprendre que Ronald ne parvenait pas à oublier le vice ancré de sa mère qui l'avait torturé durant son enfance et son adolescence. En tenant le goulot devant elle jusqu'à son dernier souffle. Cette mère enterrée pas très loin, où il se rendait encore déposer des fleurs sur sa dalle, en compagnie de Josée. Cette mère qu'il avait protégée et aimée… Cette mère qui, soudain, venait hanter ses pensées dans un moment d'ébriété.

Ils avaient regagné le *living room* où David s'installa de nouveau pour terminer la narration de son parcours inattendu. Il avait eu le temps d'enfiler un *pull* plus léger à col roulé vert, alors que Ronald, toujours dans ses *jeans*, avait toutefois changé de chemise pour une autre à carreaux marine et blancs cette fois. Victor, plus frileux malgré les bûches du poêle, avait gardé ses vêtements confortables. La bouteille de vin pas loin de lui, Ronald s'apprêtait à écouter la suite lorsque Victor les retint un instant, le temps de se servir un café. Puis, alors qu'une pluie fine mais soutenue aspergeait les fenêtres, David reprit :

— Avec l'argent ramassé, je me suis payé une Mercedes et un condo de luxe que j'habite encore. Je savais, dès lors, que je serais casé pour un bon nombre d'années. C'est un homme d'affaires prospère que j'avais accompagné aux Bahamas qui me l'avait vendu pas cher au décès de sa femme. Faut dire qu'il était devenu un « régulier » pour être généreux de la sorte avec moi. Le condo que j'habite vaut aujourd'hui tout près de quatre cent mille dollars et comme il est entièrement payé…

— Je sais ce que ça vaut, Dave, j'en vends ! Et si jamais t'as besoin d'un agent, j'espère que tu penseras à moi.

— Évidemment ! mentit David.

Car l'un de ses clients était dans l'immobilier à une plus haute échelle que Ronald. D'ailleurs, Dave, avec son métier peu honorable comme le jugeait Ron, avait des contacts dans tous les domaines. Médecins, dentistes, avocats, concessionnaires d'automobiles, notaires, gérants de banque, présidents de firmes de placements... Plusieurs parmi les plus grands des milieux en vue avaient sa carte dans leur poche. Une toute petite carte noire que David avait tendue à Ronald et sur laquelle on pouvait lire en lettres dorées... *Dave*... et un numéro de téléphone. Rien de plus ! Ce qui pouvait être aussi bien la carte d'un plombier ou d'un déménageur. Discret en tout et partout selon ses principes, ce qui lui avait valu une clientèle de choix qui se transmettait ses brèves coordonnées. Mais quoique enivré, quelque peu titubant même, Ronald n'en continuait pas moins de ressasser intérieurement que l'ami retrouvé était un dépravé. Dave s'affirmait trop, il semblait même à l'aise dans son métier, ce qui faisait suer Ron de dégoût... ou d'envie ! Restait à décider ! Mais Dave aurait certes trouvé le second terme plus qualifiable puisque Ron avait accepté de passer la dernière nuit au chalet. Il aurait pu repartir comme Victor allait le faire... Mais non ! Il allait s'imbiber davantage des frasques de son ami pour ensuite le jalouser. Quoique David ne l'aurait jamais laissé repartir pour la ville en état d'ébriété. Il l'aurait plutôt ligoté que de le voir prendre le volant. Or, retrouvant son souffle, humant un cognac, David reprit :

— J'ai ensuite vendu ma Mercedes pour acheter une Alfa Romeo d'un Italien prospère qui s'en libérait à bas prix. Avec l'âge, je dirais que je suis devenu plus sobre dans mes goûts, mais j'aime encore les belles voitures.

— Que vas-tu faire de ton chalet plus tard, Dave ? demanda Vic.

— Écoutez, je vais faire un bond jusqu'aux conclusions, et je reviendrai sur mon cheminement. Le chalet, je compte le rénover, le rendre luxueux et l'habiter à longueur d'année éventuellement. D'ici cinq à sept ans, selon mes calculs, je devrais être installé à Sainte-Anne-des-Lacs en permanence. Jusqu'à la fin de mes jours ! J'attends juste de me retirer du milieu pour commencer les travaux, ce qui ne devrait pas tarder, car dans la quarantaine, escorte, c'est de moins en moins lucratif.

— Pas quand on a ton apparence, Dave ! s'exclama Ronald.

— Oui, même quand on est encore bien de sa personne. Parce que les hommes intéressés en viennent à regarder les nouveaux venus, les plus jeunes... Même les « réguliers » finissent par décrocher. À quarante-cinq ans maximum, c'est terminé, ce métier. À moins de s'accrocher à quelques octogénaires, ce qui ne sera pas mon cas. Or, le condo vendu, le chalet rénové, je vais jouir d'une retraite confortable et bien tranquille. Je pourrai écouter Chopin, Mozart, je pourrai lire les poètes, vieillir tout doucement en toute quiétude. Sans souci d'argent...

— Ça n'a pas de sens, Dave ! Aucun homme ne prend sa retraite à quarante-cinq ans ! Tu vas t'ennuyer à en mourir...

— Pourquoi ? J'aurai encore les voyages, « les miens » cette fois ; l'hiver, il y a le ski que je maîtrise passablement bien et que je pratique depuis l'enfance...

— Mais seul ici, sans personne à qui parler... ajouta Ron.

— On est aussi seul qu'on veut bien l'être, Ron. Ne t'en fais pas, il y aura Louise ou une autre... Je ne compte pas finir mes jours seul. Une femme douce, éduquée, classique dans sa façon d'être. Une femme en arrivera à partager mes goûts... Louise, quoi !

— Absolument une femme ? lança Ron, au grand étonnement de Vic.

— Oui, Ronald, parce que, contrairement à ce que tu crois, je ne suis pas homosexuel. On naît de cette façon, on ne le devient pas sur commande. Mon métier

« déshonorant », comme tu l'as qualifié, m'a amené à n'avoir aucun préjugé, à me dépasser, à me rendre plus loin que les limites de ma nature, mais ce n'était pas inné pour autant. J'ai été escorte comme un autre devient acteur, musicien ou même agent immobilier, sauf que mon cheminement se voulait physique et non cérébral. Je n'ai pas été psychologue, j'ai été escorte ! Quoique j'aie vu un psychologue à trois reprises… pour mes services !

Il éclata de rire. Ron se contenta de sourire :

— Dernière question, Louise est-elle au courant de ton… ton métier ?

— N'ai-je pas déjà répondu à cette question ? Est-ce le vin, Ron ? Ou ma mémoire qui flanche ? Oui, j'ai fini par lui dire ce qu'était ma vie et elle n'a pas décroché pour autant. Au contraire, elle rêve d'avoir des enfants avec moi, qu'on s'établisse ensemble, sans jamais me parler du passé… Louise est une femme intelligente. Tenez ! Voici sa photo.

Vic et Ron s'échangèrent la photo que Dave avait sortie du portefeuille de sa poche arrière et en restèrent éberlués. Une magnifique brunette aux yeux verts avec des dents éclatantes. Cheveux aux épaules, bien maquillée, on aurait dit une vedette de l'écran. Ce qui rendit Ron encore plus furieux ! Il venait de se rendre compte qu'après une vie de débauche David pourrait s'en consoler dans les bras d'une telle femme. Plus belle que sa Carla ! Plus digne que toutes celles qui s'étaient relayées dans son lit à lui ! Un cheminement déréglé, un métier immoral, de l'argent à profusion gagné par ses services, des voyages à travers le monde, une retraite planifiée et, au bout de tout cela, une femme d'une rare beauté pour partager son existence…

— Est-elle libre, ta Louise ? A-t-elle été mariée ? Que fait-elle ?

— Trois questions, Ron ! J'y réponds ! Oui, Louise est libre, elle a trente-six ans et aucun homme dans sa vie. Mariée ? Non, elle ne l'a jamais été. Elle a eu une vie à deux dans la vingtaine, mais pas d'enfants. Voilà pourquoi elle en désire tant ! Toutes les femmes sur les derniers milles rêvent d'être mère. Même dans la mi-quarantaine, quand c'est presque l'âge d'être grand-mère. Moi, quand je vois des hommes de soixante ans devenir père avec une femme en fin de trentaine, je trouve ça renversant, ridicule à souhait ! Il y a un âge pour faire des enfants ! On ne devient pas père à deux pas de l'infarctus ! On ne devient pas père quand on a le dos voûté et les jambes molles ! Un enfant, ça te fait courir, ça te demande de le soulever, ce qui exige de la force et de l'énergie ! On ne devient pas père quand on a atteint l'âge de bercer ses petits-enfants. Cinquante ou soixante ans, c'est trop vieux ! C'est même égoïste de leur part ! Ils ne voient pas plus loin que le bout de leur nez ! Quand un enfant atteint ses vingt ans, que va-t-il faire avec un père de soixante-quinze ou quatre-vingts ans ? Lui changer sa couche ? Moi, je ne suis qu'au seuil de la quarantaine et je n'en veux pas. Je ne me vois pas jouer au baseball avec mon fils quand j'aurai cinquante-cinq ans ! La paternité, c'est bon entre vingt-cinq et trente-cinq ans. L'âge idéal ! Après ? Déjà la patience n'y est plus… C'est le plus gros conflit actuel entre Louise et moi. Elle désire un ou des enfants, moi pas. Ce qu'elle fait dans la vie ? Louise est esthéticienne. Elle a son propre salon qui roule rondement à Outremont. Avec quatre employées dont deux à temps plein. Un avocat m'y avait référé pour un facial, ce qui n'était pas bête dans mon métier en prenant de l'âge. Les soins du visage ont autant d'importance que le *fitness*. C'est Louise elle-même qui m'a reçu et je l'ai trouvée ravissante. J'y suis retourné deux fois ; je l'ai invitée à souper au Il Cenone, un très bon restaurant italien du boulevard Gouin, et nous avons décidé de nous fréquenter, sans toutefois habiter ensemble. Elle me croyait dans les commerciaux, dans la photo de magazines, dans tout ce qui était *glamour*, sauf dans ce que je faisais. Mais, après quelques mois, j'ai décidé de l'affranchir, de lui parler du métier que j'exerçais, de m'ouvrir, de me mettre à nu comme je l'ai fait pour vous deux aujourd'hui et, croyant la perdre, je me suis rendu compte que je ne l'avais pas offusquée. D'autant plus que je lui disais vouloir cesser, m'installer... Sans toutefois parler d'elle. Nous avions eu une relation intime ensemble, elle est tombée follement amoureuse ; moi, un peu... Mais, depuis ce temps, c'est l'acharnement. Elle veut un enfant de moi, m'épouser si possible...

— Pourquoi ne le fais-tu pas ?

— Parce que, pour l'instant, j'ai d'autres engagements.

— Mais tu risques de la perdre, Dave !

— Oui, Vic, mais comme je vous le disais, ce sera avec elle ou avec une autre.

— L'aimes-tu, Dave ? Au point de tout quitter pour elle ?

— Non, pas au point de tout quitter... comme tu dis. Je l'aime bien, je ne sais plus. Parfois, j'en suis fou, d'autres, moins... Surtout quand elle revient avec cette clause qu'elle tente de m'imposer.

— J'ai l'impression que tes sentiments étaient plus forts avec Paul. Oui ? Non ?

— Pas mes sentiments, Ron, mes émotions. J'ai souvenance d'un amas de bouleversements avec lui et aucun encore avec elle. Louise feint parfois d'aimer ce que j'aime, mais je ne suis pas dupe. Elle est très actuelle, elle est même superficielle ; son métier le commande. Elle vit à longueur de journée dans le rouge à lèvres ; je la vois mal s'installer avec moi dans un chalet isolé pour écouter du Mahler ou lire Cocteau. Son univers, c'est plutôt Demi Moore et Angelina Jolie. Elle est belle, racée, élégante, distinguée, mais peu instruite. Marie-Antoinette, Cromwell ou Lucrèce Borgia, ça ne lui dit pas grand-chose, tout ça.

— Maudit que t'es injuste, Dave ! Ça l'empêche pas d'avoir autant de classe, sinon plus que toi ! clama Ron.

— Pourquoi dis-tu ça ?

— Parce qu'elle n'a pas fait ton sale métier, elle !

La gifle ! L'affront ! Le chat venait enfin de sortir du sac ! Dans son ébriété, choqué par les propos de David à l'égard de Louise, Ronald n'avait pu s'empêcher de s'emporter. « Sale métier ! » Voilà enfin ce qu'il pensait vraiment du chemin parcouru par David qui l'avait reçu comme un roi ! David qui lui avait servi les vins les plus chers ! David qui avait dépensé comme un fou pour que ses amis ne manquent de rien durant ce bref séjour. « Sale métier ! » que celui qu'il lui enviait pourtant depuis le début de son témoignage. Combien de fois n'avait-il pas sourcillé quand il n'en calculait que les avantages ! Un métier si sale, mais si rentable que Ronald, sans pudeur, l'aurait certes pratiqué ! Et le constater alors qu'il était trop tard… Bien sûr que David avait été discret. Il s'était abstenu de dévoiler les moments difficiles affrontés en cours de route. Pour ne pas entacher l'attrait du récit. Ces obscénités que certains hommes lui réclamaient alors qu'il n'en était qu'à ses débuts. Ces clients des premiers temps qui disparaissaient sans payer. Ces ignobles personnages qu'il avait côtoyés et devant lesquels il avait dû fermer les yeux. Ce fusil sur la tempe de la part d'un fou furieux qui voulait assouvir d'obsédants fantasmes… Comme il avait eu peur ce soir-là ! Comme il avait regretté d'avoir accepté ce *call* à la place d'Andy ! Puis, tout au long de son ascension, ces millionnaires qui, en voyage, affichaient leur ventre rond, leurs varices, leurs dents jaunies par le cigare, leurs affreuses cicatrices... Même à cinq mille dollars, toutes dépenses payées ! Il lui fallait avoir le cœur fort et les nausées bien contrôlées... Parce que les « réguliers » n'étaient pas tous des Robert Redford, loin de là ! Des gens riches, bien entendu, généreux à l'excès, mais libidineux et abjects dans leurs moindres touchers. Combien de fois avait-il senti son corps outragé ! Combien de fois avait-il voulu se lever et partir, quitte à enjamber la fenêtre, parce que la bave du vieux collait sur sa poitrine ! Combien longues ont été les douches après avoir été sali par les doigts mauves de ces octogénaires osseux à deux pieds de la tombe ! Oui, un « sale métier », qu'il avait maintes fois détesté. Mais l'appât du gain, son désir d'être riche, d'atteindre les sommets du faire-valoir, le faisaient passer outre aux exécrations qu'il lessivait avec un lait de chèvre dont il baignait sa peau. Dans le lit d'un riche Arabe obèse qui rotait, il parvenait à oublier les flatulences de l'Anglais squelettique de la veille. Parce qu'il sentait que son « bas de laine » gonflait de plus en plus et, qu'un jour, il arriverait à être aussi cossu que ses clients. Andy, son collègue des débuts, se droguait pour parvenir à composer avec les affres du métier. Lui l'avait fait *cold turkey* ! En se mettant souvent le doigt dans la gorge pour vomir ! Voilà ce que David aurait voulu leur dire, mais sa fierté démesurée l'en avait empêché. Sa réussite se devait d'être intacte, sans la moindre éclaboussure. Mieux valait leur faire ingérer des lits de roses... sans épines ! Pour que son avoir soit à la hauteur de son discernement. Alors que... Voilà pourquoi il avait préféré, ce soir-là, avaler de travers la remarque désobligeante de Ronald plutôt que d'étaler ses failles par ce peu reluisant revers de la médaille.

Faisant mine de ne pas tenir compte du « sale métier » reçu en plein visage, David regarda Victor et lui dit :

— Je vais continuer, Vic, ne serait-ce que pour toi.

Ronald, choqué, se leva, fit le tour de son fauteuil et répliqua :

— Si je n'ai pas été correct, excuse-moi, mais ne me laisse pas de côté, Dave. C'est le surplus de vin et les digestifs. Peut-être qu'avec un café noir…

David n'avait pas réagi et c'est Victor qui avait rempli de café la tasse propre de Ronald. Regardant sa montre, l'hôte du week-end ajouta pour Vic :

— J'en ai encore pour trente minutes, puis tu pourras partir. Regarde ! La pluie est de plus en plus fine et les crevasses s'égouttent peu à peu.

— J'ai le temps, Dave, et tu devrais mettre une musique de fond, ça détendrait l'atmosphère.

David ouvrit sa petite radio à CJPX et capta une belle symphonie dont il ignorait l'auteur. Il baissa un peu le son, tamisa l'éclairage et poursuivit :

— J'ai fait l'acquisition de ma Volvo décapotable dès qu'elle est sortie l'an dernier et je ne compte pas la changer avant un bon bout de temps.

— Comme tu sautes les étapes ! lui reprocha Vic. J'aimerais te poser une question qui me chicote depuis le début.

— Vas-y, Vic, tout est permis.

— Lorsque tu partais avec, de préférence, des compagnons d'âge mûr, était-ce parce que tu cherchais un père, Dave ? Toi qui n'en as pas eu…

— Non, Vic, parce qu'il faudrait être incestueux pour se chercher un père quand on fait un tel métier. Ce n'est pas que je les préférais nécessairement d'âge mûr, mais tu imagines ça, toi, un jeune de trente ans avoir besoin de mes services ? À cet âge, on ne paye pas pour du sexe, on l'obtient d'un clin d'œil !

— Moi non plus, je n'ai pas eu de père et je n'en ai pas cherché un pour autant ! riposta Ronald, qui se débattait pour attirer l'attention que David n'accordait plus qu'à Victor.

— Oui, on s'en doute, mais on est dans les confidences de Dave.

— Plus intéressantes que les miennes, hein, le...

— Bah ! Tu peux l'dire « le gros » ! Pour le temps qu'il me reste à te voir...

Ronald, accablé par l'indifférence de ses deux amis, voulait atteindre de nouveau le haut du pavé. Ne sachant comment faire, il demanda timidement, tel un enfant, à Dave qui le regardait :

— Tu accepterais de me servir un petit verre de vin ? Juste un !

— J'ai un rosé d'ouvert au frigo. Prends-le, sers-toi, il est encore frais !

Puis, se tournant vers Victor alors que l'autre se rendait à la cuisine, il reprit le fil de ses derniers aveux :

— Dès l'année dernière, je sentais que les appels diminuaient. J'en recevais, certes, mais de moins bonne qualité. J'en refusais plus que j'en acceptais, mais j'en étais réduit à m'accommoder de fins de semaine et même de soirées à l'hôtel. Ce qui était loin de ce que j'avais vécu auparavant. Je me voyais retourner en arrière. La fin allait ressembler au commencement. J'ai donc abrégé de beaucoup mes déplacements. Les offres à deux jours dans un camping, non merci ! Je m'arrangeais pour être trop cher...

— Tu disais vouloir continuer jusqu'à quarante-cinq ans...

— Non, je t'ai dit qu'on pouvait continuer jusqu'à cet âge-là si on était bien conservé, mais je t'ai aussi parlé de retraite.

— Pourtant, l'Anglais dont j'ai oublié le nom, c'est de l'Australie qu'il parlait...

— Oui, Finnigan, pour ne pas le nommer, m'offre le cachet le plus cher, l'Australie, l'hôtel de luxe, mais cet homme a soixante-quinze ans, Vic ! Tu comprends ?

— Oui, je vois... Ça fait reculer d'un pas, n'est-ce pas ?

— Pas nécessairement... J'ai vu des hommes de cet âge plus en forme, plus décents et de plus belle apparence que plusieurs de cinquante-cinq ans. J'ai même rencontré un pharmacien de cinquante-deux ans que j'ai fui dès que je l'ai vu. Plus ravagé que ça, fallait le chercher ! Alcoolique, voûté, les yeux rouges et gluants, les lèvres molles, il était répugnant. Tu sais, il faut savoir se respecter dans ce « sale métier », connaître ses limites.

— Je vois que la remarque de Ron t'a fessé de plein fouet !

— Oui, parce que c'est un « sale métier » selon qui le fait et comment il le pratique. Autrement ce n'est qu'un travail. Peu honorable, je te l'accorde, mais pas hors-la-loi ni répréhensible.

— Tu en étais où ? demanda Ron qui avait lentement repris sa chaise et son tabouret.

— Presque à la fin, Ron ! Je parlais de ma Volvo, de ce que je ferais de mon argent... Tiens ! j'entends un téléphone.

— C'est le mien ! s'exclama Vic. Tu permets ?

— Bien sûr, j'en profiterai pour me verser à boire.

— Oui, allô ?

— Victor ? C'est moi ! Je suis de retour à la maison avec les enfants.

— Marianne ! Comme c'est bon de t'entendre ! Tu as eu un beau séjour ?

— Oui, la fin de semaine a été agréable malgré la pluie. Ma mère a gâté les enfants et nous sommes revenus sans pépin, la route était belle, l'affluence moins dense que je le croyais. La pluie avait cessé. Et en sécurité dans un gros autobus...

— Content de savoir que vous êtes tous là ! J'arrive bientôt, tu sais. David en est aux trois quarts de ses révélations et, ensuite, je saute dans ma Mazda et je vous rejoins en moins de quarante-cinq minutes.

— Tu as bien mangé ce soir ?

— Mieux qu'au Ritz, Marianne ! Le filet mignon, les pâtisseries... Je te le dis, Dave pourrait être chef dans un grand restaurant !

— Comme je suis heureuse pour toi ! Dis-lui que je le remercie d'avoir pris soin de mon mari de la sorte, de t'avoir choyé... Je le lui dirais bien moi-même, mais ça me gêne...

— Je m'en charge. L'important, c'est que vous soyez sains et saufs à m'attendre à la maison. Ne te couche pas sans moi, ma perle !

— Non, je t'attends, mon loup ! Bonne fin de soirée et à plus tard.

— Je t'embrasse, et serre les enfants sur ton cœur pour moi.

Victor avait raccroché pour enchaîner, en s'adressant à David :

— Sains et saufs ! J'ai toujours peur avec tous les accidents de la route. Mais j'étais plus rassuré de les savoir en autobus que lorsqu'elle prend le volant. Marianne est prudente, sauf que ses réflexes ne sont pas toujours rapides. Elle est nerveuse, elle n'a pas mon expérience.

Mais Victor s'était abstenu de répéter à David ce que Marianne avait dit à son sujet. Il avait évité qu'elle lui parle, il avait même détourné le sujet. Pour une raison connue de lui seul.

Ronald, le caquet bas, semblait mal à l'aise depuis son retour au *living room*. Il savait qu'il avait gaffé, et que David s'était détaché de lui au point de l'ignorer. Ce qui au fond le rendait triste, car il aimait bien Dave, beaucoup plus que Vic, c'était évident. Il en avait toujours été ainsi, même à vingt ans. Ne sachant comment réagir, il clama soudainement en regardant le plafond :

— Haut et fort, je m'excuse, Dave ! J'ai eu tort, j'en ai honte, je n'ai pas à te juger ainsi !

Puis, baissant les yeux, il le regarda pour ajouter :

— Ça m'a pris tout mon petit change pour te lancer ça d'un trait sans me tromper. Je me suis pratiqué à voix basse dans la cuisine. Mais je veux que tu saches que, comme ma mère, je suis très impulsif en boisson. Juste quand j'ai pris le verre de trop ! Mais je m'excuse du fond du cœur, Dave, tu es un gars formidable, tu n'as aucune malice, tu nous as reçus fastueusement et les retrouvailles n'étaient même pas ton idée. On sait, Vic et moi, que ça t'a coûté un bras pour nous accueillir ici de la sorte. En plus de tout ce que tu as fait pour nous plaire. La cuisine de grand maître, les vins onctueux, les desserts, les chambres si propres, le confort de la chaleur du foyer, les *toasts* sur le poêle… Il ne te manque qu'un grille-pain et je m'en charge, je te le promets.

— Surtout pas, Ron ! Le rond de poêle, c'est symbolique. C'est tout ce qu'il me reste de ma jeunesse. N'achète rien, tu briserais tout ce que je revis encore avec ma défunte mère.

— Dis-moi, est-ce que ton père et ta sœur savent que tu es à l'aise ?

— Oui, mais ma sœur en a autant, sinon plus que moi, avec son docteur. Pour ce qui est de mon père, il est sans doute confortable avec ses économies au Manitoba. Je suis peut-être un peu plus riche que lui, mais comme il n'a que du mépris pour moi... Il m'a laissé savoir que faire de l'argent en me vendant, c'était aussi immonde que d'en faire à la façon des gars de la mafia. Dans sa dernière lettre, il m'avait écrit : « Les mafiosos et les motards sont encore plus respectables que toi, ils n'ont pas à baisser leurs culottes, eux autres ! » Et vlan ! Ça venait de clore le sujet. Mais, que m'importe, je ne le vois plus et je ne le reverrai jamais, pas même sur son lit de mort ni dans son cercueil. Pas pour ce qu'il a dit, mais pour ce qu'il n'a jamais fait, c'est-à-dire me prendre dans ses bras lorsque j'étais petit.

— Et ta sœur ? d'ajouter Victor, touché par le cri du cœur de Dave.

— Elle est inexistante ! Je suis orphelin, Vic, et je m'en porte bien.

David s'était levé du fauteuil vert pour diluer un autre scotch qu'il venait de se verser avec un peu de soda et, voyant que Ron semblait dégrisé ou presque depuis deux autres cafés, il lui offrit de boire lentement un peu de vin d'un fond de bouteille de Châteauneuf-du-Pape, ce que l'autre accepta sans se faire prier. Victor, privé de son *ginger ale*, se servit un peu de Cott Up lime et citron que David avait dans son frigo. Puis, au moment où Dave allait livrer son épilogue, un autre téléphone sonna, celui de Ronald que ce dernier dégaina de la ceinture brune de son *jeans*.

— J'écoute.

— Ronald ? C'est Josée ! Loin de moi l'idée de vouloir te déranger...

— Tu ne me déranges pas, ça va, que puis-je faire pour toi ?

— Rien de spécial, je voulais savoir si tu rentrais ce soir.

— Heu... non. Je vais me rendre au travail directement demain, je ne passerai pas par la maison. Il me reste une chemise propre et mes *jeans* ne sont pas défraîchis. De toute façon, c'est le dernier soir et on fête un peu les retrouvailles. Je ne voudrais pas conduire en dépassant la limite permise par l'ivressomètre.

— Non, surtout pas ! Je préfère te voir coucher là ! Victor reste pour la nuit, lui aussi ?

— Non, il va repartir ce soir. Il a été sage, il n'a pas pris d'alcool ou si peu... Un verre de vin en mangeant.

— Je vois... Un homme qui pense à sa femme, lui !

— Non, Josée, c'est qu'il est père de deux enfants.

— Bon, passons, dis donc, ce n'est peut-être pas le bon moment, mais ça te dirait d'aller à Miami pour une semaine en septembre ? Une amie m'offre son condo.

— N'est-ce pas le temps des ouragans dans ce coin-là ?

— Non, pas tout le temps, ça peut arriver, mais c'est la nature qui décide. De plus, dans un condo solide... Il me semble que ça nous ferait du bien.

— Je ne dis pas non, Josée, ce serait peut-être l'endroit idéal pour faire le point sur notre avenir, peser le pour et le contre. Qu'en penses-tu ?

— Tu es sérieux, Ron ? Tu veux qu'on dialogue enfin ? Je ne te reconnais plus !

— Dis à ton amie que tu acceptes son offre, occupe-toi des billets d'avion et je te suis. Mais en début d'octobre, ce serait mieux, août et septembre sont des mois chargés pour la vente et la location des immeubles commerciaux.

— Va pour octobre, ça m'ira encore mieux, moi aussi. Tu me rends très heureuse ce soir, Ron. Je ne sais trop quelle potion magique David t'a fait boire, mais dis-lui de continuer, je ne t'ai jamais senti aussi aimable et complaisant.

— Tu entends ça, Dave ? Josée me trouve aimable ! Et pour le rester, faudrait peut-être que tu me serves un peu de vin !

Ils avaient finalement raccroché et Josée, fébrile et enchantée, voyait enfin une lueur au bout du tunnel. Elle qui, la veille, se demandait si son homme allait la garder ou s'en débarrasser.

David, calé dans son fauteuil, s'étira et se croisa les chevilles :

— Je n'ai plus grand-chose à ajouter. Vous savez tout de moi ou presque. À moins que vous ayez des questions…

— Oui, j'en ai une, moi, répondit Victor. Comptes-tu continuer à accompagner… à voir…

— Tu veux dire des clients ?

— Heu… si tu le dis.

— Oui, je vais continuer, Vic, mais comme je vous le disais, pas pour longtemps… Et puis, je ne sais pas, je ne sais plus… Il y a Louise, le chalet à rénover, la retraite que je planifie… Je n'en ai pas encore parlé, mais je pourrais travailler comme barman à temps partiel dans un hôtel des Laurentides. Un des tenanciers est un régulier… Bref, je le ferais non par besoin d'argent, mais pour passer le temps. Il est vrai que je suis trop jeune pour la retraite complète, comme disait Ron, quoique… Je suis tellement mêlé dans ma tête. J'ai l'air de savoir ce que je veux et, pourtant, je me cherche encore. Je pourrais m'entretenir avec des millionnaires par Internet, mais moi, des relations virtuelles après celles que j'ai vécues…

David souriait de son jeu de mots, les autres un peu moins, d'un coin des lèvres seulement. Moins sûr de lui, sous l'effet du scotch, le confident, voyant venir la nuit, ajouta :

— Non, je ne sais pas ce que je vais faire ! Je suis trop instinctif, je verrai à cela au jour le jour. Pour l'instant, un autre *drink* va me détendre. Dieu que c'est épuisant de parler de la sorte !

Victor avait regardé sa montre à maintes reprises, ce qui n'avait pas échappé à David qui lui avait demandé :

— Tu as hâte de partir, hein ? De retrouver Marianne et les enfants ?

— Je ne m'en cache pas, c'est vrai, ils me manquent terriblement. Je ne suis pas habitué à être loin d'eux aussi longtemps. Nous formons une petite famille tricotée serrée, même mes parents me manquent.

— Alors, Vic, si tu veux faire tes bagages, je ne te retiens pas. En autant que ton week-end n'ait pas été désagréable.

— Loin de là ! Ça m'a fait du bien de vous revoir, d'échanger, de se confier les uns aux autres. Le jeu en valait la chandelle ! Ça m'a permis de me délivrer de ce que j'avais sur le cœur depuis Terry et, ensuite, d'étaler le bonheur que je vis présentement. Une femme remarquable, deux enfants adorables. Je pense que le Seigneur finit par exaucer ceux qui ont du courage. Moi, je ne l'ai jamais renié, le bon Dieu, même dans les pires moments. Je l'ai plutôt prié et tu vois, il m'a comblé d'un bonheur inespéré.

— Je m'excuse pour la pluie, je ne l'avais pas commandée. Le Ciel nous l'a sans doute envoyée pour que nous restions prisonniers de nos témoignages. Si c'est le cas, il a bien fait les choses, on termine juste à temps, le dimanche soir tel que prévu, avec tous les aveux complétés. Regarde, Vic, j'ai encore du Cott Up sur la commode. Tu en veux un autre verre ?

— Heu... non, mais je prendrais bien une cannette avec moi pour le retour si tu voulais. J'ai toujours soif quand je conduis.

— Et toi, Ron ? Un autre verre ? J'ai deux demi-bouteilles de Beaujolais côte à côte sur le buffet. C'est léger, ça se digère très bien.

— Oui, je les reluquais, mais une seule fera l'affaire.

— Sers-toi, moi, je vais poursuivre avec un St-Leger sur glace.

Victor était dans sa chambre et on pouvait l'entendre refermer ses sacs de voyage sur tout ce qu'ils contenaient. Il avait son parapluie noir à l'avant-bras, mais inutilement, la pluie avait cessé momentanément, comme si elle voulait lui permettre de monter aisément le chemin de terre jusqu'à la route secondaire. Il revint s'asseoir quelques instants, sachant que son départ était imminent :

— Je ne sais comment te remercier de ton hospitalité, Dave. Je me serais cru dans une auberge de Charlevoix... Je n'en reviens pas ! Une longue et belle fin de semaine sans débourser la moindre cenne ! C'en est gênant, tu sais. Surtout avec les mets raffinés, les vins de choix, les desserts élaborés, les collations... Je me souviendrai longtemps de ce séjour.

— Une question, Vic, crois-tu qu'on va te revoir, Ron et moi ?

Victor regarda en haut, de côté, puis fixant Dave dans les yeux :

— Tu veux que je sois franc ?

Dave acquiesça de la tête.

— Alors, je réponds non.

David et Ronald étaient restés déconcertés. Avant qu'ils n'ajoutent quoi que ce soit, Victor précisa :

— Tu te souviens quand Marianne a appelé tantôt ? Son désir était de te parler, Dave, de te remercier, ce que j'ai fait moi-même. Je n'ai pas voulu te la passer, car je savais déjà à ce moment-là qu'on ne se reverrait plus. Marianne aurait voulu t'inviter, elle aurait même insisté, et c'est pourquoi j'ai coupé court à son coup de fil. Je l'ai même détournée du sujet, ce qu'elle a dû remarquer.

— C'est ton droit, Vic, personne ne te le reproche.

— Je sais, mais il me faut être plus clair, je n'ai pas l'habitude de laisser les gens avec des points d'interrogation. Facile de répondre « non », mais faut-il encore en donner la raison. Or, voilà ! Nous ne sommes pas du même genre, Dave, ta vie est à des lieues de la mienne. Je mène une petite existence tranquille avec ma famille, tandis que toi... Nous sommes loin du temps du cégep tous les trois. Je ne te juge pas, Dave, je ne te condamne pas parce que, dans ton domaine, tu as bougrement réussi sans te brûler les ailes. Le hic c'est que nos vies diffèrent trop pour un partage d'amitié. Que viendrais-tu faire dans une maison où il y a deux enfants, mes parents très souvent, nos amis avec leur famille ?

— Tu n'as pas à t'expliquer, Vic, l'important, c'est d'être franc et honnête et tu l'es. Tu aurais pu répondre « oui » que ça n'aurait rien changé, je n'aurais pas donné suite à ton affirmation. De cette façon, pas de fausses promesses. Et tu as raison, je n'aurais rien à foutre de ta vie familiale, pas plus que tu ne pourrais composer avec ma vie désordonnée.

— Merci de ta franchise, Dave, et de ton indulgence, mais tant qu'à y être, j'aimerais te dire, Ron, que je n'ai pas envie de te revoir toi non plus. Pour une raison bien simple, nous ne sommes pas sur la même longueur d'onde.

— Je m'en doutais, Vic, et ça m'arrange parce que toi et moi...

— Ça n'a jamais marché ! Je le sais ! C'est Dave qui nous gardait unis. « Le gros » que je suis t'endurait à cause de lui. Mais regarde tous les accrochages qui ont surgi entre nous en fin de semaine. On est comme chien et chat, Ron, on l'a toujours été. Puis, côté famille...

— Ne me reparle pas de mon mariage raté et de ma fille, Vic ! Le rideau est tombé, la farce est jouée !

— Tu vois comme tu t'emportes vite ? Pas moyen de dialoguer...

— Ne t'en donne pas la peine, je n'ai plus rien à te dire !

Mal à l'aise, David tenta d'atténuer l'atmosphère en versant du vin dans le verre de Ronald alors que Victor, ses deux sacs dans une main, tenant la poignée de la porte de l'autre, leur dit :

— Je pourrais tout de même vous laisser mon courriel, on pourrait s'écrire de temps à autre.

— Bonne idée ! s'exclama Dave. Donne-le à Ron !

— À moi ? répliqua ce dernier, tout en fixant Dave comme pour lui dire : « Tu es fou ou quoi ? »

On se serra la main malgré tout, Victor se confondit une fois de plus en remerciements en tenant sur son ventre un sac rempli de sucreries pour le retour. De la fenêtre du chalet, Dave et Ron regardèrent « le gros » grimper lentement la côte avec sa Mazda et emprunter le chemin qui mène à l'autoroute. La voiture disparue de leur vue, les deux comparses éteignirent les lumières extérieures, non sans se rendre compte que la pluie tombait encore. Comme si un nuage avait oublié de crever durant la journée, gardant sa bordée pour le soir afin de déplaire davantage. Ronald souleva le rond du poêle et laissa tomber sur une bûche calcinée l'adresse électronique de Victor griffonnée sur un bout de papier avant de s'étendre de tout son long sur le divan avec un « ouf » de soulagement. Pieds nus, *jeans* dégrafé, chemise ouverte, il avait les deux mains derrière la nuque alors que Dave, poussant deux verres vides de la main, en sortit deux autres pour demander à Ron :

— Un vin blanc floral et délicat, ça t'irait ? J'ai deux Bellavista mousseux au frais.

Ronald se releva d'un bond et, regardant son ami, lui répondit :

— Que deux ? Avec toi, je boirais toute la nuit !

La pluie tombait encore mais légèrement. On pouvait voir les gouttelettes glisser le long des vitres des fenêtres. Comme pour narguer de leur présence les occupants qui n'avaient pu venir à bout d'elles en quatre jours. Victor avait rejoint l'autoroute des Laurentides et, muni d'un cellulaire à mains libres, il avait appelé Marianne pour que le trajet lui semble moins long.

— Je m'ennuie de toi, ma perle ! J'ai hâte de te serrer dans mes bras !

— Moi aussi, mon loup, mais dis-moi, pourquoi ne m'as-tu pas laissée parler à David quand j'en ai exprimé le désir ?

— Parce que je te connais. Raffinée comme tu l'es, tu aurais exprimé le désir de le rencontrer, tu l'aurais invité à la maison pour lui rendre sa politesse de m'avoir reçu.

— Et puis ?

— Bien... je n'y tiens pas ! Je ne le reverrai plus, Marianne. Ni l'autre ! J'ai passé le week-end avec eux, ce fut plaisant, parfois éprouvant avec Ronald, mais il est loin le temps du cégep. Je m'en suis vite rendu compte. Je savais que j'allais retrouver un Ronald sûr de lui et prétentieux, il l'était déjà dans le temps. Mais le cheminement de David m'a jeté par terre ! Je m'attendais à tout, sauf à cela. Je te raconterai brièvement... Pour abréger, rien en commun avec le gars simple que je suis ni avec le couple terre à terre que nous formons, toi et moi. Non, Marianne, les revoir m'a suffi. Je n'oublierai pas de sitôt l'hospitalité de David, je l'ai remercié je ne sais combien de fois. Mais ce n'était pas moi qui étais à l'origine de ces retrouvailles, je n'ai rien cherché, moi. Tu sais, je me suis rendu compte qu'on ne revient pas en arrière sans que ça crée des remous. Les jeunes adultes que nous étions, encore adolescents de cœur, ont fait bien du chemin durant toutes ces années. Les nostalgies... Pas pour moi, merci ! Ce qui m'intéresse, c'est le présent, ce que nous vivons actuellement. Aujourd'hui et demain. Avec les enfants, tes parents, les miens, notre travail quotidien, nos précautions face aux lendemains... Et aussi nos amis, des couples qui nous ressemblent. Des gens avec qui on peut parler de politique et de faits divers avec optimisme. Moi, une fin de semaine avec des gars frustrés...

— Parce que c'était le cas, Vic ?

— Aucun doute en ce qui concerne Ron, ça sautait aux yeux.

— Et l'autre, l'accueillant David ?

— Bien... pas frustré, mais perturbé. Pas heureux, pas malheureux. Insaisissable, celui-là.

— Tu me disais pourtant qu'il avait réussi dans la vie...

— Oui, mais à quel prix ! Faut le faire ! Je t'en reparlerai. Mais il n'a pas réussi sa vie, le pauvre. Tu vois ? Riche comme Crésus en biens acquis, mais pauvre comme Job dans sa vie intime.

— La route est belle ? Il pleut encore ?

— Oh ! juste un peu, mais je suis quasiment seul, les gens sont tous rentrés à cette heure-ci. Je suis rendu à la hauteur de Boisbriand. Encore un petit quart d'heure et je serai à deux pas de la maison. Les enfants sont couchés ?

— Oui, fatigués, épuisés par le voyage, ils ont plongé dans leur oreiller et dorment à poings fermés.

— Chers petits ! J'irai les embrasser sur le front en arrivant.

— Dis, as-tu faim ? Veux-tu que je te prépare quelque chose ?

— Non, je suis parti avec un *doggie bag*, comme on dit, rempli de pâtisseries et de biscuits. J'en ai déjà mangé la moitié et j'ai aussi du Cott Up lime et citron à terminer.

— Victor ! Tu suivais un régime avant de partir !

— Je sais, je le reprendrai demain parce qu'il a pris l'bord à Sainte-Anne-des-Lacs ! Avec tout ce que David a mis sur la table...

— Tu n'étais pas obligé de tout manger ! Tu as manqué de volonté...

— Oui, et je m'en confesse. Que veux-tu, j'suis gourmand, je l'ai toujours été.

Restés seuls au chalet, David et Ronald semblaient plongés dans le vin tout en causant sans plus. En sourdine, on pouvait entendre le *Clair de Lune* de Debussy, que Ronald ne connaissait pas mais qui le porta à dire :

— C'est doux, cette musique-là... C'est romantique...

— Il t'arrive de l'être, Ron ?

— Heu... oui... J'ai l'allure d'un macho, mais je suis un tendre au fond. Je suis devenu un adulte trop jeune, j'ai manqué d'affection.

— Tu n'es pas le seul, tu sais.

— Oui, mais toi, ta mère t'aimait, tandis que la mienne buvait. Virginia, parce que tu l'appelais par son prénom, t'a couvert de tendresse. Je m'en souviens, j'en étais témoin.

— Oui, c'est vrai. Sans le moindre reproche, soutien constant...

— Et tu es resté libre, toi. Tu n'es pas tombé dans les filets d'un mariage raté et d'une paternité sur commande. Tu as eu…

— Non, Ron, je n'ai pas eu la vie plus facile, je te devine avant que tu parles. J'ai eu des creux, j'ai sué dans ce « sale métier ».

— Tu reviens encore sur ce que j'ai dit ?

— Parce que tu as raison. Aussi profitable a-t-il été pour moi, ce n'est rien pour être fier. J'ai vécu des moments de solitude, je me suis écœuré souvent d'être ainsi au service… Tu comprends ? Mais j'ai continué parce que je ne savais rien faire d'autre.

— Bien, avec le physique que tu as, la tête, le sourire…

— Ce n'est que l'enveloppe de l'être humain tout ça. L'intérieur est beaucoup plus important et lorsqu'il est vide…

— Voyons, Dave, tu es instruit !

— Instruit de ce qu'on m'a appris ici et là. Autodidacte, limité, Ron ! J'aime la musique classique et la poésie… en perroquet ! Parce que Paul m'y a initié. J'ai de la classe, de belles manières, parce que ma mère et d'autres me les ont inculquées. Il y en a même un qui m'a appris comment choisir telle fourchette à table, quoi faire avec sa serviette… J'ai connu les bons crus parce que j'en ai bu ! J'ai tout appris sur le tas, rien en théorie, encore moins aux études.

— Qu'est-ce que ça change ? Tu es d'un cran plus élevé que moi.

— Dans ce qu'on m'a appris, mais si tu savais comme mon livre est mince. Dès qu'on entre dans un sujet courant, que ce soit en affaires, en politique ou en psychologie, j'ai l'air d'un abruti, d'une coquille vide. La bouche ouverte, ne sachant que dire, je me contente de sourire.

— Voilà qui est bien ! Quand on peut s'en sortir avec un sourire comme le tien !

— Oui, mais ils passent vite outre au sourire ! Dents blanches Colgate ou pas ! C'est autre chose qu'ils veulent ! Ce n'est pas qu'avec mon sourire que j'ai payé ma Volvo et mon condo. Oh ! que non, Ron !

David avait changé l'angle de son appareil de radio qui captait moins bien, le soir venu. Voilà qui était mieux, puisque les *Variations sérieuses* de Mendelssohn se firent entendre. Ronald regardait son verre presque vide et les deux bouteilles dans le bac à récupération. Suivant son regard, David lui demanda :

— Tu veux boire autre chose ? J'ai un Chassagne-Montrachet rouge… J'ai aussi un Brouilly Mignot.

— Wow ! Tu ne t'arrêtes pas au prix quand tu achètes, toi !

— Ce sont des cadeaux, Ron, je ne tente pas de t'impressionner. Quand c'est moi qui paye, je change de cuvée. J'ai même un Truly du dépanneur en bas de la côte. Alors, tu as choisi ?

— Bien, le premier que tu as nommé, c'est le plus cher !

David esquissa un sourire et comme cette bouteille avait son mérite, il sortit deux autres ballons sur pied. En cristal de roche cette fois. Pour accompagner Ron dans ce vin de qualité, tout en gardant son scotch à portée de la main… Quel mélange !

— Tu vois comment tu sais faire les choses ? Des vins réputés… Moi, je ne serais pas capable de recevoir avec autant de doigté. J'y peux rien, j'suis un *bum*, Dave ! Je pogne avec les filles, je le sais, je suis rude et tendre à la fois, mais je n'ai pas de manières, je fais macho, je suis *oversexed*…

— Ce qui n'est pas un défaut, tu aurais fait fureur dans le métier !

Flatté et intrigué à la fois, Ronald, quelque peu ivre encore une fois, lui demanda :

— Tu penses ce que tu dis, Dave ? J'aurais pu faire de l'argent ?

— Oui, mais plus maintenant, tu n'en as plus l'âge.

— Pourtant, tu le fais encore, toi !

— Parce que je suis établi... T'as déjà oublié mon récit ? C'est pas du jour au lendemain qu'on devient escorte.

— Oui, j'imagine, mais je pensais que pour certains...

— Tu n'en aurais même pas la capacité, Ron. On ne change pas de lit comme ça en claquant des doigts ! C'est graduellement qu'on le fait et, bien souvent, avec dégoût de soi-même. Les clients de ce domaine ne sont pas tes p'tites jeunes des discos que tu chevauches à ta guise. Si tu savais... Il y en a même qui ont leur garde du corps dans la chambre communicante de leur suite. Au cas où... On a beau être honnête et recommandé que la méfiance est là. Surtout quand il s'agit d'hommes mariés qui retournent ensuite dans le lit de leur femme. Une indiscrétion de ta part et tu risques de ne plus te servir de tes bras pour un bout de temps ! On fait souvent affaire avec des durs quand on arrive en haut de la côte. Ce n'est pas comme les coups de téléphone laissés par des intéressés pour un soir. Et tu bois trop pour ce métier, Ron. Faut être solide sur ses jambes.

— Me traites-tu d'ivrogne, Dave ? J'suis pourtant pas comme ma mère !

— Non, ce que je veux dire, c'est qu'il faut avoir toute sa tête quand on baisse ses *jeans* dans ce milieu-là !

Ron avait souri de la dernière remarque, mais David avait compris par la réplique de son ami qu'il redoutait terriblement de devenir comme sa mère avec son penchant plus qu'évident. Il buvait beaucoup et il le portait bien, ce qui était plus dangereux encore. Et il le savait puisque l'image de sa défunte mère le hantait. Il souhaitait n'avoir rien hérité d'elle, surtout pas de son vice le plus ancré. Un lourd silence venait de s'installer lorsque David le rompit en lui demandant :

— Que comptes-tu faire avec Josée ? Tu poursuis ou quoi ?

— Je ne sais pas, Dave, je ne sais plus... C'est toujours à recommencer. Elle a certes des défauts, mais quand je les compare aux miens... C'est sûr que ça marcherait si je devenais plus coulant, si j'étais juste un peu plus gentil. Tu as entendu au téléphone tantôt ? J'ai été correct avec elle et je sentais qu'elle en était heureuse. Bien sûr que je pourrais être bien avec elle...

— Pourquoi ne pas essayer alors ? Tant qu'à toujours recommencer avec une autre... Tu vas finir par te retrouver seul, Ron, si tu continues à ce petit jeu.

— Ce qui me dérange, c'est qu'elle est jalouse.

— Bien simple, ne lui donne pas l'occasion de l'être, sois-lui fidèle !

— Ouais... Puis, tu as vu comme elle est prompte ? Au centre commercial, elle s'est levée et elle est partie en trombe !

— J'en aurais fait autant avec le ton que tu as employé ! Tu la traitais comme une débile, Ron, pas comme ta blonde ! Et tu l'humiliais devant moi !

— Quand même !

— Oui, oui, au point que j'en étais mal à l'aise pour elle ! Je ne savais où regarder...

— De toute façon, je ne sais pas encore. Ça me tente d'essayer, d'aller en voyage, de tenter de discuter, d'être plus sérieux... Mais des compromis, ça se fait à deux !

— Alors, mettez cartes sur table, expliquez-vous calmement, faites en sorte que la tentative soit profitable. Et si ça ne marche pas, vous aurez au moins essayé, Ron.

— Tu as raison, c'est moi qui dois changer. Je vais avoir quarante ans, ça rentre dans l'*dash* cet âge-là ! Je ne jure de rien, mais je vais m'accorder une chance.

— Vous accorder une chance, pas seulement à toi, Ron, à vous deux !

— Oui, oui, égoïste comme d'habitude, on change pas d'un coup sec, non ? Dis donc, Dave, t'as mis une bûche ou dix ? Il fait chaud en pas pour rire ! Tu permets que j'enlève mes *jeans* ?

— Mets-toi à l'aise, je vais en faire autant, Ron, mais je pense que le vin y est pour quelque chose. Mon deuxième scotch aussi !

Ronald retira son *jeans* et, en *boxer* noir, petite camisole sur le torse, pieds nus sur le tabouret, il déboucha le Brouilly Mignot sans demander la permission. Comme s'il était chez lui ! Comme si ces vins de prix lui appartenaient ! David qui était allé se mettre à l'aise revint lui aussi allégé de ses vêtements, vêtu seulement d'un *surf short* dans les tons de gris. Bronzé, la poitrine velue, les jambes droites, la barbe de trois jours, Ronald pouvait comprendre, une fois de plus, pourquoi Dave n'en était pas au seuil de la retraite dans son métier. Quoique lui-même, esthétiquement, n'avait guère à envier le corps de l'autre quand on s'arrêtait au sien. Très confortables près du feu, face à face dans les deux fauteuils rembourrés, David lui dit en le voyant se servir :

— Tu l'as ouverte ? Voilà ! C'est ce que je voulais ! Fais comme chez toi !

— Pas très poli, hein ? J'ai...

— Non, non, ça m'évite d'avoir à le faire ! Écoute, Ron, ça fait quatre jours que tu es enfermé chez moi.

Il est temps que ça devienne un peu chez toi ! Ne me demande plus rien, sers-toi !

— Tu veux bien m'aider à la boire celle-là ? Corsé, ce vin...

— Non, non, moi, c'est le St-Leger avant de me coucher. Sec à cette heure-là ! C'est celui que je digère le mieux. J'aime le Chivas Regal et le Cutty Sark, mais le St-Leger est mon préféré. Moins prononcé que les autres, je dirais...

— Alors, tant pis ! Je vais le caler tout seul, ce bon Brouilly !

Les deux hommes se regardaient et Ronald, malgré lui, se demandait si David, avec son ouverture d'esprit, sa double vie, n'avait pas envie de lui. Mais l'autre ne bronchait pas et semblait surtout intéressé par les valses de Strauss qui s'enchaînaient depuis un bon moment. Au grand dam de Ron, impossible de deviner ce qu'il pensait. Son ami, aussi bellâtre était-il, était immuable pour ne pas dire de marbre. Pourtant, avec le scotch... Si lui, aidé par le vin, chancelait dans ses pensées, comment Dave pouvait-il ne rien ressentir, lui qui sans scrupule se vendait... non, « s'offrait » à des êtres du même sexe que lui, reprit-il intérieurement en guise de justification. Inconcevable ! Mais il semblait en être ainsi. Au point que Ron, stupéfait, lui demanda pour le mettre sur la piste :

— Tu peux rester longtemps sans relations... je veux dire...

— Oui, des mois, s'il le faut. Je ne suis pas tellement génital...

— Même quand vient la pleine lune ?

— Non, ça ne me met pas sous hypnose, je ne subis pas son influence. Et toi ?

— Moi ? Pas besoin de la pleine lune pour avoir des idées perverses ! L'effet du vin est un bon stimulant !

Puis, il y a l'ambiance… *L'occasion fait le larron*, selon le dicton.

David fit mine de ne pas avoir entendu la conclusion et demanda à son ami :

— Ça te dérangerait de te lever de ton siège et de mettre une autre bûche dans le poêle ?

Ron venait de terminer le dernier verre de vin de la bouteille en un temps record et David se rendit compte que son copain d'antan avait un sérieux problème d'alcool. Tout comme sa mère, naguère. Sans le lui reprocher, il tentait de le mettre en garde contre les méfaits de trop fortes ingurgitations, mais Ron, quelque peu insulté, lui avait répondu :

— T'es mal placé pour parler, ça fait trois scotchs que tu te verses !

— Oui, mais je le tolère, moi, je n'ai pas d'effets ou si peu. Je reste le même, ce qui n'est pas ton cas. Tu changes d'humeur, ton caractère s'aigrit, tu deviens grave. Je l'ai remarqué avec Vic quand tu l'apostrophais et j'imagine qu'il en va de même avec Josée qui doit subir tes emportements.

— C'est une leçon de morale que tu me sers là, Dave ? Je croyais qu'on était venus ici pour se détendre, se laisser aller…

— C'est exact et je le maintiens, je peux te faire boire toute la nuit, rien ne manque ! Ce n'est qu'une mise en garde, Ron. Tu as un *look* superbe, ne le détruis pas de cette façon. Il y a bien assez du temps qui s'en charge…

— Alors, pourquoi se priver puisque le temps va nous amocher comme tout le monde ?

Voyant qu'il n'y avait rien à faire et que Ronald avait déjà trop bu pour comprendre, David sortit un autre verre :

— Tu veux aller jusqu'au bout ? Soit ! J'ai encore un Domaine de la Motte qui n'attend que ton bon vouloir.

— Là, tu parles ! Je retrouve enfin l'ami ! balbutia Ron, la bouche pâteuse.

David lui servit à boire et, pour l'accompagner, il se versa un doigt de cognac Prince Hubert de Polignac, déjà ouvert.

— Dis-moi, Dave, s'efforça Ron, tu as pensé à Louise depuis que tu lui as parlé ? Tu me pousses dans les bras de Josée, mais toi...

— Tu ne peux m'aider en rien concernant Louise, Ron, parce que tu ne la connais pas. Moi, j'ai eu la chance de rencontrer Josée, c'est différent. On ne peut conseiller quoi que ce soit sur une personne qu'on n'a jamais vue.

— Je te demandais juste si tu y pensais...

— Oui, j'y pense, mais c'est demain qu'elle doit me téléphoner. Je vais m'entretenir avec elle après ton départ.

— Je te gêne ? Je peux aller dans ma chambre...

— Ron ! Je viens de te dire que nous nous parlerons demain, pas ce soir ! Si seulement tu étais attentif...

— Tiens ! Tu me chicanes comme un petit garçon maintenant ?

— Ah ! Ron ! Ne deviens pas désagréable ! Nous allons laisser la bûche s'éteindre et regagner nos chambres. Il est déjà tard, tu travailles demain.

— J'y vais quand ça me plaît à ce satané bureau ! Je suis un agent affilié, je n'ai pas de comptes à rendre !

— Bon, d'accord, mais moi, j'ai ma semaine à planifier.

— Oui ? Où ça ?

— Ça ne regarde que moi, Ron ! J'ai aussi le chalet à fermer, je ne reviendrai pas avant le printemps prochain.

— Écoute, si jamais tu songes à le vendre, j'ai des acheteurs pour les vieux chalets d'été.

— Une baraque, un coup parti ? Non, je ne vends pas, je veux le rénover. T'as déjà tout oublié ?

— Non, un trou temporaire, l'effet du vin… Je pense que je ne la finirai pas, cette bouteille-là. Pas mal costaud, celui-là !

— Si c'est le cas, je mettrai le reste au frais jusqu'à demain, et je le terminerai seul en me remémorant ce beau week-end.

— C'est vrai ? Tu as apprécié ces retrouvailles ? C'était mon idée…

— Je ne l'ai pas oublié, Ron, et c'était bien pensé. On a pu faire le point tous les trois, on sait maintenant où on en est rendus.

David se leva pour vérifier si la bûche s'éteignait sans danger et, refermant le rond du poêle, il remarqua que Ronald le regardait étrangement. Il le fixait même, ce qui l'intimidait :

— Quelque chose qui ne va pas ? J'ai trop de poil sur l'estomac ? répliqua-t-il en riant, au regard inquisiteur de son ami.

— Non, Dave, au contraire… La bûche se meurt, pas d'étincelles nulle part ?

— Non, et comme tu as les yeux de plus en plus petits, il serait peut-être temps de regagner ton lit avant de t'endormir dans le fauteuil.

David rangea le vin, déposa les verres dans l'évier, éteignit la lumière du vivoir et se dirigea vers sa chambre suivi de Ron qui titubait sur ses jambes. Soudain, sans s'y attendre, il sentit une main lui caresser la nuque, une autre lui effleurer la hanche. Se retournant, voyant que Ron avait les yeux embués par la tristesse du vin, il s'en dégagea tout doucement en le dirigeant par les épaules du côté de sa chambre. Mais ce dernier, insulté d'être ainsi rabroué, rejeté, se tourna vers Dave pour lui dire :

— Pourquoi pas moi ? Ce serait une expérience… On ne sait jamais…

— Ron, je t'en prie, va te coucher, tu ne sais plus ce que tu dis.

— C'est toi qui ne veux rien comprendre. J'ai envie d'essayer…

— Tu vois ce que peut faire la boisson ? Tu es dans un état second, Ron !

— Non, je suis juste à côté de toi… Et je ne serais pas l'premier !

Choqué de la remarque, désemparé de voir son ami se comporter de la sorte, David entra dans sa chambre et referma la porte derrière lui. Laissé à lui-même, pantois, s'accrochant à la poignée pour ne pas tomber, Ronald lui cria à pleins poumons :

— J'suis capable de payer, moi aussi ! C'est combien ?

David rouvrit la porte, darda sur son copain un regard qui le cloua au sol, et Ronald comprit, malgré son piètre état, qu'il était allé trop loin. Bafouillant sans s'excuser, il mâchonna en regardant Dave de travers :

— J'savais-tu, moi ? J'pensais qu'c'était ça qu'y fallait ajouter…

David, sans répondre, referma la porte violemment cette fois.

Chapitre 10

La nuit avait été brève pour David. Il avait mis du temps à s'endormir. L'inconcevable assaut de Ron l'avait secoué. Jamais il ne se serait imaginé que, même ivre, son copain coureur de jupons puisse avoir envie de lui. Ou Ron croyait-il que c'était Dave qui pouvait le désirer ? Ils s'étaient regardés maintes fois l'un l'autre au cours de la soirée, mais pour David, c'était au sens compétitif. Narcissique, il tenait à s'assurer que, vingt ans plus tard, il était encore le mieux fichu des deux. Pour ce qui était du « gros » Victor, il avait vite été éliminé. Comme il l'avait toujours été d'ailleurs. Mais de là à ressentir une attirance pour Ronald, c'était loin dans les pensées de celui qui, pourtant, était « escorte ». C'était néanmoins ce que pouvait avoir souhaité Ron dans son ébriété. Tant de femmes s'étaient jetées dans son lit… Pourquoi pas une expérience avec un mâle, un ami de surcroît, dont le métier était de coucher avec les hommes ? Pour voir ce qu'il allait en tirer, lui, Ronald, si charnel, si sexuel ! Avait-il cru un moment que Dave, par besoin ou envie, lui rendrait ce service ? S'était-il estimé assez excitant pour que son ami Dave, seul avec lui, s'enfonce dans son lit ? Parce que la plupart de ses clients, Dave l'avait presque affirmé, n'étaient pas baraqués comme il l'était. Des hommes âgés ou sinon déformés lorsque plus jeunes. À part un garçon de dix-neuf ans, un seul, qu'il avait supposément initié selon les volontés de son père. Un jeune homme avec lequel il n'avait eu que des touchers, incapable d'être celui choisi pour l'émanciper. Qu'importait le prix ! Ce que Ron, sans le lui avouer, n'avait pas tout à fait gobé. Pourtant, David l'avait répété maintes fois, il n'était pas de ceux qui se jetaient sur leur proie, les yeux rivés sur les billets verts aux bouts de leurs doigts. Mais Ronald ? Quelle disgrâce d'avoir agi de la sorte. Désirer un ami qui venait de témoigner de ses hauts et ses bas dans ce « sale métier » comme il le qualifiait. Vin aidant ou pas, le geste était là, la tentative avait eu lieu, et David, aussi choqué de l'audace au lever qu'au coucher, se promettait bien d'être de glace avec ce faux jeton qui avait tenté de « se le payer », piétinant ainsi tout le respect amical qu'il lui devait.

De sa chambre, David pouvait entendre Ronald ronfler. Il cuvait sans doute le vin ingurgité, mais Dave n'allait pas le laisser dormir jusqu'à midi. Il allait le réveiller, lui servir à déjeuner et vite s'en débarrasser. Car, en ce lundi, tel que promis, Louise et lui avaient d'autres chats à fouetter. Mais, sans que David eût rien à faire, Ronald se réveilla vers neuf heures trente avec un mal de bloc à se tenir après les murs. C'était tout juste s'il ne titubait pas encore. Échevelé, il traversa le couloir vêtu de son *boxer* noir, le même que la veille. Passant devant David, il ne marmonna qu'un « salut ! » auquel l'autre ne répondit pas, et se hâta de gagner la salle de bain. David, qui avait eu le temps de prendre sa douche, avait laissé ses cheveux sécher dehors au gré du vent. Il ne pleuvait plus, mais le ciel demeurait incertain ; et le brouillard, intense. Quelques oiseaux se disputaient les miettes du pain croûté jetées dehors par « le gros », mais les écureuils, par crainte d'une autre ondée, n'étaient pas encore sortis de leurs nids juchés dans le haut des arbres. Dave avait enfilé un pantalon cargo beige et un *t-shirt* noir sous une chemise beige. Chaussé de bas beiges et d'espadrilles noires, il avait fait couler le café et déjeuné d'un jus d'orange, de fruits frais et de *toasts* tartinées de marmelade. Il avait mis une bûche dans le poêle pour dissiper l'humidité de la nuit, la fenêtre du vivoir étant restée entrouverte. Il entendit l'arrêt du jet de la douche, il vit Ronald repartir vers sa chambre enroulé dans une serviette et fermer la porte derrière lui. Sans que David lui ait adressé la moindre parole encore. Pas même un signe de tête en réponse à son « salut ! » matinal.

Pas rasé, bien lavé, dans son *jeans* bleu une fois de plus, chemise à carreaux rouges et gris portée ample, Ronald apparut à la cuisine et, mal à l'aise, ne prononça pas un seul mot.

— Le café est chaud, tu n'as qu'à te faire des *toasts* ! lui dit David, lui qui l'avait servi chaque matin.

Sans même lui offrir des œufs frits ou pochés comme les jours précédents. Sentant la soupe chaude, Ronald se leva de sa chaise, se grilla deux tranches de pain sur le poêle, rien de plus, qu'il badigeonna de beurre d'arachide. Pas de jus, pas d'œufs, pas de jambon, rien de tout cela ne lui avait été offert. Rassemblant ses idées, se souvenant de sa gaffe de la veille, il ne savait comment s'excuser. La gueule de bois et la tête qui lui fendait l'empêchaient de se concentrer sur sa façon de penser.

« Peut-être bien qu'après deux cafés... », se disait-il, alors que Dave, le laissant seul à la cuisine, était allé mettre de l'ordre dans la pièce à côté. La petite radio était allumée, on y jouait *Gavotte*, de Prokofiev, ce que Ronald, évidemment, ne connaissait pas, mais cette musique classique lui cassait les oreilles. Il aurait souhaité fureter à l'aide du bouton afin de trouver ne serait-ce qu'un bulletin de nouvelles ou une météo, mais il n'osa agir comme s'il était « chez lui » ce matin-là. Enfin, une pause, et on annonçait des percées de soleil en fin d'après-midi et une agréable semaine en perspective. Que cela ! Et ça repartait avec « L'Automne » des *Quatre Saisons* de Vivaldi, qui était du « chinois » pour Ronald, profane en musique classique.

Il déposa sa tasse et son assiette dans l'évier, et David, revenant du vivoir, vida un panier à rebuts en osier dans un sac vert. Sans dire un mot. Sans même le regarder. Incommodé d'être ainsi ignoré, Ronald lui demanda :

— Tu m'en veux à mort, hein, Dave ?

L'autre se retourna, le regarda, soupira et lui répondit :

— Pas à mort, mais oui, je t'en veux ! Tu es loin d'être dans mes bonnes grâces, Ron.

— Pour ce que j'ai tenté ? J'étais saoul ! Je ne savais plus...

— Non, tu savais ce que tu faisais, tu savais ce que tu voulais !

— Bien, faut pas en faire un drame, ça s'est pas produit, Dave... Et puis, t'es mon ami...

— Ce n'est pas ton intention qui m'a choqué, Ron. Si seulement tu étais allé te coucher... Mais ta remarque désobligeante...

— Laquelle ? Je ne me souviens pas de tout, j'étais ivre mort !

— Tu ne te rappelles pas avoir voulu me payer, Ron ? Comme un vulgaire prostitué ? Tu m'as même demandé : « Combien ? »

Mal à l'aise, ayant oublié ce passage, Ronald ne put que balbutier :

— J'ai fait ça, moi ? J'ai dit ça, Dave ? Je te jure sur la tête de ma mère que je ne m'en souviens pas !

— N'empêche que tu le pensais au moment où tu l'as hurlé !

— Peut-être bien, je n'ai plus de contrôle dans ces moments-là. Si je suis allé jusqu'à dire ça, c'était sans doute par dépit… Je ne bois pas autant en ville… Mais ici, quatre jours avec de la pluie, la nostalgie, l'euphorie, le vin… Quatre jours à n'avoir aucun contact physique… C'est possible, je suis charnel et s'il y a eu rejet… Mais je m'excuse si je t'ai blessé ou humilié, Dave, ce n'était pas mon intention, j'étais dans un état second…

— Tu te rends compte de ton problème de boisson, Ron ? Imagine ce que va vivre Josée avec un homme comme toi !

— Je viens de te dire que je ne bois pas autant chez moi.

— Ça viendra, Ron ! Comme ta mère avec le temps… Tu es sur la bonne voie. Tu devrais y voir, consulter, te faire aider.

Touché en plein cœur par la mention de sa mère, insulté de se faire conseiller une cure, Ron répliqua vertement :

— Je n'ai pas besoin de tes conseils, Dave ! Pas plus que de tes remarques ! Je ne suis pas un ivrogne et on a tous consommé en fin de semaine, toi le premier !

— Fais ce que tu veux, c'est ton problème, pas le mien, mais laisse-moi te rappeler que ni Vic ni moi n'avons eu besoin d'autant d'aspirines durant le week-end.

— Ne me compare surtout pas à Vic ! Un verre de vin, puis deux Canada Dry pour le faire passer ! À chacun ses failles, lui, c'est au *ginger ale* qu'il est « accro » ! C'est rude pour l'estomac, ça ! Pour ce qui est de toi, t'as la chance de mieux porter l'alcool, Dave, parce que le scotch, le cognac pis le vin, t'as craché dedans autant que moi pour en faire plus ! C'est juste que ça ne te saoule pas autant que moi parce que quantité pour quantité...

— Tu t'éloignes du sujet... Oublie la boisson, c'est moi qui vous l'offrais, mais ta conduite marginale...

— Charrie pas ! Une seule fois, hier soir seulement ! Parce que j'avais trop bu et que j'étais en manque ! Je me fends en deux pour te l'expliquer ! Mais j't'ai pas sauté dessus, Dave, j'ai sans doute pensé que toi aussi...

— À cause du métier que je fais, non ? Ça t'a attisé...

— Ça s'peut ! Ta façon de décrire... Un penchant ? Sais pas... Tu sais, quand on a tout essayé avec les femmes et qu'on se retrouve à presque quarante ans à se creuser la tête pour avoir d'autres jouissances sexuelles sortant de l'ordinaire... Oui, j'aurais sans doute essayé ! Avec toi comme avec n'importe qui hier soir, parce que j'avais des pulsions. J'sais pas, mais...

— Tu étais saoul comme une botte, Ron ! T'aurais même pas été capable d'avoir un plaisir solitaire ! Tu n'tenais plus sur tes jambes ! Tu es tombé raide mort sur l'oreiller ! Et tu croyais quand même que toi et moi... ? T'as du cran, toi ! En maudit !

— Bon, vas-tu passer l'éponge, Dave ? Je m'excuse encore une fois, mais je ne t'ai pas violé à ce que je sache.

— Tu as juste violé le respect que tu me devais. Celui que tu avais pour moi depuis toutes ces années. Et ça, Ron, c'est pire que n'importe quel geste indécent d'une main baladeuse sous la table.

— Écoute, comme je ne me rappelle pas t'avoir dit ce que tu me reproches, vas-tu finir par me la pardonner, ma bévue ?

— Non, mais je vais tenter de l'oublier, Ron, j'en ai ragé toute la nuit !

D'une bévue à une autre, Ronald rétorqua innocemment :

— Tout d'même ! J'me pensais pas si repoussant !

David avait lâché prise. À quoi bon ! Son ami de collège n'avait évolué d'aucune façon. Tombeur de femmes à dix-neuf ans, il l'était encore vingt ans plus tard. Tout ce que dégageait Ron n'était que physique. Voilà pourquoi son ex-épouse, Catherine, puis la belle Carla, les autres qui suivirent ainsi que Josée s'y étaient attachées. Ronald n'était qu'un corps, pas une tête, et il avait la chance de traverser une décennie où le *Six Pack Abs*, pour certaines filles, était plus important que le cerveau. Ce qu'il ne savait même pas, peu renseigné sur le processus du *autres temps, autres mœurs*. Passant outre tout simplement, David comptait les heures pour le voir repartir et se retrouver seul dans son chalet passablement à l'envers. Ronald, habitué à se faire servir, n'avait pas encore fait son lit tandis que Vic avait laissé sa chambre impeccable. Jonglant, buvant un autre café tout en lorgnant une bouteille de vin sur une étagère, Ronald, croyant que le vent tournait en sa faveur, avoua à Dave :

— Tu sais, je ne te l'ai pas dit, mais j'ai l'habitude de prendre tous les trains. C'est peut-être pour ça que, hier soir…

Il revenait à la charge ! Était-ce une autre tentative ? Sobre cette fois ? David, impatienté, lui répondit :

— Il y a des trains qui déraillent, Ron !

— Oui, je sais, je les ai pris aussi… Car mieux vaut en avoir du regret que d'en avoir toujours envie.

« Tiens, tiens... se disait David. À qui donc a-t-il emprunté cet adage ? » Parce que c'était la première fois que Ronald sortait quelque chose de sensé.

L'avant-midi s'écoulait et Ronald n'avait pas l'air du gars pressé de partir. Au point que Dave, rangeant tout dans le chalet, lui dit comme pour le lui signifier :

— Si tu veux, il y a encore des viandes froides, des fromages, des œufs cuits durs, du café... Un brunch, ça t'irait avant de partir ?

— Je ne dirais pas non, Dave, si tu partages ce dernier festin avec moi.

— J'ai très peu d'appétit, mais je veux bien t'accompagner avant que tu reprennes la route. En guise de conclusion, disons !

— Comment ! On ne va pas se revoir ?

— Je ne crois pas, Ron. Pas pour les mêmes raisons que Victor, mais nous sommes maintenant trop éloignés les uns des autres.

— Je comprends qu'avec Victor... Mais moi, libre comme l'air...

— Non, Ron, tu n'es pas libre. Tu es père d'une fille que tu vas finir par chercher à revoir et tu as Josée qui n'attend que ton bon vouloir. Un esprit de famille, quoi ! Moi, je vis seul, j'en suis à mon examen de conscience... Et puis, nos goûts ont changé, le rythme de nos existences n'est plus le même. J'ai été heureux de te retrouver ainsi que Victor, mais c'est entre guillemets que cela s'est fait. Des retrouvailles pour mieux se rendre compte qu'on n'est plus sur la même longueur d'onde.

— Ça alors ! Mais tu vas me manquer, Dave ! Je m'étais rattaché...

— Allons, sois conséquent, nous avons été vingt ans sans nous voir et la roue a tourné pour chacun. Elle en fera de même avec le temps qui vient.

— Pas même un coup de téléphone ? Ou un courriel ? Notre amitié va s'éteindre là, bêtement, comme la bûche du poêle ?

— Oui, Ron, exactement.

— J'ai rien à rajouter… Mais avec le dernier *snack* que t'es en train de préparer, tu crois que je pourrais avoir le restant de vin que je t'ai vu mettre au frigo hier soir ?

Le brunch avait été vite avalé. David avait été moins empressé que de coutume auprès de son invité. Il avait tout déposé sur la table, la bouteille de la veille incluse, et laissé Ronald se servir lui-même. À manger comme à boire ! Pour sa part, il avait grignoté quelques biscottes et des cubes de fromage sur un œuf farci. Sans même boire de vin ou de scotch, qu'un café frais coulé pour ce léger repas. Ronald, faisant tout en son pouvoir pour ramener David à de bons sentiments, osa même revenir sur le sujet épineux :

— Tu sais, j'ai dû me sentir repoussé, c'est sans doute pourquoi je me suis emporté. Si seulement tu avais tenté…

David, déconcerté par son audace, préféra couper court en répondant sèchement :

— Tenté quoi ? Je t'ai dit que je n'étais pas homosexuel, Ron, que ce que je faisais n'était qu'un métier, que le cœur n'était pas à l'ouvrage, seulement le reste ! Fais-tu vraiment la sourde oreille ?

— Non, j'avais compris, Dave, mais j'ai sans doute pensé que j'en valais bien d'autres pour combler la solitude du moment. Ça aurait pu être amusant…

— Je ne m'amuse pas avec ce qui me fait gagner ma vie.

— Bien, disons excitant…

Constatant que son copain d'autrefois en était presque à relancer la tentative ratée, ayant peine à croire ce qu'il entendait, Dave lui répondit, fermement cette fois :

— Alors, tu le feras avec d'autres, Ron ! Tu vas en rencontrer des tonnes dans le bas de la ville, ou je peux te donner le numéro d'une agence si tu préfères. Mais je te le répète, jamais je n'aurais fait quoi que ce soit avec toi !

Se sentant encore plus écarté, Ronald revint à la charge :

— Parce que j'étais saoul, Dave ?

— Non, parce que je n'ai aucune attirance pour toi ! Même monnayable, je te refuserais. Je suis sélectif dans mes choix.

Offensé dans son orgueil démesuré, Ronald rétorqua :

— Pas mal insultant, ce que tu me dis là, quand toutes les femmes...

— Voilà, Ron ! Les femmes ! Alors, ne change pas de bord même pour un essai, ça ne marcherait pas. Tu n'as rien pour conquérir un homme, pas même l'approche. À moins de descendre de niveau et de te ramasser sur la rue Sainte-Catherine, dans l'est, où ça fourmille de ce que tu cherches. Comme première expérience !

— Je ne cherche pas ça, voyons, je plaisantais ! Avec toi, c'était sous l'effet de la boisson, mais crois-moi, je n'ai pas un chromosome d'homosexualité en moi.

— À d'autres ! Quand on est aussi certain de ça comme tu le prétends, on s'en souvient, même après trois bouteilles de vin !

Et vlan ! Ronald venait, une fois de plus, de prendre une débâcle. Embarrassé, il se promettait bien de ne plus revenir sur le sujet. Car, sans études, sans diplôme, David semblait dix fois plus calé que lui en psychologie. Bouche cousue, il réussit tout de même à l'ouvrir pour avaler la dernière gorgée de son grand cru.

La table avait été débarrassée et David avait remis les chandeliers de chaque côté du centre de fleurs séchées. Puis, vaquant à ses occupations, il constata que Ronald était retourné à sa chambre afin de passer un coup de fil. Prêtant l'oreille en baissant le son de sa radio, il put entendre :

— Allô, Josée ? C'est moi !

David ne savait trop si elle était contente ou pas qu'il soit encore là, mais il sentait le ton de Ron doucereux, comme s'il avait beaucoup de choses à se faire pardonner.

— Écoute, je pars tantôt. Je vais au moins ranger ma chambre et, rendu sur l'autoroute, je vais m'arrêter quelque part pour te parler plus longuement. J'ai quelque chose à te proposer.

David s'éloigna de peur d'être perçu comme un intrus dans un appel confidentiel, mais il put saisir, même en retrait :

— Quoi ? J'avais mal compris, la ligne est mauvaise ici. Moi aussi, je t'aime, Josée !

David crut défaillir ! Il lui avait dit qu'il l'aimait alors qu'à son arrivée, il parlait de la quitter. Ravi de ce revirement, il se disait que ces retrouvailles auraient servi à quelque chose. Du moins pour Ron qui se cherchait constamment. Un tel aveu venant de lui pouvait aussi provenir du fait qu'il avait compris qu'il avait un sérieux problème d'alcool. Le remords faisant toujours place aux bonnes intentions. Combien de fois, sans l'avouer dans son témoignage, Ronald s'était-il levé un lendemain de veille en se mordant les poings, en pleurant et en implorant sa mère de lui épargner ce fléau ? Combien de fois avait-il nagé dans les regrets après s'être presque noyé dans le vin les soirs précédents ? Que de migraines ! Que de nuits où son foie en compote criait grâce ! Que de lendemains que seule Josée subissait parce qu'elle l'aimait ! Au point d'en oublier les injures et les affronts de la veille, chaque fois. Ce que personne ne savait, sauf elle... et lui ! Leur secret que, malgré tout, David devinait, parce que les regrets comme les promesses étaient l'apanage des alcooliques. Il en avait trop vu au cours des ans pour ne pas être passé maître en la matière. Le ton déployé par Ronald dénotait qu'il déplorait ce qu'il avait tenté de faire la veille. Et ce remords miné par le dépit, il l'épongeait sans doute, chaque fois, sur l'épaule de Josée. Car elle seule savait que le pavé de ses bonnes intentions camouflait le repentir. Mais éprise, conquise, pénétrée de lui, elle pardonnait sans savoir, bien souvent, quelles étaient les fautes.

Ronald avait mis de l'ordre dans sa chambre et bourré ses valises de ses effets personnels. Pas rasé, le *jeans* encore convenable, une chemise bleue à manches longues portée négligemment, il s'apprêtait à aller tout ranger dans le coffre de sa voiture lorsque David lui dit :

— Attends, je vais t'aider ! Tu n'auras qu'un seul voyage à faire avec tes bagages.

— On dirait que tu as hâte que je parte.

— Mais non, ne recommence pas, Ron, ne gâche pas ce beau week-end qu'on a passé ensemble tous les trois.

— Loin de moi l'idée, mais tu es sûr qu'il ne serait pas possible qu'on se revoie ? Ça ne me rentre pas dans la tête...

— C'est préférable, Ron. Vic l'a compris, lui, il a été le premier à se refuser à l'idée d'éventuelles réunions.

— Vic, je comprends, mais toi et moi, on était si près dans l'temps...

— C'est vrai, mais beaucoup d'eau a coulé sous les ponts depuis. Et comme ça semble te peiner, tiens ! laissons ça au destin. Il nous a déjà été bénéfique lors de notre rencontre fortuite au centre commercial.

— Voilà qui est déjà moins radical. On peut toujours espérer…

Sentant qu'il devenait mélancolique, David lui dit :

— Si je ne t'ai pas offert à boire davantage au brunch, Ron, ce n'est pas à cause d'hier, mais parce que tu conduis.

— J'ai encore l'estomac fragile… Ne t'en fais pas, j'ai quand même terminé la moitié de la bouteille qui restait et ça m'a suffi.

— Tout en te laissant un bon souvenir de ce séjour, j'espère ?

N'ayant plus rien à se dire, les deux amis se firent l'accolade et David sentit la main ferme de Ronald lui presser l'omoplate. S'en dégageant, l'étreinte étant trop forte, le maître des lieux ajouta :

— Bon retour et sois prudent, la chaussée est sans doute encore mouillée à certains endroits. Avec toute cette pluie…

— Je conduirai lentement et, le lundi, à cette heure-ci, à part quelques camions, c'est très fluide sur l'autoroute. Et toi, ça ira ?

— Oui, ne t'en fais pas pour moi, Ron, j'ai des choses à régler.

— Alors, merci pour tout, Dave, tu as été un hôte remarquable. J'aurais tellement aimé t'acheter un grille-pain !

David sourit et Ronald, les verres fumés sur les yeux malgré le ciel brumeux, monta la côte tout en adressant un amical signe de la main à celui qu'il ne reverrait plus. Parce que David savait, lui, que le temps des retrouvailles venait de prendre fin et qu'il n'aurait aucune envie de revoir ses amis d'antan. Il vivait autrement depuis trop longtemps.

En *cruise control* sur l'autoroute, Ronald sortit non loin de Saint-Jérôme pour faire le plein d'essence. Puis, s'éloignant des pompes, il se gara dans le stationnement et composa le numéro de Josée à son bureau :

— Tu n'es pas sortie pour dîner ? Tu es encore là ?

— J'ai pris quelque chose à la cantine, je n'avais pas faim et, là, je saute dans un taxi et je rentre à la maison. Je prends l'après-midi *off*, je veux être là quand tu arriveras.

— Wow ! C'est beaucoup pour un seul homme !

— Mais je t'aime, mon ange, tu n'en savais rien ?

Il éclata d'un rire franc et, rapprochant le petit appareil de sa lèvre inférieure, il lui dit :

— Tiens ! Je te souffle un baiser ! Je t'aime moi aussi ! J'ai de plus quelque chose à te demander.

— Vas-y. Quoi donc ?

— Après le petit voyage qu'on va effectuer, que dirais-tu si j'achetais une grande maison pour nous deux ?

— Une maison ? Tu plaisantes ou quoi ? Bien sûr ! Oui !

— J'en ai trois de listées, mais il y en a une qui m'attire dans le Vieux-Longueuil. Une maison quasi centenaire comme tu les aimes, Josée ! Toute de pierres et bien située. Elle a quatre chambres, un immense salon, un foyer, des fenêtres panoramiques, un grand jardin…

— Mais nous ne sommes que deux, Ron !

— Qui sait ? On ne connaît pas l'avenir et peut-être que ma fille éprouvera le désir de venir vivre avec son père, un jour. Il y en a une autre à Rosemère, plus moderne celle-là mais très jolie aussi.

— Celle que tu voudras, Ron, qu'importe l'endroit. Ton choix sera le mien. Mais tu crois que nous en aurons les moyens ?

— Ne t'en fais pas, Josée, je la payerai seul. Comme j'ai l'intention de travailler plus fort, je vais faire de l'argent comme de l'eau dans pas grand temps. Suffit de m'y mettre !

— Mon cœur bat à tout rompre, mon amour. J'ai peine à croire ce qui m'arrive. Est-ce dû à ton séjour ?

— Oui et non. J'ai réalisé à quel point je t'aimais. En arrivant, fais jouer de la musique classique pour faire changement. On a bien un ou deux disques du genre, quelque part. Sinon, rends-toi à Radio-Classique au 99,5 FM, ça tourne sans cesse, j'en écoute présentement. Parce que, quatre jours sans toi, moi...

— Et moi donc ! Pas facile quand on aime comme je t'aime.

— J'ai pris une douche, j'ai mis de l'eau de toilette, je sens bon, chérie, sauf que je ne me suis pas rasé...

— Tant mieux, Ron ! J'adore ta barbe de deux jours, tu le sais, ça fait plus mâle, plus sensuel, et j'aime la sentir m'érafler la peau...

Seul dans son chalet où l'odeur des convives était restée imprégnée, David s'employait à tout remettre en ordre avant de le fermer. Il avait certes l'intention de le rénover comme il l'avait dit, mais si un bon prix lui était offert... Une voix intérieure le lui suggérait, celle de sa mère. Comme si elle ne désirait pas que son fils bien-aimé ne vive que dans son souvenir. Il se devait de créer son propre univers, d'oublier son père, sa sœur, et elle, Virginia, sa mère. Que quelques fleurs sur sa pierre tombale de temps à autre, rien de plus. David allait y songer, il ne se laissait pas influencer facilement. Surtout pas par une voix d'outre-tombe dont il ne reconnaissait pas le timbre. Il allait voir avec le temps ce qu'il ferait de ce chalet qu'il vénérait depuis qu'il était enfant. Pour le moment, quelque chose de plus important le tenaillait. L'appel de Louise. Elle avait conclu d'entrer en communication avec lui vers quinze heures, après le départ du dernier invité. Ce qu'elle fit. Pile ! Pas une seconde avant ni après !

— Allô, Dave ? C'est moi.

— Bonjour, Louise. J'attendais ton appel.

— Ça va ? Ils sont partis ? Ça s'est bien passé ?

— Oui, mais ça m'a épuisé. Il a plu sans cesse, il m'a fallu les entretenir, leur faire à manger, voir à leur confort... Pas facile quand on est habitué d'être seul ou presque, ici...

— J'espère que ce n'est pas un reproche. J'irais bien passer des fins de semaine, Dave, mais il y a tant de moustiques ; et l'hiver, c'est si froid...

— Je ne te le demande pas, c'est mon refuge, Louise, mon havre de paix.

— Pas très aimable pour moi, cette remarque-là...

— Pas que pour toi, pour tous ! J'aime être seul avec mes souvenirs, ma musique, mes lectures... J'ai même dit à Ron que je ne le reverrais plus. On ne construit rien de solide sur les vestiges du passé. Victor l'a vite compris, lui, il a été le premier à s'éloigner de nous. Il a deux enfants, une femme, une vie...

— Une vie comme celle à laquelle j'aspire, David ?

— Oui, je sais, mais il faut tenir compte des envies des autres.

— Que veux-tu dire ?

— Écoute, Louise, tu m'as dit il y a quelques jours que cet appel serait un ultimatum. J'aimerais que tu te rendes droit au but.

— Bon, puisque tu insistes... Mais avant toute chose, j'aimerais savoir si tu m'aimes, David.

— Oui, je t'aime.

— Je t'aime aussi, voilà un point de réglé. Exiger un tel aveu après tout ce temps... Mais il le fallait, Dave.

David ne répliqua pas et, s'enfonçant dans le fauteuil vert avec tabouret, il allongea les jambes, croisa les chevilles et attendit que Louise déplie la liste de ses revendications.

— Tout d'abord, tu sais que j'ai horreur de ce que tu fais pour gagner ta vie. Donc, tu quittes ce milieu, tu fais autre chose ou rien, j'ai de l'argent pour deux avec mon commerce et toi, tu en as suffisamment pour te « retirer », si le verbe s'emploie dans ton cas.

— Sachant tout ce que j'ai fait, Louise, vas-tu passer le reste de ton existence à me le reprocher ? Vais-je avoir à vivre avec un doigt pointé sur moi à la moindre querelle ?

— Non, telle n'est pas mon intention. Je veux que tu renonces à cet esclavage afin de l'oublier peu à peu... Puis, entièrement avec le temps.

— Tu n'auras jamais de répulsion sachant que mon corps...

— Dave ! En ai-je eu à ce jour ? Actif comme tu l'es encore ?

— Non, c'est vrai, et tu ne m'as jamais questionné sur mes voyages ou mes absences prolongées. Tu as été très discrète en ce sens, je l'admets.

— Mais je ne veux plus avoir à l'être. Donc, ma première condition est que tu quittes ce milieu infect et, la seconde, c'est que tu vendes le chalet.

— Le chalet ? Pourquoi ? On vient tout juste d'en parler...

— Pourquoi ? Parce que c'est ton refuge comme tu dis et que c'est là que se passe ce dont je ne veux plus entendre parler ? Il y a eu ce Paul, naguère, sa poésie, sa musique, d'autres sans doute... Et là, tes amis dont l'un me semble excessif... Non ! Tu le vends et on en achète un autre dans les Cantons-de-l'Est ! Fini, Sainte-Anne-des-Lacs ! Derrière toi avec le reste ! Es-tu encore là, Dave ? Je ne t'entends pas...

— Parce que je ne dis rien, je t'écoute, Louise. Continue.

— Ce qui me tient à cœur et tu le sais, c'est un enfant ! J'avance en âge, toi aussi ! Je ne peux plus me permettre d'attendre. Pas deux ou trois, mais au moins un, mariage ou pas ! Je sais que tu n'en désires pas, mais il faudra te faire à l'idée, Dave. Ensemble, nous allons faire le plus bel enfant du monde !

— Tu as beaucoup d'autres conditions comme celles-là ?

— Une dernière ! Vivre ensemble ! Dans ton condo à cause de mon commerce. Plus tard, avec un enfant, nous trouverons une maison de rêve... Ce n'est pas l'impossible que je te demande.

— Un enfant hors mariage, c'était contre les principes de ma mère.

— Alors, épouse-moi ! Je ne demande pas mieux ! Je n'osais pas l'ajouter à mes requêtes, mais ce serait le plus beau jour de ma vie, Dave !

— Puis-je à mon tour te dire ce qui ne me convient pas dans tes récriminations ?

— Bien entendu ! Tu as ton mot à dire, il va de soi !

— Premièrement, désolé, mais je ne veux pas d'enfant. Pas à quarante ans et plus ! Si tu veux de moi sans cette condition, c'est déjà un but de gagné, mais si tu reviens à la charge, je me permets de tout remettre en question.

— Dave ! C'est la plus triste chose à me dire...

— Je n'ai pas terminé, Louise. Le chalet, je le garde jusqu'à ce que je décide de m'en départir. C'est mon héritage de jeunesse, c'est mon âme, c'est ma mère entre ces murs. Pour le métier que je fais, j'achève et tu le sais, j'arrive au bout de l'âge des candidats. Vient un temps... Or, comme je suis conscient de ce qui m'attend, n'en parlons pas.

— Tu défais tout ce que j'ai ficelé au fur et à mesure.

— Oui, parce que tu ne peux libeller des clauses seule ! Nous sommes deux sur ta liste, cesse de ne parler qu'en ta faveur !

— Quelque chose d'autre qui ne te plaît pas ?

— Tu vois trop loin, Louise, moi, je vis un jour à la fois. Je ne vois pas de maison à l'horizon ni de chalet dans tes endroits de prédilection. Pour que ça fonctionne, il nous faudrait faire des concessions ! Toi comme moi !

— Des concessions ? Des compromis ? Ça fait depuis le début de notre relation que j'en fais, Dave ! Je n'en suis plus aux conciliations ! J'en suis à un ultimatum !

— Quel est-il ?

— Tout ce que je viens de te dire ou c'est la rupture ! Je te quitte et je cherche ailleurs !

— Ça ne peut pas être plus clair. Aucun plaidoyer de ma part ?

— Non, ça fait trop longtemps que le « procès » dure si je peux employer le terme. Je suis peut-être prête à passer l'éponge sur ton chalet auquel tu tiens, mais à la condition que tu le remettes à neuf ! On le démolit et on rebâtit !

— Ridicule, voyons... Ce qui me plaît ici, c'est justement l'état brut dans lequel il est encore. Les souvenirs, mon enfance... Tu n'as aucun sentiment de ce genre, Louise ?

— Pour un chalet ? Mûris, David ! Ça fait vingt ans et plus que tu t'y accroches ! De toute façon, je ne baisse pas pavillon devant le désir d'avoir un enfant. J'ai besoin d'être mère... Tu dis m'aimer, Dave, comment peux-tu me refuser cette joie ? Toutes les femmes ont ce droit et la paternité t'irait si bien. Imagine ! Une mignonne petite fille sur tes genoux, ou un gentil fiston...

— Je n'ai plus l'âge, je te le répète. J'ai grandi sans frère, très éloigné de ma sœur, et ça ne m'a pas manqué. Les enfants ne m'attirent pas, Louise, je ne serais pas un bon père.

— Que tu dis ! Mais ça s'apprend, Dave ! En pratique, non en théorie ! Moi, je suis certaine que si tu y pensais sérieusement, tu comprendrais que j'insiste pour ton bien. Pas facile de vieillir seul, tu sais...

— Sur ce point, j'ai des nouvelles pour toi ! Tu te rappelles de Bob, comme je l'appelais, le veuf qui m'a fait visiter l'Espagne ?

— Heu... si on veut...

— Bien, il a cinq enfants d'âge adulte et aucun ne va le voir dans la résidence où on l'a placé après sa thrombose. Il est entouré de soins parce qu'il a de l'argent, mais aucun de ses enfants ne lui rend visite. Pas même un coup de fil aux infirmières pour prendre de ses nouvelles ! Trois filles et deux garçons, des petits-enfants, et il vieillit seul et tristement dans une chambre depuis qu'il est paralysé. Mais, pas fou pour autant, il les a tous déshérités pour laisser sa fortune à des œuvres de charité et ils n'en savent rien. Alors tu repasseras avec ton « vieillir seul ». Des enfants, c'est ingrat ! Ça prend, ça prend... mais ça ne donne pas beaucoup en retour ! Pas même un peu de leur temps en vieillissant ! Et tu voudrais que j'en fasse ?

— Je ne tiens pas à m'obstiner sur ce sujet, je l'ai mis sur la table comme les autres ! Et j'y tiens ! Pense moins à toi, David ! Pense aussi à moi ! Tu parles d'ingratitude, mais tu oublies de mentionner l'égoïsme dont tous les hommes font preuve.

— Écoute, Louise, tu me laisses le temps de réfléchir sur le tour de piste que tu viens de me servir ?

— Oui, mais pas comme les autres fois... Pas des jours de silence pour ensuite me revenir et éviter le sujet. Je te laisse deux heures, Dave, pas plus ! J'attendrai au bout du fil !

— Ça me semble raisonnable, mais je vais te faciliter la conclusion. Si dans trois heures, pas deux, mais trois, je te rappelle, c'est que j'aurai obtempéré à toutes tes conditions, sauf pour le chalet. Si tu ne reçois pas d'appel, c'est que je rejette ton ultimatum. De cette façon, il n'y aura pas de discussion et la rupture se fera en douceur. Mais je vais réfléchir à tout ce que tu m'as dit. Tu n'as pas tort sur tous les points et, comme je t'aime… Tu m'attends depuis longtemps, je le sais. Laisse-moi creuser le fond de mes pensées, laisse-moi aussi palper mon cœur. J'ai vraiment besoin de faire le vide. J'ai peut-être envie de changer de vie… Je n'en sais rien. Laisse-moi y songer, Louise.

— D'accord, j'accepte ce pacte, Dave. Marché conclu. Mais tout au long de ta méditation, pense à moi, revois mon visage, revis nos beaux jours ensemble et n'oublie surtout pas que je t'aime.

— Ne crains rien, Louise, les sentiments vont s'immiscer dans ma réflexion, ils en prendront même la plus grande part. Car rien ne se dessine, ne se trame ni se concrétise sans amour.

Épilogue

La pluie avait presque cessé, le brouillard du matin se dissipait, les vents cherchaient une accalmie et le soleil, quelque peu timide, tentait de disperser les derniers nuages qui persistaient. On aurait pu jurer que les rares rayons ne se propageaient que pour David et son chalet. Une illumination soudaine mais de courte durée après tant de jours de pluie ! On pouvait discerner les ronds laissés par les gouttelettes sur les vitres des fenêtres, et la toiture sombre et morbide par toute cette eau retrouvait peu à peu sa teinte sèche orangée. Un doux bienfait pour les geais bleus qui s'y perchaient. Quelques petits moineaux évadés de leurs branches picoraient des miettes éparpillées par terre. D'autres oiseaux plus gros, l'œil vif et alerte, épiaient sans les rater les nombreux vers de terre. À la radio, on parlait des pluies torrentielles qui s'étaient abattues sur plusieurs régions du Québec. Certains endroits avaient reçu des accumulations de plus de cent millimètres d'eau en quelques jours, d'autres avaient connu des averses ponctuelles de trente millimètres de pluie à l'heure. Plusieurs maisons et routes avaient été inondées dans certains secteurs. Des glissements de terrain étaient également survenus en raison de l'instabilité des sols gorgés d'eau et de nombreuses résidences avaient dû être évacuées. Deux décès survenus au Témiscouata étaient directement reliés à ces pluies. Une masse d'air humide et instable jumelée à un vaste système dépressionnaire se déplaçant lentement était à l'origine de ces intempéries qui s'ajoutaient à un été déjà bien terne. Il avait plu abondamment à Sainte-Anne-des-Lacs, mais les trois compères n'en avaient pas souffert pour autant, bien à l'abri, avec les victuailles arrosées de vin pour leur tenir compagnie. Sauf pour la voiture de Victor qui s'était enlisée, aucune avarie, rien d'ennuyeux n'avait chamboulé le chalet, repaire chauffé par des bûches pour contrer la fraîcheur mêlée à l'humidité dont « le gros » s'était plaint constamment. Pourtant bien en chair, il avait été le plus douillet des trois face à l'inconfort qui régnait entre les murs de la « bicoque », comme l'avait qualifiée Ronald en son for intérieur.

David, sur le balcon de son chalet, respirait des bouffées d'air pur, histoire de se libérer des odeurs laissées à l'intérieur par ses deux visiteurs. Des effluves de nervosité et de sueur durant leur témoignage qu'il fallait aérer. Ils étaient maintenant loin tous les deux, dissipés ou presque des pensées de David, sauf Ronald qui s'y accrochait encore par un fil qui allait incessamment se rompre. Parce qu'il était, dans l'échelle des observations de David, le plus malheureux des trois. Lui-même n'était pas des plus heureux, mais comparé à Ronald, c'était bien peu… Quoique ce dernier s'accordait une chance avec Josée. En son âme et conscience, David priait pour que les intentions persistent et que Ronald puisse enfin trouver de belles raisons de vivre et de vieillir. Sans songer qu'il avait, lui aussi, de sombres doutes à clarifier.

Après avoir lancé des arachides aux écureuils et autres petites denrées pour les petits « suisses » et les lièvres qui rôdaient dans l'herbe qui séchait, David rentra à l'intérieur et, sentant un petit creux, chercha un coupe-faim qu'il trouva au fond du réfrigérateur. Un plat d'œufs farcis, de branches de céleri et de quelques portions de fromage de chèvre, de quoi retrouver la forme jusqu'au souper qu'il se promettait de prendre en chemin, à la fin de la journée, avant de regagner son condo. Il avait placé au bord de la route les cannettes vides de Canada Dry de Vic, sachant que les jeunes des chalets voisins allaient s'empresser de les ramasser pour les vendre à l'épicerie de la région. Puis, ayant tout rangé dans les chambres et la cuisine, il se retira dans le *living room* près de la fenêtre avec le recueil *Poèmes choisis,* de Saint-Denys Garneau, qu'il apprenait à connaître. Furetant une fois de plus, il s'arrêta sur *Lassitude* dont les deux premières lignes, *Je ne suis plus de ceux qui donnent... Mais de ceux-là qu'il faut guérir,* le ramenèrent... à lui. Il savait qu'il avait à faire un sérieux examen de conscience. Pour son propre bien-être et celui de Louise. Mais, apeuré à l'idée d'avoir à admettre certains torts, il préféra tourner les pages de son recueil et se retrouver avec *Flûte,* un poème plus léger, voire candide, qui l'éloignait de tout questionnement. Comme le grand adolescent qu'il était encore... Comme l'enfant gâté qu'il avait toujours été. Par sa mère, puis... par eux ! Tous ces hommes d'âge mûr, prédisposés à le choyer, sans qu'il ait trop à faire pour les dédommager. Il déposa le livre en format poche sur une chaise de rotin qui ne servait à rien et se rendit jusqu'à l'armoire où se trouvaient couchées quelques bouteilles de vin. Celles qui, intactes, avaient échappé au flair de Ronald. Il jeta son dévolu sur un Cabernet-Sauvignon Forest Glen, de la Californie. Un vin rouge tranquille. Aussi calme que pouvait l'être son âme pas encore torturée par de sombres pensées, ce qui viendrait dans peu de temps... Il se promit de boire lentement tout en croquant quelques cubes durcis d'un autre fromage. La coupe à la main, après s'être assuré que le vin n'était pas bouchonné, et les yeux tournés vers sa bibliothèque où tous les poètes qu'il aimait dormaient. Satisfait du léger goût fruité du Forest Glen, David s'installa dans son fauteuil préféré ; et les deux pieds sur le tabouret, il croisa ses chevilles, la droite sur la gauche comme de coutume et, s'emparant de son petit appareil radiophonique à piles, il le remit en marche pour se retrouver à Radio-Classique où la réception était plus perturbée que la veille. Il joua avec le bouton qui localisait la station et put saisir, sans faille ou presque, la *Fantaisie-Impromptu* de Frédéric Chopin, qui achevait pour ensuite s'enchaîner avec la *Sérénade mélancolique* de Tchaïkovski. Comme il se sentait bien dans sa solitude apprivoisée ! Le vin, la grande musique, la poésie, le chant des oiseaux, les rayons du soleil... Comme il se sentait quiet, avec rien d'autre dans la tête que les bruits de la nature et la paix tant convoitée. À ne penser... qu'à lui ! Sans se préoccuper de personne d'autre... que lui ! Avec le regard de sa mère qui veillait sur lui de là-haut. « Aussi seul qu'on veut bien l'être... », répondait-il à ceux et celles qui le plaignaient dans sa tanière. Car lorsque David avait fait le tour de l'horloge du silence qu'il s'imposait, il n'avait qu'à prendre un appel pour bénéficier d'un bain de foule dans une soirée mondaine. Ou aller s'asseoir au bar d'un hôtel, engager la conversation, et...

Telle était son existence. Par adoption. Par envie qu'il en soit ainsi. Bel homme, quarante ans, le mitan... Pas encore, mais tout près. Une période charnière qui constitue la vie d'adulte. Loin de cela, se croyait-il... Les Gémeaux ne sont-ils pas d'éternels jouvenceaux ? Il vénérait l'astrologue qui l'avait clamé sans se souvenir de son nom. Il préférait se qualifier d'individualiste plutôt que d'égoïste. C'était Louise qui, chaque fois, troquait la qualité dont il s'embellissait contre le défaut qu'elle lui imputait. Tiens ! Il ne restait plus que le fond du verre, ce qu'il ne buvait jamais par crainte d'y déceler des parcelles de dépôt. Il sortit un autre verre du vaisselier et n'en remplit que le quart pour que le vin reste frais. Les musiques s'étaient enchaînées, on en était maintenant à l'un des *Vingt-quatre caprices* pour violon, de Paganini. Le seizième en sol mineur. Comme il était fier de reconnaître ainsi les œuvres des musiciens célèbres ! Pas toutes, mais presque ! Grâce à Paul à qui il songeait souvent lorsque les symphonies s'amalgamaient aux vins et aux spiritueux. Paul qui adorait l'œuvre de Beethoven, sa *Symphonie pastorale* en particulier. Paul dont il écoutait encore la voix sur un ruban de magnétophone alors qu'il récitait *Les Indolents* de Verlaine ou *Le Bateau ivre* de Rimbaud, compagnon d'infortune du premier. Paul qu'il n'avait jamais totalement oublié parce qu'il avait été pour lui beaucoup plus qu'un compagnon d'aventure. Paul qui l'avait cultivé et redressé comme on le fait d'un rosier arqué. Paul qui lui avait tout inculqué : l'art d'être grand dans un métier exigu, le privilège d'être instruit privément et le bien-être de se sentir parvenu quoique ambigu. Un rustre poli à la pierre ponce, quoi ! Ce qui lui avait valu de « grimper des échelons », de côtoyer des magistrats, des ministres, des avocats, des médecins, des écrivains et des « haut placés » des médias. Ce qui lui avait aussi permis de distinguer un vin rouge Château Marbuzet de France d'un Seven Oaks des États-Unis.

David se remémorait de bons moments pour ne pas avoir à plonger dans le débat auquel il s'était engagé. Il chassait Louise de ses pensées dès qu'elle s'y infiltrait. Non pas qu'elle n'était pas belle, elle était sublime ! Non pas qu'elle n'était pas terre à terre, c'est lui qui flottait sur un nuage. Elle l'adorait ! Il l'aimait. Et pourtant, elle préférait courir le risque de le perdre plutôt que de poursuivre ainsi. Elle ne souhaitait pas, comme tant d'autres avant elle, rater sa vie. Sur le plan intime, évidemment, puisque sa vie professionnelle s'avérait pleinement réussie. Mère au fond du cœur, fibre maternelle dans les entrailles, elle voulait porter et mettre au monde un enfant... de lui ! Parce qu'elle savait que le chérubin vaudrait tous les anges du Ciel. Parce qu'ils étaient beaux tous les deux ! Esthéticienne et lui esthète, on ne pouvait s'attendre à mieux. Pour jongler davantage avec sa vie, David se permit une demi-bouteille de Pinot Noir, quitte à faire une sieste avant de prendre le volant. Son cellulaire sonna, il sursauta, c'était pourtant lui qui devait la rappeler, non elle... Il regarda l'afficheur, c'était un numéro confidentiel. « Sans doute pour le travail », songea-t-il, en laissant l'interlocuteur tomber dans sa boîte vocale. Puis, rassemblant ses idées, il se mit à réfléchir. Sérieusement ! Il s'imaginait avec elle qui, dominatrice quelque peu, était si belle lorsque ses yeux perlés plongeaient dans les siens. Elle qui lui faisait miroiter une vie mondaine et paisible à la fois. Un milieu où les cocktails et les soupers d'apparat allaient être nombreux, et une maison familiale dans laquelle un enfant ferait ses premiers pas. Un petit garçon, si possible, parce que Virginia, la défunte mère de David, les préférait aux filles. Puis, la routine, les premiers cheveux gris, l'affaissement du corps ferme, la peau devenant flasque, les rides creusant l'épiderme... Mais, quoi qu'il en soit, tout cela apparaîtrait. Le David de Michel-Ange avait certes perdu sa beauté avec les ans. Farinelli aussi ! Pourquoi en serait-il épargné, lui ? Sa chute viendrait, hélas, et sa splendide Louise suivrait dans la descente. Comme les feuilles des arbres, tombent celles des calendriers. Son cégep des beaux jours n'accueillait-il pas présentement une nouvelle cuvée ? Chacun son tour, non ?

Du revers de la médaille, il contemplait sa vie telle qu'elle était présentement. Une existence fastueuse qui s'achevait. Péniblement puisque d'autres, plus jeunes, plus constants, prenaient sournoisement la relève. Ensuite ? Pour lui ? La solitude pas tout à fait désirée... La quête de clients, peut-être, alors qu'il en serait réduit à téléphoner pour vendre son corps à rabais ? Non, il ne fallait pas assombrir ainsi le portrait de sa douce réalité. Ce que le miroir lui rendait n'était pas encore ce qu'il imaginait. Mais tout de même ! Quarante ans, c'était deux fois vingt ans... Pour repeindre de blanc ses idées noires, il se mit à songer à Paris, Madrid, Londres, Venise, San Francisco, Athènes... Pas à Melbourne, il n'avait pas encore vu l'Australie. Pas à Moscou, personne ne l'avait encore invité en Russie... Le temps s'écoulait, le vin aidait et il s'assoupissait alors que, par la fenêtre ouverte, un vent d'après-midi lui ébouriffait la crinière.

Il s'était évadé dans les méandres du rêve il ne sut combien de temps. Le cri aigu d'un oiseau rapace l'avait sorti de sa torpeur. Il s'étira d'aise, se passa la main dans les cheveux et, regardant sa montre, remarqua qu'il était près de dix-huit heures. À quelque sept minutes de l'ultimatum. Il reprit son verre, le porta à ses lèvres et en but une gorgée. Comme pour avoir un goût de raisin sur la langue lorsqu'il s'entretiendrait. Il se leva, se rendit à la cuisine, jeta un peu d'eau sur son visage et revint au vivoir s'allonger cette fois dans le fauteuil vert. Celui des confidences... Celui des confessions... Celui des intentions... En sourdine, on pouvait entendre *La valse du baiser* de Johann Strauss. Sur le rebord de la fenêtre, un oiseau non identifié de la famille des corvidés se gavait de croustilles ramollies oubliées par « le gros ». Ce qui fit sourire David qui, dégageant de sa ceinture son téléphone portable, comprima de l'index le bouton de rappel. Un, deux, trois coups...

— Oui, allô ?

— Monsieur Finnigan ? C'est Dave ! Vous vous souvenez ?

— Bien sûr, j'attendais ton appel.

— Alors, ça va pour les conditions ?

— Oui, tout me convient... Je pars demain, Dave.

— Vous avez des billets pour deux ?

— Je n'ai qu'un geste à faire.

— À vingt heures, si je ne m'abuse ?

— C'est exact.

— Je serai à l'aéroport.

Quelques heures plus tard, choix fait, David fermait à clé la porte du chalet.

Suzanne Aubry
Le Fort intérieur

François Avard
Pour de vrai

Micheline Bail
L'Esclave

Yves Beauchemin
L'Enfirouapé

Mario Bélanger
Petit guide du parler québécois

Janette Bertrand
Le Bien des miens
Ma vie en trois actes

Mario Bolduc
Nanette Workman – Rock'n'Romance

Anne Bonhomme
La Suppléante

Roch Carrier
Floralie, où es-tu ?
Il est par là, le soleil
Il n'y a pas de pays sans grand-père
Jolis deuils
La Céleste Bicyclette
La guerre, yes sir !
Le Rocket
Les Enfants du bonhomme dans la lune

Marc Favreau
Faut d'la fuite dans les idées !

Antoine Filissiadis
Le Premier et le Dernier Miracle
L'Homme qui voulait changer de vie
Surtout n'y allez pas
Va au bout de tes rêves !

Claude Fournier
Les Tisserands du pouvoir
René Lévesque

Gilles Gougeon
Catalina
Taxi pour la liberté

Claude-Henri Grignon
Un homme et son péché

Michel Jean
Envoyé spécial

Lucille Jérôme
et Jean-Pierre Wilhelmy
Le Secret de Jeanne

André Lachance
Vivre à la ville en Nouvelle-France

Louise Lacoursière
Anne Stillman 1 – Le procès
Anne Stillman 2 – De New York à Grande-Anse

Roger Lemelin
Au pied de la Pente douce
Le Crime d'Ovide Plouffe
Les Plouffe

Véronique Lettre
et Christiane Morrow
Plus fou que ça... tumeur !

Denis Monette
Et Mathilde chantait
La Paroissienne
Les Parapluies du diable
Marie Mousseau, 1937-1957
Par un si beau matin
Quatre jours de pluie
Un purgatoire

Paul Ohl
Drakkar
Katana
Soleil noir

Jean O'Neil
Le Fleuve
L'Île aux Grues
Stornoway

Annie Ouellet
Justine ou Comment se trouver un homme en cinq étapes faciles

Francine Ouellette
Le Grand Blanc
Les Ailes du destin

Lucie Pagé
Eva
Mon Afrique
Notre Afrique

Fabrice de Pierrebourg
et Michel Juneau-Katsuya
Ces espions venus d'ailleurs

Claude Poirier
Otages

Francine Ruel
Cœur trouvé aux objets perdus
Et si c'était ça, le bonheur ?
Maudit que le bonheur coûte cher !

Jacques Savoie
Le Cirque bleu
Le Récif du Prince
Les Ruelles de Caresso
Les Soupes célestes
Raconte-moi Massabielle
Un train de glace
Une histoire de cœur

Louise Simard
La Route de Parramatta
La Très Noble Demoiselle

Matthieu Simard
Ça sent la coupe
Échecs amoureux et autres niaiseries
Llouis qui tombe tout seul

Cet ouvrage a été composé en Dolly 9,5/12
et achevé d'imprimer en juillet 2012 sur les presses de
Imprimerie Lebonfon Inc. à Val-d'Or, Canada.